中国近现代针灸文献研究集成教材卷

王富春 杨克卫／主编

针灸综合分卷

广东篇（四）

北京科学技术出版社

针灸学
（广东光汉中医学校）

提 要

一、作者小传

周淦（1881—1942），又名天驷，字仲房，广东增城小楼镇人。据《濂溪周氏广东族谱》记载，其族系北宋理学家周敦颐南下后裔。宣统元年（1909），周仲房毕业于广东水师鱼雷学堂（原黄埔海军学校）第十一期驾驶专业，旋即在海军服役。

1922年，周仲房绝意仕途，先是归隐故里，业针悬壶，后侨居香江。历任香港港侨医院中医部主任、侨港中华国医分馆副馆长、广东中医药专门学校教务主任，并曾于1936年任代校长一职。其间，周仲房编撰《针灸学讲义》并教授针灸课程。授业之余，应诊于广东中医院（现广东省中医院）。1942年，病逝于香江。

对于周仲房习医之路，《岭南中医》称其研习于广东陆军军医学堂针灸科，《岭南医学史》则考证其在民国初攻读于广东军医学堂针灸科，学课于广东中医教员养成所。查《岭南中医》，“广东陆军军医学堂”当为“广东陆军军医学校”之误，该校前身是创办于光绪三十年（1904）的两广新军军医学堂，是两广开办的我国第一个西医学堂，以教授西医西药为要，该校于宣统元年（1909）更名。广东军医学堂前身是广东随营军医学堂，该学堂于光绪三十三年（1907）更名，以教授西医为主，属随军医院和随军医学堂。广东中医教员养成所开办时间为1917—1922年，学制两年，而当时周仲房正居军政要职。故上述两种说法似并不成立。周仲房针灸之术当另有所本，惜所见资料有限，未能正本清源。前广东中医药专门学校校长罗元恺教授回忆校史时谓“周氏专于针灸”，故周仲房精于针术当无误。

二、版本说明

该书为铅印本，残存1册。

三、内容与特色

该书内容与《广东中医药专门学校针灸学讲义》（周仲学）内容基本一致，内容全面，在当时具有较高的学术水平。其特色如下。

（一）强调针灸的重要性，理论与实践相结合

“针灸术之沿革”以《黄帝内经》等文献及历代针灸医家为线索，讲述针灸学术的发展历程，提出针灸作为唯一的物理疗法，受到国内外的认可，应对针灸术进行深入研究，将其纳入国粹。次篇“针灸治病论”讲述针灸治疗疾病的基本原理和施治过程中的注意事项，强调阴阳五行、脏腑经络、子午流注等理论知识的重要性，并批判了某些从医者急功近利的不良态度。

（二）叙述腧穴定位方法，详解各经腧穴

书中“人身度量标准”篇，叙述腧穴定位方法，内容包括体表解剖标志定位、骨度折量定位和同身寸定位，并介绍脏腑十二经穴、奇经八脉、十五络脉、经外奇穴、阿是穴等相关内容。叙述十二正经的经穴时，先总述某条经，内容包括该经的经穴数量、循行部位、常见疾病及相应治疗方法，继而分述该经各穴，内容包括部位、解剖、主治、手术、摘要五部分。其中“部位”部分为某穴在中医学中的定位；“解剖”部分是从现代解剖学角度分析某穴所在的肌肉、关节及其周围的神经、血管；“主治”部分讲述某穴的主治病证；“手术”部分讲述某穴适宜的进针深度、角度及施灸壮数等操作方法；“摘要”部分则是引用历代医家、医著对某穴治疗作用的论述或阐述作者自己的治疗经验。该书对于各穴位的讲解详尽，易于理解。

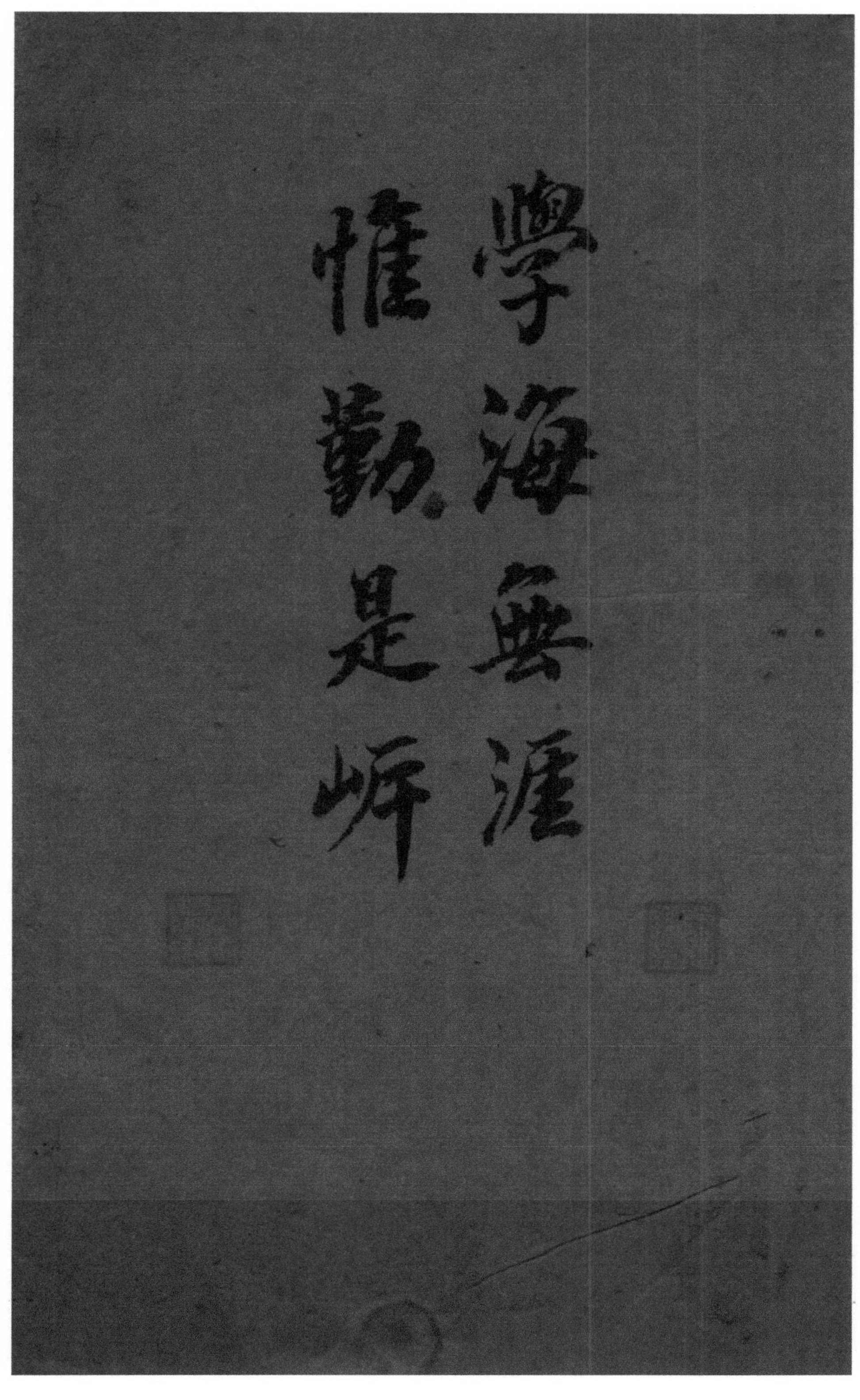
學海無涯
惟勤是岸

氣喘痰壅 車喉以 猴子棗 珍珠 白凡

針灸源流說畧

增城周仲房編

醫用針灸。由來已久。大都藥力所不能到。非針灸莫爲功。自內經靈蘭秘典。五常正大。六元正紀等篇出世。開針灸新紀元。闡明陰陽五行生制之理。配象合德。實切於人身。其諸色脉病名。針刺治要。皆推是理以爲後學津梁。而皇甫謐之甲乙。楊上善之太素。亦皆本於此。其閒微有異同。針灸之綱法。無不濫觴於是矣。他如難經十三卷。秦越人祖述黃帝內經。設爲問答之辭。發明要理。子午經一發。論針灸之要。撰成歌訣。後人依託扁鵲者。崇若山斗。存眞圖一卷。晁公謂楊介編。崇寧間泗州刑賊於市。郡守李夷行。遣醫幷畫工往。親決膜。摘膏肓。曲折圖之。盡得纖悉。介校以古書。無少異者。又王莽時。捕得翟義黨。王孫慶使太醫尚方。與巧屠共刳剝。量度五臟。以竹筳道其脉。知所終始。可以治義。實針灸切要之經驗。千金方唐孫思邈所撰。至引導之要。無不周悉。此針灸之金聲玉振者也。十四經發揮三卷許昌滑壽伯仁。傳針法於東平。高洞陽得其開闔流注交別之要。而施治功，手術純善。尤盡針灸之神妙。神應經一卷乃宏綱陳會所撰。先著廣愛書十二卷。慮其浩瀚。獨取一百一十九穴。爲歌爲圖。仍集治病要穴。總成一帙。誘導學者以守約之規。南昌劉瑾校。明堂針灸圖資生經。古今醫統。玄機秘要。乾坤生意。醫宗金鑑。醫學入門。中取關於針灸諸姓氏。各見原書。而針灸大成。總輯以上諸書。無不周備。則針灸之道。其在斯乎。

明堂針灸圖較正

第壹章 針灸術之沿革

古代治病。姑爲祝由。繼乃砭石導引。而湯藥在於砭石之後。砭石迄巳失傳。今之針灸術。殆卽砭石之遺意。內經素問靈樞。中醫界奉爲醫科聖經必讀之書。而靈樞九卷。時詳臟腑經兪。針家尊爲針經。故亦有針經九卷之名。而素問刺熱刺瘧諸篇。實開針灸治療之源。越人扁鵲。刺維會。起虢太子之死。可謂針家之鼻祖。自復載諸史乘。代有傳人。漢之華陀郭玉。其最著者也。他如魏之崔氏彧。李氏潭元。皆以針名。至晉有王甫謐著甲乙針經。齊有徐文伯馬嗣香爲針灸之著者。隨之北山黃公。唐之名臣狄公仁傑。皆精於針灸。而孫氏思邈。王超王燾諸賢。更復著作等書。及至宋代仁宗詔王維德考次針灸。鑄爲銅人。於是經穴始有標準可循。針灸一科。研者遂多。至經歷。王纂。許希。王堯明等。皆名聞朝野。而王氏執中。復著有針灸資生經七卷。劉氏元賓。著有洞天針灸經行世。至金而元仍不稍衰。太師竇漢卿官而精針術。著有標幽賦。張氏潔古。醫學著作尤多。亦精針灸。滑壽伯仁。得東平高洞陽之傳。名噪遐邇。著作亦多。元臣忽太必烈。著有金蘭循經。王鏡澤得竇氏之傳。重註標幽賦。傳其子國瑞。國瑞傳延玉。延玉傳宗澤。世克其業。降之明季。有過龍之針灸要覽。吳嘉言之針灸原樞。汪璣之針灸問對。姚亮之針灸圖經。陳會之神應針經。高武之針灸節要與聚英。楊繼洲之大成。長篇巨著。各有發明。而黃良佑。陳光遠。李成章等。專以針鳴世。元明兩季爲中國針灸學最盛時代。清季之世。歐風東漸。此學遂衰。業除王陳。諸大醫家。雖都熟諳經穴。特偏重湯藥治療。針灸一科。遂不爲世所重。甚有一般醫家。以經穴難明。手術不諳。謬言針能泄氣。或宜於藜藿壯體。遂使人皆畏避。且也。窮鄉僻壤。挑夫走卒。每得前賢一得之傳。針刺痧疫。屢收捷效。士君子但以學都賤役。遂不屑研究之。我中國特獨之絕學。起痛治痾之神術。坐是而不彰。而東西各國。近年來視針灸爲特獨之器械療法。唯一之物理療法。竟有設專科研究之。嗟乎發明針灸術之我國。竟歛屣視之。烏乎可。方今提倡保存國粹之時。能不起而研究振興之哉。

針灸治病論

增城周仲房編

針灸之學。古人論之甚詳。其考次治法。以遺教後人。心亦良苦。或鑄銅人爲式。分列臟腑十二經。旁註俞穴所會。以定主療之術。或遣畫工親赴刑場。量度五臟決摘膏肓。以審發病之源。其他若靜坐之內功。禁忌之發明。方宜之論列。闡明陰陽五行生制之理。抉發開闔流注交別之要。皆類輯成書。繪圖著說。爲後學階梯。故針灸之爲道。非於人身陰陽維蹻帶衝督任八脉十二經十五絡。研之有素。明乎流注。灼乎專穴。斷難分別眞邪。針灸所主。疾病若失。然手術不研究。刺法不能從心。則尤爲針治之忌。經云。病有浮沉。刺有淺深。各至其理。無過其道。過之則內傷。不及則生外壅。壅則邪從之。淺深不得。反爲大賊。其致必至內動五臟。外生大病云云。嗚呼。險矣。一孔之儒。以人命爲兒戲。往往朝誦黃庭。晚希說喝。倉卒以圖。鮮有不敗。蓋病之中人必有其漸。有在毫毛腠理者。有在皮膚者。有在肌肉者。有在脉者。有在筋者。有在骨髓者。有在血氣者。知病所在。針灸從之。適乎其度。自不至傷皮動肺。傷肉動脾。傷脈動心。傷筋動肝。傷骨動腎。傷髓鑠之流禍。所謂針營莫傷衞。針衞莫傷營也。大抵人身一小天地。大氣磅礴。運行不息。雨暘之若。風雷之蕩。江河之流。皆適乎氣候之平。有不及與過。則必爲厲。風水旱之發現。天地之癘病也。人之一身。備具五臟六腑八脈十二經。然其周流轉輸。得成身體。有活動靈機者。則全視乎氣血之流注。氣血不及其經絡與脈。病即生焉。當此之時。必能因形色病以定其症。審昔脈部位以刺其穴。一開一闔。一迎一拒。曲盡針灸之妙。方克療。原氣血流注於人身。隨經而走。週而復始。碍窒不通。則非得灸以溫其凝。用針以開其竅。使氣血之虛實。調劑至正。難收速效。微乎微乎。生死定於俄頃。存亡係乎緩急。昔人論治病。謂藥不如灸快。灸不如針快。誠以直捷快當。開腠理以迎氣之來。導竅口以放血之穢。惟針灸有此快覺力耳。爰揭其要。聊爲研究之一助。

上古天眞論（素問）

余在黃帝生而神靈。弱而能言。幼而徇齊。長而敦敏。成而登天。廼問於天師曰。余聞上古之人。春秋皆度百歲而出作不衰。今時之人。年半百而動作皆衰者。時世異耶。人將失之耶。岐伯對曰。上古之人其知道者。法於陰陽。和於術數。飲食有節。起居有常。不妄作勞。故能形與神俱。而盡終其天年。度百歲乃去，今時之人不然也。以酒爲漿。以妄爲常。醉以入房。以欲竭其精。以耗散其眞。不知持滿。不時御神。務快其心。逆於生樂。起居無節。故半百而衰也。夫上古聖人之教下也。皆謂之虛邪賊風。避之有時。恬淡虛無。眞氣從之。精神內守。病安從來。是以志閑而少欲。心安而不懼。形勞而不倦。氣從以順。各從其欲。皆得所願。故美其食任其服樂其俗。高下不相慕。其民故曰朴。是以嗜欲不能勞其目。淫邪不能惑其心。愚智賢不肖不懼於物。故合於道。所以能年皆度百歲而動作不衰者。以其德全不危也。帝曰人年老而無子者。材力盡耶。將天數然也。岐伯曰女子七歲腎氣盛。齒更髮長。二七而天癸至。任脉通。太衝脉盛。月事以時下。故有子。三七腎氣平均。故眞牙生而長極。

性命主旨一
亦述之详矣

四七筋骨堅髮長極身體盛壯。五七陽明脈衰。面始焦髮始墮。六七三陽脈衰於上。面皆焦髮始白。七七任脈虛。太衝脈衰少。天癸竭。地道不通。故形壞而無子也。丈夫八歲。腎氣實。髮長齒更。二八腎氣盛。天癸至。精氣溢瀉。陰陽和。故能有子。三八腎氣平均。筋骨勁強。故真牙生而長極。四八筋骨隆盛。肌肉滿壯。五八腎氣衰。髮墮齒槁。六八陽衰竭於上。面焦髮鬢頒白。七八肝氣衰。筋不能動。天癸竭精少腎氣衰形體皆極。八八則齒髮去。腎者主水。受五臟六腑之精而藏之。故五臟盛乃能瀉。今五臟皆衰。筋骨解墮。天癸盡矣。故髮鬢白身體重。行步不正。而無子耳。帝曰有其年老而有子者。何也。岐伯曰。此其天壽過度。氣脈常通。而腎氣有餘也。此雖有子。男不過盡八八。女不過盡七七。而天地之精氣皆竭矣。帝曰夫道者。年皆百數。能有子乎。岐伯曰。夫道者。能却老而全形。身。年雖壽能生子也。黃帝曰余聞上古有真人者。提挈天地。把握陰陽。呼吸精神。獨立守神。肌肉若一。故能壽敝天地。無有終時。此其道生。中古之時。有至人者。淳德全道。和於陰陽。調於四時。去世離俗。積精全神。游行天地之間。視聽八遠之外。此蓋益其壽命而強者也。亦歸于眞人。其次有聖人者。處天地之和。從八風之理。適嗜欲于世俗之間。無恚嗔之心。行不欲離于世。被服章。舉不欲觀于俗。外不勞形于事。內無思想之患。以恬愉爲務。以自得爲功。形體不敝，精神不散。亦可以百數。其次有賢人者。法則天地。象似日月。辨列星辰。逆從陰陽。分別四時。將士上古。合同於道。亦可使益壽。而有極時。

第二章 第一節 人身度量標準

人身經穴度量尺寸。與各種制尺裁尺不同。普通以患人者中指彎曲取其第一節與其第二節之橫紋尖。與第二節第三節之橫紋尖。兩尖相去爲一寸計算之。作量四肢之標準。頭部以前髮際至後髮際。作爲一尺二寸計算之。前髮際不明者。以眉心上行至後髮際。作爲一尺五寸。後髮際不明者。取大椎骨上行至前髮際作爲一尺五寸。前後不明者。以大椎直上行至眉心。作爲一尺八寸計算。此量頭部直行尺寸之標準。頭部橫寸。以眼之內眥角至外眥角作一寸爲標準。胸腹部之量法，以兩乳相去作八寸計算。爲胸腹橫寸之標準。鳩尾尖（蔽心骨）（胸劍骨）尖至臍心。作八寸計算之。如無鳩尾尖。以腦岐骨量至臍心作九寸計算之。爲胸腹直行寸之標準。背部以大椎至尾骶骨作三尺計算之。爲背部分寸之標準。

經穴之考正

臟腑十二經穴起止歌

手肺少商中府起。大腸商陽迎香二。足胃頭維厲兌三。脾部隱白大包四。手心極泉少衝來。小腸少澤聽宮去。膀胱睛明至陰間。腎經湧泉俞府位。心包天池中衝隨。三焦關衝繼耳門。胆家童子髎竅陰。厥肝大敦期至。十二經穴始終歌，

第二節　手太陰肺經凡十一穴共二十二

肺手太陰之脉起于中焦。下絡大腸。還循胃口。上膈屬肺。從肺系橫出腋下。下循臑內。行少陰心主之前。下肘中。循臂內上骨下廉。入寸口。上魚。循魚際。出大指之端。其支者。從腕後。直出次指內廉。出其端。時動則病肺脹滿膨膨而喘欬。缺盆中痛。甚則交兩手而瞀。此爲臂厥。是主肺所生病者。欬，上氣，喘，渴，煩心，胸滿，臂內前廉痛。厥掌中熱。氣盛有餘。則肩臂痛。風寒。汗出中風。小便數而欠。氣虛則肩臂痛。寒少氣不足以息。溺色變。爲此諸病。盛則瀉之。虛則補之。熱則疾之。寒則留之。陷下則灸之。不盛不虛。以經取之。盛者寸口大三倍於人迎。虛者則寸口反小於人迎也。

附肺經諸穴歌

手太陰十一穴。中府雲門天府列。俠白下尺澤。孔最見列缺。經渠太淵下魚際。抵指少商如韭葉。

又分寸歌

太陰肺兮出中府。雲門之下一寸許。雲門璇璣旁六寸。巨骨之下二骨數。天府腋下三寸求。俠白肘上五寸主。尺澤肘中約紋論。孔最腕上七寸取。列缺腕側一寸半。經渠寸口陷中是。太淵掌後橫紋頭。魚際節後散脉舉。少商大指端內側。此穴若鍼疾戍愈

一……中府

部位 在雲門下一寸六分乳上三。肋間動脉應手陷中。去胸中行六寸。

解剖 在第一肋骨下。有大胸筋之處，有腋窩動脉與靜脉。及中膊皮下神經。前胸神經皆在焉。

主肺 腹脹四肢腫。食不下。喘爲胸滿。肩背痛。嘔啘欬逆上氣。肺系急。肺寒熱。胸悚悚。胆熱嘔逆。欬唾濁涕。風汗出皮痛面腫。少氣不得臥。傷寒胸中熱。飛尸遁注癭瘤

摘要 此穴爲肺之募。(募猶結募也。言經氣聚此)。手足太陰二脉之會。

二——雲門

手術仰臥取之。針三分深，留五呼。灸五壯。

部位在巨骨下。離任脉璇璣旁六寸。動脉應手陷中。

解剖在三角筋之旁。有頭靜脉。胸肩峰動脉。分布前胸神經。及鎖骨下神經。

主治傷寒四肢熱不已。欬逆喘不得息。胸脅短氣。氣上冲心。胸中煩滿脅徹背痛喉痺肩痛臂不舉。癭氣。

摘要此穴治胸滿。四肢熱。

三——天府

手術以伸平手取之。針三分深。灸五壯。

部位在腋下三寸。肘腕上五寸。動脉中。又可用鼻尖點墨到處是穴。

解剖即二頭膊筋之部。其深處有上膊骨。腋窩動脉靜脉。及正中神經筋皮神經。

△

主治 暴痺口鼻衄血。中風邪泣出。喜忘。飛尸惡疰鬼語。喘息寒熱瘧。目眩。遠視流流翳氣。

摘要（素問至眞要大論）天府絕。死不治。絕者。此穴動脉不動也

手術 以手伸平。用鼻尖點墨到處取之。針四分。留七呼。禁灸

四……俠白

部位 在天府下二寸。去肘五寸動脉中。

解剖 此處有三頭膊筋。上膊動脈。及頭靜脉。内膊皮下神經。撓骨神經枝。

主治 心痛短氣。乾嘔逆。煩滿。

摘要 與內關合針。能開胸滿、

手術 針三分。灸五壯。

五……尺澤

部位 在肘中約絞上。動脈中。屈肘横紋筋骨左罅陷中。即窩外旁

解剖 卽前膊與上膊之關節部。適當二頭膊筋腱部之外面。分布尺骨動脈。撓骨動脈。及正中神經，中膊皮下神經。與重要之靜脈

主治 肩臂痛。汗出中風。小便數。善嚏悲哭。寒熱風痺。臑肘攣。手臂不舉。喉痺上氣。嘔吐口乾。咳嗽。唾濁。痎瘧。四肢腹脹。心疼臂痛短氣。肺膨脹。心煩悶少氣。勞熱喘滿腰脊強痛。小兒慢驚風。

摘要 手太陰肺脈所入爲合水。肺實瀉之。

手術 以手平伸取之。針三分留五呼。灸五壯。

六——孔最

部位 在尺澤下三腕側橫紋上七寸。

解剖 有長回後筋。膊撓骨筋。及撓骨動脈。頭靜脈枝。有外膊皮下神經。骨神經之皮下枝。

廣州西湖路流水井珠江承印

四總穴歌
頭項尋列缺。面口合谷收。肚腹三里留。腰背委中求。

主治 傷寒發熱汗不出欬逆。肘臂痛。屈伸難。吐血失音。頭疼咽痛。

手術 側取之。針三分。灸五壯。

△七……列缺

摘要 此穴爲手太陰之 。熱病汗不出。灸三壯卽汗出。

部位 去腕側一寸五分。

解剖 此處爲撓骨近關節處之上側。有撓骨動脈枝。外膊皮下神經撓骨神經之皮下枝。

主治 偏風口眼喎斜。手肘痛無力。半身不遂。口噤不開。痎瘧寒熱。煩躁。咳嗽。喉痺。嘔沫。縱唇。健忘。驚癇。善笑。妄言妄語。面目四肢疼腫。小便熱痛。實則肩背暴腫汗出。虛則肩背寒慄。少氣不足以息。

手術 兩手交叉。指盡處筋骨罅中。針二分灸七壯。

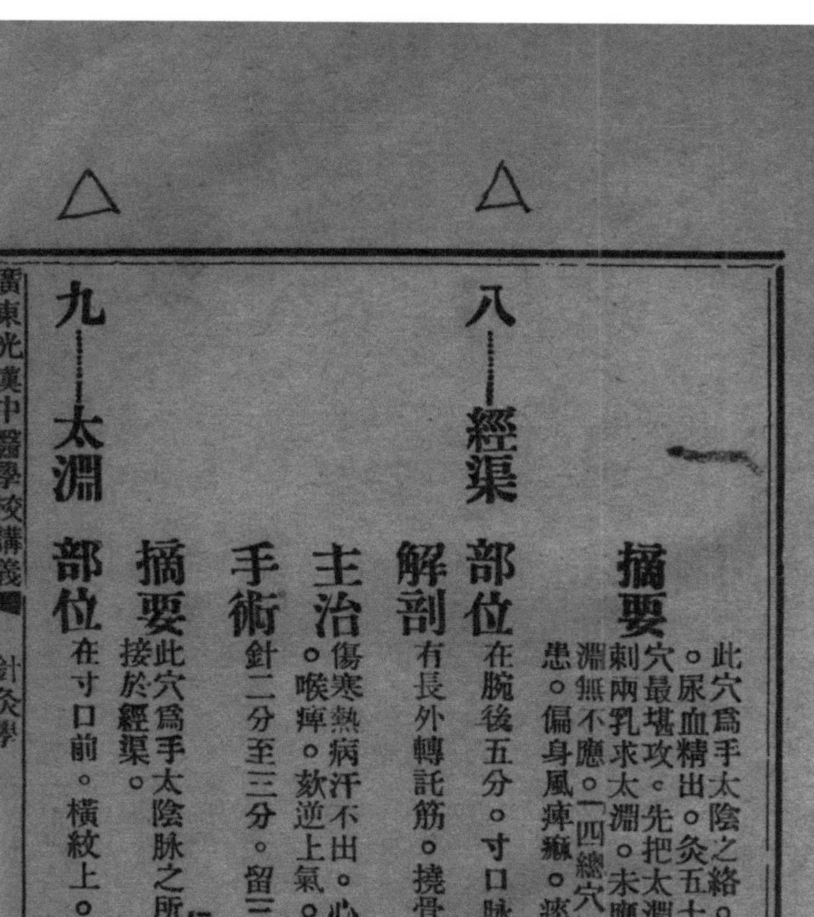

摘要

此穴爲手太陰之絡。別走陽明之路。「千金」治男子陰中疼痛。尿血精出。灸五十壯。「玉龍謌」寒痰欬嗽更兼風。列缺二穴最堪攻。先把太淵一穴瀉。多加艾火即收功。「席弘賦」氣刺兩乳求太淵。未應之時瀉列缺。「又」頭痛及偏正。重瀉太淵無不應。「四總穴」頭項尋列缺。「馬丹陽十二訣」善療偏頭患。偏身風痺癱。痰涎頻壅上。口禁不開牙。

八……經渠

部位 在腕後五分。寸口脈上

解剖 有長外轉託筋。撓骨神經之皮下枝。撓骨動脈。

主治 傷寒熱病汗不出。心痛嘔吐。痎瘧寒熱。胸背拘急。胸滿膨。喉痺。欬逆上氣。掌中熱。

手術 針二分至三分。留三呼。禁灸。灸則傷神明。

摘要 此穴爲手太陰脈之所行爲經金。「百証賦」熱病汗不出。大都更接於經渠。

九……太淵

部位 在寸口前。橫紋上。

廣州西湖路流水井森江 承印

解剖 有外轉托筋。撓骨動脈枝。撓骨神經之皮下枝。

主治 乍寒乍熱。煩燥狂言。胸痺氣逆。肺脹喘息。嘔噦。噫氣。欬嗽欬血。咽乾心痛目痛生翳赤筋。口噼。缺盆痛。肩背痛引臂。弱色變。遺矢。煩悶不得眠。

手術 在腕骨上陷中。掐之甚酸楚。針二分。留二呼。灸三壯。

摘要 此穴爲手太陰脈之所注爲俞土。「席弘賦」氣刺兩乳求太淵。未應之時瀉列缺。「又」列缺頭痛及偏正。重瀉太淵無不應。「又」五般肘痛尋尺澤。太淵針後却收功。「玉龍謌」寒痰欬嗽更兼風。列缺二穴最堪攻。此時太淵一穴瀉。多加艾火即收功。「神農經」治牙疼及手腕無力疼痛可灸七壯。「雜病穴法謌」偏正頭痛左右針。列缺太淵不用補。「又」太淵列缺穴相連。能祛氣痛刺兩乳。

十一　魚際

部位 在太指本節後內側白肉際。去太淵一寸左。

解剖 有拇指對向筋。短屈拇筋。有撓骨動脈之背枝動脈。及撓骨神經枝。

△

主治 酒病身熱惡風。寒熱。舌上黃。頭痛欬嗽。傷寒汗不出。痺走胸背痛。不得息。目眩煩心。少氣寒慄。喉躁咽乾。欬引尻痛。吐血。心痺悲恐。腹痛食不下。乳癰。疱

手術 針二分至四分深。留三呼。灸五壯。

此穴爲手太陰脈之所流爲榮火。「席弘賦」轉筋目眩針魚際。承山崑崙立便消。「百證賦」喉痛兮。液門魚際去療。「一傳」汗不出者。針太淵。經渠。通里。便得淋漓。更兼二間。三里。便得汗至遍身。「千金」齒痛不附飲食。左患灸右。右患灸左。

十一……少商部位

在拇指內側之第一節去爪甲如韭菜。（約二三分）

解剖 此處爲長曲拇筋。與拇指內轉筋。分布撓骨神經枝。

主治 頷腫。喉痺。乳蛾。咽腫喉閉。欬逆。痎瘧。煩心嘔吐。腹脹腸鳴。寒慄鼓頷。手攣指痛。掌中熱。口乾引飲食不下。

手術 針入一分。留三呼。瀉熱宜以三稜針刺出血。不可灸。然治鬼魅憑祟。有灸之者。

摘要 此。爲手太陰脉之所出爲井水。微刺出血。能泄諸臟之熱。

「乾坤生意」此爲十井穴之一。凡初中風卒暴昏沉。痰涎壅盛。不省人事。牙關緊閉。藥水不下。急以三稜針刺此穴與諸井穴。使氣血流行。乃起死回生急救之妙穴。「百證賦」少商曲澤。血虛口渴同施。「太乙謌」男子痃癖所少商。「天星祕訣」指痛攣急少商好。「資生」咽中腫塞。水粒不下。針之立愈。「肘後謌」剛柔二痓最乖張。口禁眼合面紅粧。熱血流入心肺腑。須要金針刺少商。「勝玉謌」頷腫喉閉少商前。「雜病穴法謌」小兒驚風刺少商。人中湧泉瀉莫深。

第三節　手陽明大腸經

大腸手陽明之脈。起於大指次指之端。循指上廉。出合谷兩骨之間。上入兩筋之間。循臂上廉。入肘外廉。上臑外前廉。上肩出髃骨之前廉。上出於柱骨之會。上下入缺盆。絡肺下膈。屬大腸。其支者。從缺盆上頸貫頰。入下齒中。還出挾口。交人中。左之右。右之左。上挾鼻孔。是動。則病齒痛頸腫。是主津液所生病者。目黃。口乾。鼽。喉痺。肩前臑痛。大指次指痛不用。氣有餘。則當脉所過者。熱腫。虛則寒慄不復。為此諸病。盛則瀉之。虛則補之。熱則疾之。寒則留之。陷下則灸之。不盛不虛。以經取之。盛者人迎大三倍於寸口。虛者人迎反小於寸口也。

手陽明大腸經穴歌

手陽明穴起商陽。二間三間合谷藏。陽谿偏歷溫溜長。下廉手三里。曲池肘髎五里近。臂臑肩髃巨骨當。天鼎扶突禾髎接。鼻旁五色號迎香。

又分寸歌

商陽鹽指內側邊。二間來尋本節前。三間節後陷中取。合谷虎口歧骨間。陽谿上側腕中是。偏歷腕後三寸安。溫溜腕後去五寸。池前五寸下廉看。池前三寸上廉中。池前二寸三里逢。曲池曲骨紋頭盡。肘髎大骨外廉近。大筋中央尋五里。肘上三寸行向裏。臂臑肘上七寸量。肩髃肩端舉臂取。巨骨肩尖端上行。天鼎喉旁四寸眞。扶突天突旁三寸。禾髎水溝旁五分。迎香禾髎上一寸。大腸經穴自分明。左右共四十穴

一……商陽

部位 食指內側之指甲縫際去爪甲如韭葉。（約一二三分）

解剖 有頭靜脈。指背動脈。撓骨神經之皮下枝。

主治 傷寒熱病汗不出。耳鳴耳聾。痎瘧胸中氣滿。喘欬口乾。頤腫齒痛。目盲惡寒。背肢臂痛腫。急引缺盆中痛

手術 針一分。留一呼。灸三壯。

摘要 此穴爲手陽明之脉。所出爲井金。『乾坤生意』。此爲十井穴之一。治中風跌倒。卒暴昏沉。痰盛不省人事。牙關緊閉。藥水不下。急以三稜針出血之。『百證賦』寒瘧兮。商陽大谿驗。

二……二間

部位 在食指第三節之關節前內側。當食指之旁面。

解剖 有頭靜脈。指背動脈。撓骨神經神經之皮下枝。

主治 頷腫喉痺。肩背臑痛。衄。齒痛。舌黃口乾。口眼歪斜。飲食不思。振寒傷寒水結。

手術 針二分至三分深。留六呼。灸三壯。

摘要 此穴爲手陽明之所流爲滎水。「席弦賦」牙疼腰痛并咽痺。二間陽谿疾怎逃。「百證賦」寒慄惡寒。二間疏通陰郄暗。「天星秘訣」牙疼頭痛兼喉痺。先刺二間後三里。「玉龍謌」牙疼陣陣苦相煎。穴在二間要得傳。

三……三間

部位 在第二掌骨端之凹陷處。即食指本節後陷中。去二間一寸

解剖 有指掌動脈。頭靜脈。撓骨神經。

主治 鼽衄。熱病。喉痺咽塞。氣喘多吐。唇焦口乾。下齒齲痛。目眥急痛。吐舌戾頸。嗜臥腹滿。腸鳴洞泄。寒熱瘧。食不通。傷寒氣熱。身寒善驚。

手術 針三分。留三呼。灸二壯。

廣州西湖路流水井珠江承印

△

四……合谷

摘要 此穴爲手陽明脈之所注爲 木。『席弘賦』更有三間腎俞妙。善治肩背浮風勞。『百證賦』目中漠漠。即尋攢竹三間。『捷徑』治身熱氣喘。口乾目急。

部位 在食指拇指凹骨間陷中。即第一掌與第二掌骨中間之陷凹處。

解剖 此處爲第一背側骨間筋。有橈骨動脈。橈骨神經。

主治 傷寒大渴。脈浮在表。發熱惡寒。頭痛脊強。風疹寒熱。痎瘧。熱病汗不出。偏正頭痛。面腫。目翳。唇吻不收。瘖不能言。口禁不開。腰脊引痛。痿 小兒乳娥。

手術 針三分至五分。留六呼灸三壯。孕婦禁針。

摘要 此穴爲手陽明脈之所過爲原穴。『千金』產後脈絕不還。針合谷入三分。急補之。『神農經』鼻衄。目痛不明。牙疼喉痺。疥瘡。可灸三壯至七壯。『攔江賦』傷寒無汗瀉合谷。補復溜。若汗多不止。補合谷。瀉復溜。『席弘賦』手連背脊痛難忍。『又』合谷太衝隨手取。曲池兩手不如意。合谷下針宜仔細。

「又」睛明治眼未效時。合谷光明安可缺。「又」冷嗽先宜補合
谷。又須針瀉三陰交。「百證賦」天府合谷。鼻中衄血宜追。」
天星秘訣」脾病血氣先合谷。後針三陰交莫遲。「又」寒瘧面
腫及腸鳴。先取合谷後內庭。「四總穴」面口合谷收。「馬丹
陽十二訣」頭疼并面腫。瘧病熱還寒。齒齲及衄血。口禁不
開言。「千金」曲池兼合谷。可徹頭疼。「肘後謌」口噤合眼藥
不下。合谷一針效甚奇。「又」傷寒不汗合谷瀉。「勝玉謌」兩
手瘦重難執物。曲池合谷共肩顒。「雜病穴法謌」頭面耳目口
鼻病。曲池合谷爲之主。「又」赤眼迎香出血奇。臨泣太冲合
合谷侶。「又」耳聾臨泣與金門。合谷針後聽人語。「又」鼻
塞鼻痔及鼻淵。合谷太冲隨手取。「又」舌上生苔合谷當。「
又」牙風面腫頰車神。合谷臨泣瀉不數。「又」手指連肩相引

疼。合谷太冲能救苦。「又」冷嗽先宜補合谷。「又」婦人通經瀉合谷。

五……陽谿

部位 在手腕横紋之上側。兩筋間陷中。

解剖 此穴在舟狀骨與撓骨兩關節之中。有頭靜脈。撓骨動脉枝。有外膊皮下神經。撓骨神經。

主治 熱病狂言。喜笑。見鬼。煩心。掌中熱。目赤翳爛。厥逆頭痛。胸滿不得息。寒熱痎瘧。嘔沫喉痺。耳鳴齒痛。驚掣肘臂不舉。痂疥。

手術 針二分。留七呼。灸三壯。

摘要 此穴爲手陽明脉之所行爲經火。『席弘賦』牙疼腰痛兼喉痺。二間陽谿疾怎逃。『百證賦』肩顒谿消癮風之熱極。

六……偏歷

部位 在腕後三寸。

解剖 此處爲短伸拇筋。頭靜脈。撓骨動脉枝。後下膊皮下神經。撓骨神經。

主治　痎瘧寒熱。癲疾。多言。目視𥇌𥇌。耳鳴喉痺。口渴咽乾。鼻衄齒痛。汗不出。

手術　針三分。留七呼。灸三壯。

摘要　此穴爲陽明之絡別走太陰「標幽賦」利小便。治大人水蠱針偏歷。

七　溫溜

部位　去偏歷二寸餘。去腕五寸餘。

解剖　有長外轉拇筋。頭靜脉。撓骨動脉三分枝。與後下膊之皮下神經。

主治　傷寒寒熱頭痛。喜笑狂言見鬼。噦逆吐沫。噎隔氣閉。口舌腫痛喉痺。四肢腫。腸鳴腹痛。有不得舉。

手術　針三分。留三呼。灸三壯。

八……下廉

摘要 此穴爲手陽明郄。『百證賦』傷寒項强。溫溜期門而主之。

部位 腕後六寸餘。去曲池四寸餘。

解剖 有長屈拇筋。頭靜脈。撓骨脈枝。後膊皮下神經。撓骨神經

主治。勞瘵狂言頭風痺發。飧泄小腹滿。小便血。小腸氣。面無顏色。痃癖腹痛。不可忍。食不化。氣喘涎出。乳癰。

手術 針三分至五分。灸九壯。

九……上廉

摘要 此穴與巨虛。三里。氣衝。上廉。主瀉胃中之熱。

部位 下廉上一寸。曲池下三寸餘。

解剖 有長屈拇筋。中頭靜脉。撓骨動脉。外膊皮下神經。撓骨神經。

主治 腦風頭痛。咽痛。喘息。半身不遂。腸鳴。小便濇。大腸氣滯。手足不仁。

△

十　手三里

手術 針三分深灸三壯。

摘要 此穴主瀉胃中之熱。與氣衝。三里。巨虛。下廉同。

部位 曲池下二寸。按之肉起。銳肉之端。

解剖 有長屈拇筋。撓骨動脉。中頭靜脉。外膊皮下神經。撓骨神經。

主治 中風口癖。手足不遂。五勞虛乏。羸瘦。霍亂。遺矢。失音。齒痛頰腫。瘰癧。手痺不仁。肘攣不伸。

手術 針三分深。灸五壯。

摘要『席弘賦』腰背痛連臍不休。手中三里便須求。下針麻重即須瀉。『又』七足上下針三里。食癖氣塊憑此取。『百證賦』手臂頑麻。少海治傍於三里。『通玄賦』肩背痛治三里宜。『勝玉歌』頭風目玄項捩强。中脈金門手三里。『又』手三里治肩連臍『又』手三里治舌風舞。

十一……曲池

部位 在肘外輔骨之陷中。屈肘橫紋頭。

解剖 在肘彎合尖處。爲長回後筋內膊筋之間。有撓骨動脉。撓骨神經。

主治 傷寒振寒。餘熱不盡。胸中煩滿。熱渴。目眩耳痛。瘰癧。喉痺不能言。瘈瘲癲疾。手臂紅腫。肘中痛。偏風。半身不遂。風邪泣出。臂膊痛。筋緩無力。屈伸不便。皮膚乾燥痂疥。經水不行。

手術 取此穴。以手拱至胸前取之。針五分至一寸深。灸三壯至數十壯。

摘要 此穴爲手陽明之所入爲合土。『神農經』治手肘臂膊疼細無力。半身不遂。發熱。胸前煩滿。灸十四壯。『玉龍歌』偏補曲池瀉人中。『又』只將曲池針瀉動。尺澤兼行見聖傳。『百證賦』半身不遂。陽陵遠達於曲池。『又』發熱仗少沖曲池之津。『

標幽賦』曲池肩井。甄權針臂痛而復射。『席弘賦』曲池兩手不如意，合谷下針宜仔細。『秦承祖』主大人小兒遍身風疹痂疥。灸之。『馬丹陽十二訣』善治肘中痛。偏風手不收。挽弓開不得。筋緩莫梳頭。喉閉促欲死。發熱更無休。遍身風癬癩。針著即時瘳。『千金』爲十三鬼穴之一。名曰鬼神臣。治百邪癲狂鬼魅『肘後歌』鶴膝腫勞難移步。尺澤能舒筋骨疼。更有一穴曲池妙『又』腰背若患攣急風。曲池一寸五分攻。『勝玉歌』兩手酸重難執物。曲池合谷共肩顒。『雜病穴法歌』頭面耳目口鼻病。曲池合谷爲之主。

十二……肘髎

部位 在曲池稍上一寸。大骨外廉陷中。

解剖 在三頭膊筋部。有廻反撓骨動脉。頭靜脉。撓骨神經。

主治 肘節風痺。臂痛不舉。痲木不仁。嗜臥。

手術 針三分至五分深。灸三壯。

摘要　手臂痛麻木。

十三…五里

部位　在肘上三寸。

解剖　在二頭筋膊之旁。撓側副動脈。頭動脈。及內膊皮下神經。

主治　風勞驚恐。吐血咳嗽。嗜臥。肘臂疼痛難動。脹滿氣逆。寒熱。瘰癧。目視䀮䀮。痎瘧。

手術　此穴禁針。灸三壯至十壯。

摘要　「百証賦」五里臂臑。生癧瘡而能治。

十四…臂臑

部位　在臂外側。去肘七寸。肩顒下三寸。

解剖　此處爲三角筋部。頭靜脈後。有廻旋上膊動脈。腋窩神經。

主治　臂痛無力。寒熱。瘰癧。頸項拘急。

手術　此穴宜以手舉平取之。禁針。灸七壯至百壯。

廣州西湖路流水井珠江承印

十五…肩顒

摘要　「百証賦」五里臂臑。生瘰癧而能治。「千金」治癭氣灸隨年壯。

部位　在肩尖下寸許。罅陷中。舉臂有空陷。

解剖　有三角筋。廻轉上膊動脉。頭靜脉枝。鎖骨神經枝。

主治　中風。偏風。半身不遂。肩臂筋骨酸痛。傷寒作熱不已。勞氣泄精。憔悴。四肢熱。諸癭氣。瘰癧。

手術　針六分留六呼。灸偏風不遂。自七壯至十七壯。不可過多。多則使臂細。

摘要　此穴主瀉四肢之熱。(千金)灸　氣須十七八壯。(玉龍歌)肩端紅腫痛難當。寒濕相爭氣血狂。若須有肩顒明補瀉。管君多灸自安康。(天星秘訣)手臂攣痺取肩顒。(百証賦)肩顒陽谿消癮風之熱極。(甄權)唐臣狄欽患風痺手不得伸。甄權針此穴立愈。(勝玉歌)兩手痠重難熱物。曲池合谷共肩顒。

十六…巨骨

部位　在肩顒上。肩胛關節下陷中。

解剖　有三角筋。肩峯動脉枝。腋下靜脉枝。前胸廓神經。

主治　驚癎。吐血。胸中有瘀血。臂痛不得屈伸。

手術　灸二壯至七壯。

摘要　此穴不宜針。

十七…天鼎

部位　離甲狀軟骨（即喉結）三寸五分。肩井內一寸四。

解剖　前項之不正筋亦有之。分布橫肩胛動脉。鎖骨上神經。

主治　喉痺咽腫。不得食。暴瘖氣哽。

手術　針三分。灸三壯。

摘要　（百證賦）天鼎使。失音囁嚅而休遲。

十八…扶突　部位　去喉結（卽甲狀軟骨）三寸。天鼎上前一寸二分。

解剖　爲胸鎖乳頭筋部。有橫頸動脉。及第三頸椎神經。

主治　欬嗽多唾。上氣喘息。喉中如水鷄聲。暴瘖氣哽。

手術　針三分灸三壯。

十九…禾窌　部位　在人中旁五分。

解剖　處上顎骨犬齒窩部。有下眼窩動脉。深部顏面靜脉。下眼窩經枝之分布。

主治　尸厥。口不開。鼻瘡息肉。鼻塞。鼽衄。

手術　針二分至三分。禁灸。

摘要　（光靈賦）兩鼽鼻衄針禾　。（雜病穴法歌）衄血上星與禾窌。

二十：迎香　部位　在眼下一寸五分。禾窌斜上一寸。鼻窪外二分。

解剖　爲顏面方筋　有上眼窩動脉。深部顏面靜脉。及下眼窩神經。

主治　鼻塞。瘜肉。多涕有瘡。鼽衄喘息不利。偏風喎斜。浮腫。風面癢狀如虫行。

手術　針二分至三分。禁灸。

摘要　(玉龍歌)赤眼迎香出血奇。(又)不聞香臭從何治。迎香二穴可堪攻。(席弘賦)耳聾氣閉聽會針迎香瀉功如神。

第四節　足陽明胃經　凡四十五穴共九十穴

胃足陽明之脉。起於鼻之交頞中。旁約太陽之脉。下循鼻外。上入齒中。還出挾口。環唇下之承漿。卻循頤後下廉。出大迎。循頰車。上耳前。過客主人。循髮際至額顱。其支者。從大迎前下人迎。循喉入嚨缺盆。下膈屬胃絡脾。其直者。從缺盆下乳內廉。下挾臍入氣衝中。其支者。起於胃口。下循腹裏。下至氣衝中者合。以下髀關。

抵伏兎。下膝臏中。下循脛外廉。下足跗。入中指內間。其支者。下廉三寸而別。下入中指外間。其支者。別跗上入大指間。出其端。是動則病洒洒振寒善呻數欠。顏黑。病至則惡人與火聞木聲。則惕然而驚。心欲動獨閉戶塞牖而處。甚則欲上高而歌。棄衣而走。賁響腹脹是爲骭厥。是主血所生病者。狂瘧溫淫。汗出鼽衄。口喎唇診。頸腫。喉痺。大腹水腫。膝臏腫發。循膺乳氣衝。股伏兎骭外廉。足跗上皆痛。中指不用。氣盛。則身以前皆熱。其有餘於胃。則消穀善飢。溺色黃。氣不足。則身以前皆寒慄。胃中寒。則脹滿。爲此諸病。盛則瀉之。虛則補之。熱則疾之。寒則留之陷下則灸之。不盛不虛。以經取之。盛者人迎大三倍於寸口。虛者人迎反小於寸口也

附胃經諸穴歌

四十五穴足陽明。頭維下關頰車停。承泣四白巨髎經。地倉大迎對人迎。水突氣舍連缺盆。氣戶庫房屋翳屯。膺窗乳中延乳根。不容承滿梁門起。關門太乙滑肉門。天樞外陵大巨存。水道歸來氣衝次。髀關伏兎走陰市。梁邱犢鼻足三里。上巨虛連條口位。下巨虛跳上豐隆。解谿衝陽陷谷中。內庭厲兌經穴終。

又分寸歌

胃之經兮足陽明。承泣目下七分尋。四白目下方一寸。巨髎鼻孔旁八分。地倉夾吻四分。迎大迎頷下寸三分。頰車耳下八分穴。下關耳前動脉尋。頭維神庭旁四五。人迎喉旁寸五真。水突筋前迎下在。氣舍突下穴相乘。缺盆舍下橫骨內。各去中行寸半明。氣戶璇璣旁四寸、至乳六寸又四分。庫房屋翳膺窗近。乳中正在乳頭心。次有乳根出乳下。各一寸六不相侵。卻去中行須四寸。以前穴道與君陳。不容巨闕旁三寸。卻近幽門寸五新。其下承滿與梁門。關門太乙滑肉門。上下一寸無多少。共去中行三寸尋。天樞臍旁二間。樞下一寸外陵安。樞下二寸大巨穴。樞下四寸水道全。樞下六寸歸來好。共去中行二寸邊。氣衝鼠鼷上一寸。又去中行四寸專。髀關膝上有尺二。伏兎膝上六寸是。陰市膝下方三寸。梁邱膝上二寸記。膝臏陷中犢鼻存。膝下三寸三里至。膝下六寸上廉穴。膝下七寸條口位。膝下八寸下廉看。膝下九寸豐隆係。卻是踝上八寸量比那下廉外邊綴。解谿去庭六寸半。衝陽庭後五寸換。陷谷庭後二寸間。內庭次指外間現。厲兌大指次指端。去爪如韮胃井判。

△

一……頭維

部位　在額角入髮際。去神庭旁四寸五分。

解剖　爲前頸蓋骨部。有前頸筋顳顬動脈前枝。顏面神經。前額顳顬枝。

主治　頭風疼痛如破。目痛如脫。淚出不明。

手術　針三分。沿皮下向。禁灸。

摘要　（玉龍歌）眉間疼痛苦難當。攢竹沿皮刺不妨。若是眼昏皆可治。更針頭維即安康（百證賦）淚出刺臨泣頭維之處。

二…下關　部位　在客主人之下。耳前動脈之下。合口有空。張口則閉。

解剖　爲下顎骨之顆狀突起部。有咀嚼筋。顏面神經。外顎動脈。

主治　偏風口眼喎斜。耳鳴耳聾。痛癢出膿。牙關脫臼。

手術　針三分。不可灸。亦不可久留針。

三…頰車　部位　在耳下一寸。曲頰上端近前陷中。

解剖　爲下顎骨部。有咬嚼筋。顏面神經。外顎動脈。

主治　中風牙關不開。失音不語。口眼歪斜。頰腫牙痛。不能嚼物。頸強不得回顧。

手術　針三分。灸二壯。至七壯。

摘要　凡口眼喎斜者。喎則左瀉右補。斜則左補右瀉。（百症賦）頰車地倉穴。正口喎於片時。（靈光賦）（玉龍歌）口眼喎斜最可嗟。地倉妙穴連頰車。（勝玉歌）瀉却人中及頰車。治療中風口吐沫。（雜病穴法歌）口禁喎斜流涎多。地倉頰車仍可攀。（又）牙風面腫頰車神。

四…承泣　部位　在眼之正中下七分。

解部　爲上顎骨部。有上唇固有舉筋。下側有半月狀骨（顴骨）有下眼窠動脉。下眼窠神經。

主治　冷淚出。瞳子癢。遠視䀮䀮。昏夜無見。口眼喎斜。

手術　針二分。灸二壯。

摘要　忌深針

五…四白　部位　在承泣下三分。去目一寸。直對瞳子。

解剖　亦爲上顎骨部。有下骨窠動脉。下眼窠神經。

主治　頭痛目眩。目亦生翳。瞤動流淚。眼弦癢。口眼喎僻不能言。

手術　針二分深。忌深禁灸。

六…巨髎　部位　在四白之下。距鼻孔旁七八分之間。適在顴骨之下。

解剖　亦爲上顎骨部。有下眼窠動脈。與下眼窠神經。

主治　癋　唇頰腫痛。口喎。目障青盲。遠視　。面風鼻腫。脚氣。膝脛腫痛。

手術　針三分。禁灸。

摘要　（百證賦）胸膈停留瘀血。腎俞巨髎宜遵。

七……地倉

部位　在口角旁四分。

解剖　此處爲口輪匝筋之部。有顏面神經。三叉神經。上下口唇冠狀動脈。

主治　偏風口眼喎斜。牙關不開。齒痛頰腫。目不想閉。失音不語。遠視䀮䀮。昏夜無見。

手術　針四分。灸七壯至二十壯。

摘要　（玉龍歌）頰車地倉穴。正口喎於片時。（靈光賦）地倉能治两流涎。

八……大迎　部位　在曲頤前一寸三分。

解剖　爲下顎骨部。有咬嚼筋。外顎動脈顏面神經。

主治　風痙口瘖。口噤不開。頰腫牙痛。舌强不能言語。目痛不能閉。風壅面腫。寒熱瘰癧。

手術　針三分。灸八壯。

摘要　(百)目眩兮。顴髎大迎。(勝玉歌)牙疼痛緊大迎前。

九……人迎　部位　在頸部大動脈應手之處。去結喉旁一寸五分。

解剖　當胸鎖乳嘴筋之內緣。有外頸動脈。上頸皮下神經。舌下神經之下行枝。

主治　吐逆。霍亂。胸中滿。喘呼不得息。咽喉癰腫。

手術　此穴仰而取之。針三分。

十……水突　部位　在人迎下微斜向外。

解剖　此處亦屬胸鎖乳嘴筋。有上頸皮神經。舌下神經之行枝。外頸動脈。

主治　欬逆上氣。咽喉癰腫。短氣喘息不得臥。

手術　針三分。灸三壯。

十一…氣舍

部位　在人迎之直下近陷中。

解剖　在胸骨把柄（亦稱劍柄）端之上。鎖骨上窩之內面有內乳動脈。鎖骨上神經。

主治　欬逆上氣。喉痺哽咽。食不下。肩腫項强。不能回顧。

手術　針三分。灸三壯。至十三大壯。

十二…缺盆

部位　在結喉旁橫骨（鎖骨）上部。

解剖　是處爲鎖窩。有闊頸筋。適當肺尖之部。有鎖骨下動脈。鎖骨神經

主治　傷寒胸中熱不已。喘急息奔。欬嗽胸滿。水腫。瘰癧。缺盆中腫外

潰。喉痺汗出。

手術　針三分。灸三壯。

摘要　主瀉胸中之熱。

十三……氣戶

部位　在璇璣旁四寸。

解剖　是處爲乳腺部。有大胸筋。小胸筋。上胸動脈胸廓神經，中包肺臟

主治　欬逆上氣。胸背痛。喘急不得息。不知味。

手術　針三分。灸三壯。

摘要　(百證賦)脇肋痛。氣戶華蓋有靈。

十四……庫房

部位　在氣戶下一寸六分。

解剖　在第二肋間。有大胸筋小胸胸。內外肋間筋。上胸動脉。胸廓神經

主治　胸脇滿。欬逆上氣。呼吸不利，唾膿血濁沫。

手術　針三分。灸三壯。

摘要　此穴仰而取之。

十五…屋翳

部位　在庫房下一寸六分。

解剖　在第三肋間部。有大小胸筋。內外肋間筋。上胸動脈。胸廓神經。

主治　欬逆上氣。唾膿血。身腫。皮膚痛。

手術　針三分。灸五壯。

摘要　（百症賦）至陰屋翳。療癢疾之痛多。

十六…膺窗

部位　在屋翳下一寸六分。去中行四寸

解剖　此處爲第四肋筋。內爲心臟部。

主治　胸滿短氣不得臥。腸鳴注泄。乳癰寒熱。

手術　針三分。灸五壯。

摘要　此穴仰而取之。

十七…乳中

部位　適當乳之正中。

解剖　在第四五肋間。內爲心臟部。外爲前橫胸筋。

廣州西湖路流水井珠江承印

主治　乳結核，

手術　針一分。灸二壯。

摘要　此穴禁多灸。多灸則生瘡。

十八：乳根

部位　去乳中下一寸六分。

解剖　在第六肋間。

主治　欬逆。噎病。胸痛。胸下滿悶。臂痛腫。乳痛。乳癰。悽慘寒痛。霍亂轉筋。

手術　針三分。灸五壯。

摘要　此穴仰而取之。

十九：不容

部位　去中行二寸。傍幽門一寸五分。傍巨闕二寸。

解剖　當肋骨下。有直腹筋。上腹動脈。肋間神經。中爲胃府。

主治　腹滿。胸背肩脅痛。心痛唾血。喘嗽嘔吐。腹虛鳴。

手術　針五分。灸五壯至八壯。

二十⋮承滿

部位　在不容下一寸。去中行二寸。

解剖　通副胸骨線有直腹筋肋間神經上腹動脉

主治　腹脹腸鳴。脇下堅痛。上氣喘急。飲食不下。唾血。

手術　針三分至八分。灸五壯至十壯。

摘要　(千金)腸中雷鳴相逐痢下灸五十壯。

廿一⋮梁門

部位　在承滿下一寸。去中行二寸。

解剖　有直腹筋。肋間筋。上腹動脉。

主治　胸脇積氣。飲食不思。氣塊疼痛。大腸滑泄。

手術　針三分至八分。灸七壯至二十一壯。

摘要　孕婦禁灸。

廿二⋮關門

部位　在梁門下一寸。去中行二寸。

治一切腸病 △

解剖　此處爲横行結腸部。有直腹筋。上腹動脈。肋間神經。

主治　積氣脹滿。腸鳴切痛。泄痢不食。俠臍急痛。痎瘧振寒。遺溺

手術　針五分至八分。灸五壯。

廿三…太乙

部位　在關門下一寸。去中行二寸。

解剖　此蓋爲小腸部。有直腹筋。上腹動脈。

主治　心煩。癲狂吐舌。

手術　針五分至八分。灸五壯至九壯。

廿四…滑肉門

部位　在太乙下一寸。去中行二寸。

解剖　此處爲小腸部。有直腹筋。上腹動脈。

主治　癲疾狂走。嘔逆吐血。重舌舌强。

手術　針五分至八分。灸三壯。

廿五…天樞

部位　在臍旁二寸。

解剖　此處爲小腸部。有直腹筋。上腹動脉。

主治　赤白痢。下痢不止。食不化。水腫腹脹。腸鳴。上水衝胸。不能久立。煩滿嘔吐。霍亂。身黃瘦。血結成塊。漏下月水不調。淋濁帶下。

手術　針五分。灸五壯至百壯。

摘要　孕婦不可針

廿六……外陵

部位　在天樞下一寸。。去中行二寸。

解剖　亦屬小腸部。有直腹筋。下腹動脈。

主治　腹痛。癥瘕。

手術　針三分至八分。灸五壯至八壯。

廿七……大巨

部位　在外陵下五分。去中行二寸。

解剖　有直腹筋。下腹動脉。

主治　小腹脹滿。小便難。

手術　針五分至八分。灸五壯至十壯。

廿八⋮水道

部位　在大巨下三寸。去中行二寸。

解剖　有直腹筋。下腹動脈。

主治　肩背强急瘈痛三焦膀胱腎氣熱結。大小便不利。疝氣偏墜。婦人小腹脹。月經至則腰腹脹痛。

手術　針三分至八分。灸五壯。

摘要　主三焦膀胱腎中熱氣。（百證賦）脊强兮。水道縮。

廿九⋮歸來

部位　在水道下二寸。去中行二寸。

解剖　是處爲直腹筋之下部。有下腹動脈。

主治　陰丸上縮入腹。婦人血臟積冷。

手術　針五分至八分。灸七壯。

卅……氣衝

摘要　（勝玉歌）小腸氣痛歸來治。

部位　在歸來下二寸。臍下五寸旁開二寸

解剖　是處爲直腹筋之下部。有腸骨下腹神經。下腹動脈。

主治　逆氣上攻。心腹脹滿。不得正臥。大腸中熱。身熱腹痛。婦人月經不利。產難。胞衣不下。

手術　針三分至五分。灸七壯。

卅一……髀關

摘要　此穴主瀉胃中之熱。（百證賦）帶下產崩。衝門氣衝宜審。

部位　在伏兎之上斜行向裏。去膝一尺二寸。

解剖　此處爲外大股筋部內有大腿骨。股動脈股神經。

主治　腰痛膝寒。足痲不不仁。

手術　針六分。灸四壯。

卅二……伏兎

部位　在膝上六寸。

廣州西湖路流水井珠江承印

解剖　爲外大股筋部有腹動脈。關節筋枝股神經。
主治　脚氣膝冷不得溫。
手術　針五分。不可灸

卅三…陰市　部位　在膝上三寸。
解剖　爲外大股筋部。有股動脈關節筋枝。股神經。
主治　寒疝小腹痛滿。腰膝不仁。
手術　針三分至四分。不可多灸。
摘要　（靈光賦）兩足拘攣覓陰市。（勝玉歌）腿股轉痠難移步。環跳風市及陰市。

卅四…梁邱　部位　在膝上二寸
解剖　有外大股筋。腹動脈關節筋枝股神經。
主治　脚膝痛。不可屈伸。足寒。

△

手術　針三分。灸四壯。

摘要　（神農經）治膝痛不得屈伸。

廿五……犢鼻

部位　在膝眼外側之陷凹處。

解剖　爲膝盖骨之外側。有膝盖固有靭帶。中通關節動脉。分布上腿皮神經。腓骨神經。

主治　膝痛不仁。脚氣。若膝髕癰腫。潰者不可治。不潰者可治。

手術　針三分至六分。禁灸。

摘要　善治風溼邪鬱之膝痛。

廿六……足三理

部位　在膝眼下三寸。

解剖　爲前脛骨筋部。分布廻反脛骨動脈。及深腓骨神經。

主治　胃中寒。心腹脹痛。逆氣上攻。腹痛腸鳴。大便不通。小腸氣。

手術　針五分。灸十壯。

摘要　主瀉胃中之熱與氣衝同。

卅七……上巨虛

部位　在三理下三寸。

解剖　爲前脛骨筋部。循行前脛骨動脈。

主治　藏氣不足。偏風脚氣。腸中切痛。腰腿手足不仁。

手術　針四分。灸四壯。

摘要　主瀉胃中之熱。

卅八……條口

部位　在三里下五寸。上巨虛下二寸。

解剖　有前脛骨筋。脛骨動脉。腓骨神經。

主治　足膝痲木。足下熱。足緩不收。不能久立。

手術　針三分至六分。灸三壯。

摘要　（天星秘訣）足緩難行先絕骨。次尋條口及衝陽。

卅九……下巨虛

部位　在三里下六寸

解剖　有前脛骨筋。脛骨動筋。

主治　胃中熱。毛焦肉脫。汗不出。少氣不嗜食。暴驚狂言。喉痺。面無顏色。胸脇病。小腸氣。女子乳癰。

手術　針三分。灸三壯。

摘要　此穴主瀉胃中之熱。

四十……豐隆

部位　在外踝上八寸。去本經約五分。與條口相並。微下些。

解剖　此處亦爲前脛骨筋。有脛骨動脈與神經。

主治　頭痛面腫。喉痺不能言。胸痛如刺。大小便難。腿膝痠痛。屈伸不便。腹痛肢腫。寒溼。

手術　針三分。灸三壯。

摘要　『玉龍歌』痰多須向豐隆瀉。『百譚賦』强間豐隆之際。頭痛難禁。

四一……解谿

部位　在足腕上去衝陽一寸半。

解剖　此處爲足跗關節之環狀韌帶部。有內題動脈。

主治　風氣面浮。頭痛目眩。生翳。氣上衝。喘欬。腹脹。癲疾。轉筋霍亂。

手術　針三分至五分。灸五壯。

摘要　治腹脹脚腕痛。目眩頭痛可灸七壯。『神農經』

四二……衝陽

部位　在足背最高之部。

解剖　是處爲大趾長伸筋部。有前內題動脈。

主治　偏風面腫。口眼喎斜。傷寒發狂。腹堅大。不嗜食。發寒熱。

手術　針三分。留十呼。灸三壯。

摘要　此穴針之出血不止者死。『天星秘訣』足緩難行先絕骨。次尋條及衝陽。

四三……陷谷。部位　在次趾外本節後

解剖　此處爲短總趾伸筋部。有第一骨間背動脈。趾背神經。

主治　面目浮腫。腹鳴腹痛。汗不出。疝氣。小腹痛。

手術　針三分至五分。灸三壯。

摘要　（百證賦）腹內腸鳴。下院陷谷能平。

四四…內庭

部位　在次趾中趾之間。

解剖　有短總趾伸筋。第一骨間背動脈。趾背神經。

主治　四肢厥逆。腹滿不得息。赤白痢。

手術　針一分。留二呼，灸二壯。

摘要　（玉龍歌）小腹脹滿氣攻心。內庭二穴要先針。

四五…厲兌

部位　在足次趾外側爪甲角。

解剖　是處爲長總趾伸筋部之外側。

主治　口噤氣絕。心腹滿。水腫。熱病汗不出。面腫。喉痺。足寒。

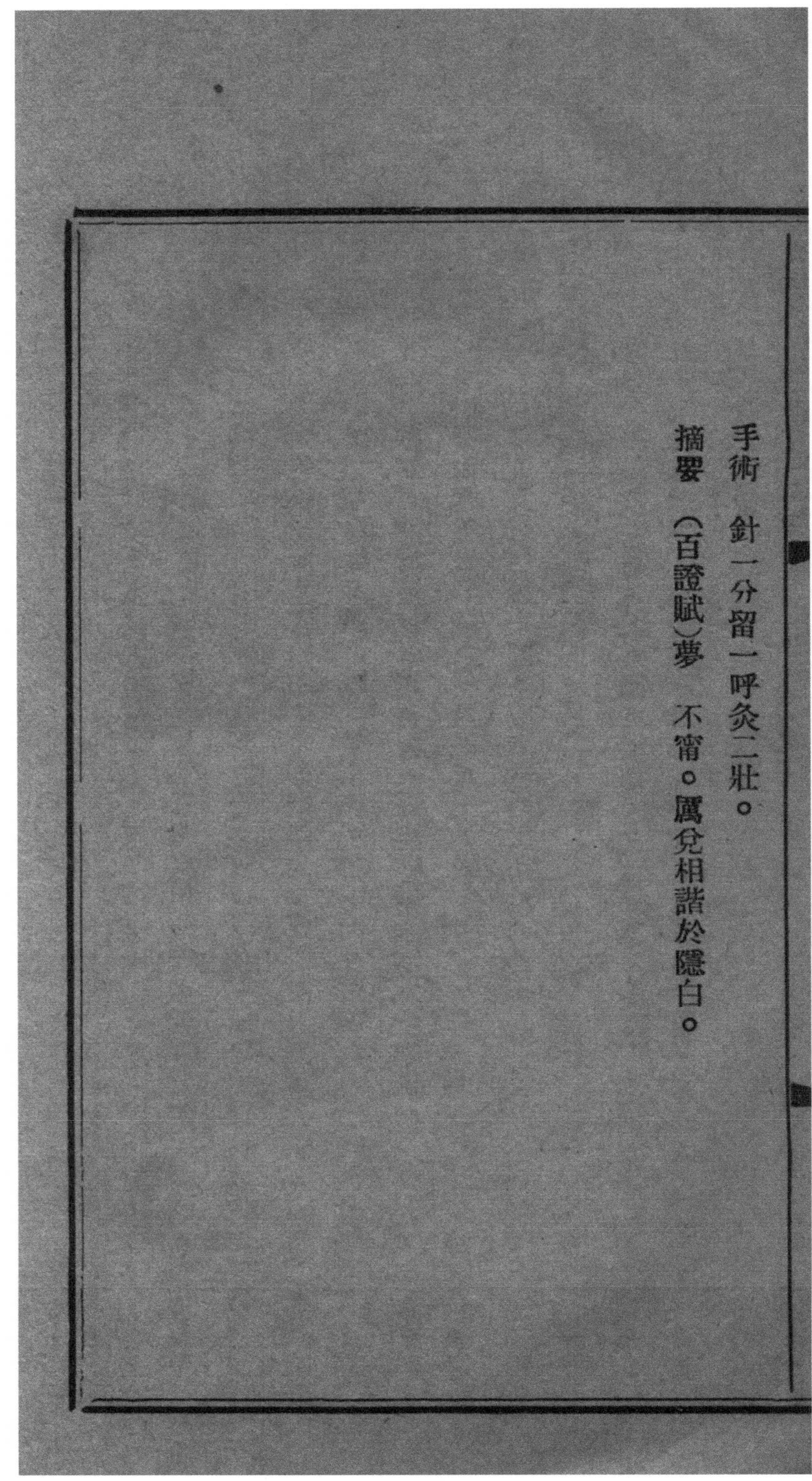

手術　針一分留一呼灸二壯。

摘要　(百證賦)夢　不甯。厲兌相諧於隱白。

第五節　足太陰脾經 凡二十一穴共四十二穴

脾足太陰之脈。起於大指之端。循指內側白肉際。過核骨後。上內踝前廉。上踹後。循脛骨後交出厥陰之前。上膝股內前廉入腹。屬脾絡胃。上膈。挾咽連舌本。散舌下。其支者。復從胃別上膈。注心中。是動則病舌本強。食則嘔。胃脘痛。腹脹善噫。得後與氣。則快然如衰。身體皆重。是主脾所生病而。舌本痛。體不能動搖。食不下。煩心。心下急痛。溏瘕泄。水閉黃疸。不能臥。強立。股膝內腫。厥足大指不用。爲此諸病。盛則瀉之。虛則補之。熱則疾之。寒則留之。陷下則灸之。不盛不虛。以經取之。盛者寸口大三倍於人迎。虛者寸口反小於人迎也。

附脾經諸穴歌

二十一穴脾中州。隱白在足大指頭。大都太白公孫盛。商邱三陰交可求，漏谷地機陰陵穴。血海箕門衝門開。府舍腹結大橫排。腹哀食竇連天谿。胸鄉周榮大包隨。

又分寸歌

月事久不當　針之有效　隱白　內庭　三陰交　通里

大指端內側隱白。節後陷中求大都。太白內側核骨下。節後一寸公孫呼。商丘內踝微前陷。踝上三寸三陰交。踝上六寸漏谷是。踝上五寸地機朝。膝下內側陰陵泉。血海濱膝上內廉。箕門穴在魚腹取。動脉應手越筋間。衝門期下尺五分。府舍期下九寸看。腹結期下六寸入。大橫期下五分半。腹哀期下方二寸。期門肝經穴道現。巨闕之旁四寸五。郤連脾穴休胡亂。自此以上食竇穴。天谿胸鄉周榮貫。相去寸六無多寡。又上寸六中府換。大包腋下有六寸。淵液腋下三寸絆。

壹……隱白

部位　在大趾內側指甲縫際去爪甲如韮葉。

解剖　有背足動脉。淺腓骨神經。

主治　腹脹喘滿不得臥。嘔吐食不下。胸中痛。煩熱暴泄。足寒不得溫。婦人月事過時不止。小兒驚風。

手術　針一分。留三呼。禁灸。

摘要　婦人月事過時不止。針之立愈。(百證賦)夢魘不寧。厲兌相諧於隱白。『雜病穴法歌』尸厥百會一穴美。更針隱白效昭昭。

弍……大都　部位　在大指内側本節前第二節後。

解剖　有足背動脉。深在腓骨神經

主治　熱病汗不出。不得臥。身重骨痛。傷寒手足厥冷。腹滿嘔吐。腰痛不可俯仰。四肢腫痛。

手術　針三分留七呼。灸三壯。

摘要　凡婦人孕後不宜灸。霍亂下瀉不止。灸七壯。『席弘賦』氣滯腰痛不能立。橫骨大都宜急救。『百證賦』熱病汗不出。大都更接於經渠。『肘後歌』腰腿疼痛十年春。服藥尋方枉費金。大都引氣探根本。即是。

三……太白　部位　在大趾本節後。其内側有如梅核之骨。骨下之陷凹處赤白肉際

解剖　在第一指趾骨之第二節後部。有當長伸拇筋。足背動脈。腓骨神

經。

主治　身熱。腹脹。食不化。嘔吐。瀉痢。腰痛。大便難。氣逆。霍亂。腹中切痛。腸鳴。身重骨痛。

手術　針二分至四分深。留七呼。灸十三壯。

摘要　「玉龍歌」痔漏之疾亦可增。表裏急重最難禁。或痛或痢或下血太白穴在足中尋。

四……公孫

部位　在大趾本節後一寸。赤白肉際。足背最高骨之下。

解剖　有長伸拇筋。足背動脈。腓骨神經。

主治　寒瘧不食。痫氣好太息。多寒熱。汗出喜嘔。面腫。心煩。膽血。腹虛。水腫腹脹如鼓。脾冷胃痛

手術　針四分。灸五壯。

摘要　「神農經」治腹脹心痛灸七壯。「席弘賦」肚痛須是公孫妙。「標幽賦」

主治一切婦科病△

△

五……商丘

部位　在內踝骨下微前陷中。

解剖　是穴爲前脛骨之筋腱部。有後內踝動脉及神經。

主治　胃脘痛。腹脹腸鳴。不便。脾虚。身寒。善太息。心悲氣逆。喘嘔。舌强。黄疸寒瘧。體重支節痛。痔疾。陰股內痛。小腹痛。

手術　針三分。留七呼。灸三壯。

摘要　（神農經）治脾虚腹脹胃脘痛灸七壯。（百證賦）商邱痔漏而最良。（玉歌）脚背痛時商丘刺。

脾冷胃痛。瀉公孫而立愈。

六……三陰交

絶骨

部位　在內踝上三寸。

解剖　爲長總趾屈筋之下部。有後脛骨動脈之分枝及神經。

主治　脾胃虚弱。心腹脹滿。不思飲食。脾病身重。四肢不舉。臍下痛不可忍。不省人事。白濁遺精脚氣睾丸炎

手術　針三分。留七呼。灸三壯。

七……漏谷

摘要　妊娠不可針。(百證賦)針三陰交及氣海。專司白濁並遺精。

部位　在三陰交上三寸。內踝上六寸。

解剖　是處爲腓腸筋之內端。有脛骨動脉枝。脛骨神經。

主治　脚冷不仁。腸鳴腹脹。小腹痛。小便不利。

手術　針三分留四呼。

摘要　此穴禁灸。

八……地機

部位　在漏谷上二寸。膝下五寸內側。

解剖　爲腓腸筋內端。有脛骨動脉枝。

主治　腰痛。溏泄。腹脹水腫。不嗜食。精不足。小便不利。婦人漏血。

手術　針三分。灸三壯。

摘要　(百證賦)女子少氣漏血是有地機血海。

闭经 血海 三陰交 內庭 陰陵泉 合谷

九⋮陰陵泉 （止子宮痛 三陰交）

部位 在膝內輔下陷中。去膝橫開一寸餘。

解剖 居腓骨頭之下。有反迴脛骨動脈。及外腓腸皮下神經。

主治 霍亂寒熱。胸中熱。不嗜食。喘逆不得臥。水脹腹堅。腰痛。小便不利。遺尿泄瀉泄。足膝紅腫。

手術 針五分。留七呼。灸三壯。

摘要 （神農經）小便不禁針五分。灸隨年壯。（太乙歌）腸中切痛陰陵調（席弘賦）陰陵泉治心胸滿（天皇秘訣）陰陵能開通水道。

十⋯⋯血海 （兼曲池 可止癢）

部位 在膝上二寸半。膝之內側。

解剖 爲內大股筋下部。有上膝關節動脈及股神經。

主治 女子崩中漏下。月事不調。赤白帶下。逆氣腹脹。兩腿瘡癢。

手術 針五分。灸五壯。

摘要 （百証賦）婦人事改常。是有地機血海。（靈光賦）氣海血海療五淋

○（雜病穴法歌）五淋血海男女通。

十一⋮箕門

部位 在內股。去血海六寸。

解剖 此處爲內大股筋部。分布上膝關節動脉及股神經。

主治 五淋。小便不通。遺溺。

手術 針二分。灸三壯。

摘要 是穴禁深針。

十二⋮衝門

部位 在曲骨旁三寸半。去中行三寸。

解剖 有下腹動脉之恥骨枝。下腹神經。

主治 中寒積聚。姙娠衝心難乳。

手術 針七分。灸五壯。

摘要 帶下產崩衝門氣衝宜譜。

十三⋮府舍

部位 在腹結下三寸。去中行三寸半。

解剖　爲內斜腹筋之下部。分布下腹動脈之恥骨枝與腸骨下腹經。

主治　疝癖。腹脅滿痛。積聚痺痛。厥逆霍亂。

手術　針七分。灸五壯。

十四……腹結

部位　在大橫下一寸八分。

解剖　有內斜腹筋。下腹動脈。腸骨下腹神經。

主治　咳逆。遶臍腹痛。中寒。瀉痢。心痛。

手術　針五分。灸五壯。

十五……大橫

部位　腹哀下三寸半。去中行四寸。

解剖　爲內外斜腹筋部。中臟小腸。有下腹動脈。肋間神經枝。腹骨下腹神經。

主治　中風逆氣。四肢不舉。多寒善悲。

手術　針三分。灸三壯。

摘要 (百證賦)反張悲哭。從天衝大橫須精。

十六…腹哀

部位 在中脘旁四寸。

解剖 有內外斜腹筋。上腹動脈。肋間神經枝。

主治 中寒。食不化。大便膿血腹痛。

手術 針三分至七。灸五壯。

十七…食竇

部位 去中庭五寸。在第五肋間部。

解剖 在第五肋間部。當胃之上。有大胸筋。內外肋間筋。長門動脉。肋間動脉。前胸神經。

主治 胸脅皮滿。咳吐逆氣。飲不下膈有水聲。

手術 針四分。灸五壯。

十八…天谿

部位 在第四肋間部。去中行六寸。

解剖 有大胸筋。胸動脉。前胸神經。

主治　胸滿喘逆。上氣喉中作聲。婦人乳腫。

手術　針四分。灸五壯。

十九…胸鄉　部位　在第三肋間。天谿上寸六分。

解剖　在第三肋間部。有大鋸筋。長胸神經。

主治　胸脇滿。背痛。不得臥轉側。

手術　針四分。灸五壯。

二十…周榮　部位　在胸鄉上一寸六分。中府一寸六分。

解剖　在第二肋間部。有大胸筋。長胸動脉。前胸廓神經。

主治　胸滿不得俯仰。咳逆食不下。

手術　針四分。灸五壯。

二一…大包　部位　在腋窩下六寸。

解剖　在第九肋間部。有外斜腹筋。上腹動脉。長胸神經。

主治　胸中喘痛。腹有大氣不得息。實則全身盡痛。虛則百節皆縱。

手術　針三分。灸四壯。

摘要　四肢百節皆縱者補之。

第六節手少陰心經 凡九穴共十八穴

心手少陰之脉。起於中心。出屬心系。下膈絡小腸。其支者。從心系上挾咽。繫目系。其直者。復從心系。却上肺。下出腋下。循臑內後廉。行乎太陰心主。之後。下肘內。循臂內後廉。抵掌後銳骨之端。入掌後內廉。循小指之內其出端。是動則病咽乾心痛。渴而欲飲。是爲臂厥。是主心所生病者。目黄脅痛。臑內後廉痛。厥掌中熱痛。爲此諸病盛則瀉之。虛則補之。熱則疾之。寒則留之。陷下則灸之。不盛不虛以經取之。盛者人迎小再倍於寸口。虛者反大於寸口也。

附心經諸穴歌

九穴午時手少陰。極泉清靈少海深。靈道通里陰郄遂。神門少府少衝尋。

又心經分寸歌

少陰心起極泉中。腋下筋間脉入胸。青靈肘上三寸取。少海肘後端五寸。靈道掌後一寸半。通里腕後一寸同。陰郄腕後方半寸。神門掌後兌骨隆。少府節後旁宮直。小指

△

內側取少衝。

壹……極泉　部位　在腋窩內兩筋間。橫直天府三寸微高於太府。

解剖　在大胸筋之上膊下部與三角筋之境界間。有腋下動脈靜脈。中膊皮下神經。

主治　心脅滿痛。肘臂厥寒。四肢不收。乾嘔。煩渴。目黃。

手術　針三分。灸七壯。

弍……青靈　部位　在肘上三寸。

解剖　在肘下三頭膊筋近旁。爲重要靜脉之一部。及腋窩動脉枝。正中神經。

主治　頭痛目黃。振寒脇痛。肩臂不舉。

手術　針一分。灸三壯。

摘要　此穴禁深針。

叁……少海　部位　在肘内廉。去肘端五分。

解剖　在二頭膊筋之旁。有尺骨副動脈。與靜脈。中膊皮下神經。與正中神經。

主治　寒熱刺痛。目眩發狂。癲癇羊鳴。嘔吐涎沫。項不得回。頭風疼痛。氣逆。瘰癧。肘臂腋脅痛攣不舉。手戰

手術　針三分。不宜灸。

摘要　地穴爲手少陰之所入爲合水。（席弘賦）心疼手顫少海間。若要除根覓陰市。（百證賦）兩臂頑麻。少海就傍於三里。（雜病穴法謌）心痛手顫少海求。（勝六謌）瘰癧少海天井邊。

四……靈道　部位　離少海三寸五分。在掌後一寸五分。

解剖　爲内尺骨筋部。有中靜脈。尺骨動脈。中膊皮下神經。尺骨神經。

主治　心痛悲恐。乾嘔瘈瘲。肘攣。暴瘖不能言。

手術　針三分。灸五壯。

摘要　此穴爲手少陰脉之所行爲經金。主治心痛。（肘後謌）骨寒髓冷火來燒。靈道妙穴分明記。

五……通里

部位　在腕側後一寸。靈道下半寸陷中。

解剖　爲內尺骨筋部。有尺骨動脉。中膊皮下神經。尺骨神經。

主治　熱病頭痛。目眩面熱。無汗懊憹。暴瘖心悸。悲恐畏人。喉痺。苦嘔。虛損數欠。少氣遺溺。肘臂腫痛。婦人經血過多崩漏。

手術　針三分。灸三壯。

摘要　此穴爲手少陰絡。別走太陽者。（神農經）治目眩頭痛。可灸七壯。（玉龍謌）連日虛煩面赤粧。心中驚悸亦難當。若須通里穴能得。一用金針體便康（百證賦）倦言嗜臥。往通里大鐘而明。（馬丹陽十二訣）治欲言聲不出。懊憹及怔忡。實則四肢重。頭顋面頰紅。聲平

△治失眠
神门
陰陵泉
三陰交
隐白
心跳者兼
內関

△

仍欠數。喉閉氣難通。虛則不能食。暴瘖面無容。

六……陰郄

部位 在通里下半寸。去腕五分。

解剖 有尺骨動脉。中膊皮下神經。尺骨神經。

主治 吐血失音。霍亂。驚恐心痛。惡寒。盜汗。睡时可以灯心醮油灼之

手術 針三分。灸三壯。

摘要 (百證賦 寒慄惡寒。二間疏陰郄諳。(又)陰郄後谿。治盜汗之多出。

七……神門

部位 在掌後銳骨之端陷中。陰郄下五分。

解剖 在豌豆骨之下。有深掌側動脈。與中靜脉尺骨神經。

主治 癡疾心煩。欲得冷飲。咽乾不嗜食。驚悸。心痛。少氣身熱面赤發狂。喜笑上氣。嘔血。吐血。遺溺失音。健忘。大人小兒手臂攣掣。

手術 針三分。灸三壯。失眠。癇疾。

摘要 發狂奔走上脘同起於神門(百證賦)(玉龍歌)癡呆之症不堪親。不識

尊卑枉罵人。神門獨知癡呆病。(雜病穴法歌)神門獨知癡呆病

八……少府

部位　在手小指本節後。掌上橫紋頭。骨縫陷中。

解剖　有指掌動脉。與尺骨神經指掌枝。

主治　痎瘧久不愈。振寒煩滿。少氣。胸中痛。悲恐畏人。臂痠肘腋攣急陰挺出。陰癢。陰痛遺尿。小便不利。

手術　針二分。灸三壯。

摘要　主治心胸痛。(肘後歌)心胸有病少府瀉。

九……少冲

部位　在小指內廉之端。去爪甲如韮葉。

解剖　有指掌動脈。與尺骨神經之指掌枝。

主治　熱病煩滿。上氣。心火炎上。眼赤血少。嘔吐血沫。心痛。冷痰。少氣。悲恐。善驚口熱。咽酸胸脇痛。乍寒乍熱。手攣不伸。臂內廉痛。

手術　針一分。灸二壯。

摘要（百證賦）發熱仗少衝曲池之津。（玉龍歌）胆寒心虛病如何。少衝二穴最功多。凡初中風。猝倒暴昏沉。痰涎壅盛。不省人事。牙關緊閉。藥水不下。亟以三稜針刺少商陽中衝關冲少冲少澤以流通氣血乃起死回生之妙穴。

第七節　手太陽小腸經　凡十九穴共三十八穴

小腸手太陽之脉。起於小指之端。循手外側上腕。出踝中。直上。循臂骨下廉。出肘內側兩筋之間。上循臑外後廉。出肩解。繞肩胛。交肩上。入缺盆。絡心。循咽下膈。抵胃。屬小腸。其支者。從缺盆循頸上頰至目銳眥。却入耳中。其枝者。別頰上䪼抵鼻至目內眥。斜絡於顴。是動。則病嗌痛頷腫。不可以顧。肩似拔。臑似折。是主液所生病者。耳聾目黃頰腫。頸頷肩臑肘外後廉痛。爲此諸病。盛則瀉之。虛則補之。熱則疾之。寒則留之。陷下則灸之。不盛不虛。以經取之。盛者人迎大再倍於寸口。虛

者反小於寸口也

附小腸經穴歌

手太陽穴一十九。少澤前谷後谷藪。腕骨陽谷養老繩。支正小海外輔肘。肩貞臑俞接天宗。髎外秉風曲垣首。肩外俞連肩中俞天窗乃與天容偶。銳骨之端上顴髎。聽宮耳前珠上走。

又分寸歌

小指端外爲少澤。前谷外側節前覓。節後捏拳取後谿。腕骨腕前陷側。兌骨下陷陽谷肘。腕上一寸名養老。支正腕後量五分。小海肘端五分好。肩貞胛下兩骨解。臑俞大骨下陷保。天宗秉風髎外舉有空。曲垣有中曲陷胛。外俞胛後一從。肩中二寸太杼旁。天窗扶突後陷詳。天容耳下曲頰後顴髎面鳩銳端量。聽宮耳端大如菽。此爲小腸手太陽。

一……少澤　部位　在指端外側。去爪甲如韭葉。

瘧疾△
後谿
間使
大椎針後獨灸或此穴有效

解剖　在手小指尖。有指背動脈。尺骨神經之分枝

主治　痎瘧寒熱。汗不出。喉痺舌强。心煩咳嗽。目生翳。

手術　針一分。留三呼。灸四壯。

摘要　(千金)治耳聾不得眠補之。(靈光賦)少澤應陰心下寒

二……前谷

部位　在小指外側本節前之陷凹處。

解剖　有外轉小指筋。指背動脈。尺骨神經枝。

主治　熱病汗不出。痎瘧。癲疾。耳鳴喉痺。頸項頰腫。目翳。

手術　針一分。灸二壯。

摘要　熱病無汗瀉之。

三……後谿

部位　在小指本節後。第五掌骨之前外端。

解剖　此處爲外轉小指筋。有重要靜脈。指背動脈。尺骨神經枝

主治　痎瘧寒熱。目翳鼻衄、耳聾胸滿項强。癲癇。五指盡痛。

手術　針三分。留二呼。灸七壯。

摘要　(神農經)治項頸不得回顧。脾寒肘痛。灸七壯。(玉龍歌)時行瘧疾最難禁。穴法由來未審明。若把後谿穴尋得。多加艾火即時經。(通玄賦)痸發顛狂兮。憑後谿而療理。(千金)後谿列缺治胸項之痛。

四……腕骨

部位　在豌豆骨側之旁側。

解剖　此處爲小指外轉筋有腕骨背側動脉脉與靜脉。尺骨神經。

主治　熱病汗不出。脅下痛不得息。頸項腫。寒熱耳鳴。目出冷淚生翳。偏枯。臂肘不得屈伸。

手術　針二分。留三呼。灸三壯。

摘要　(玉龍歌)腕中無力痛艱難。握物難移體不安。腕骨一針雖見效。莫將補瀉等閒看。

五……陽谷

部位　在手腕之兩顆間。去腕骨穴一寸二分。

解剖　有廻前方筋。深屈指筋。腕骨背側動脈。內膊皮下神經。

主治　癲疾發狂。熱病汗不出。脇痛項腫。寒熱耳聾耳鳴。齒痛臂不舉。小兒舌强。

手術　針二分。留三呼。灸三壯。

摘要　（百證賦）陽谷俠谿。頷腫口禁並治。

六……養老

部位　去陽谷斜向外。腕後一寸。

解剖　當外尺骨筋腱之側。有尺骨動脈之背枝及尺骨神經。

主治　肩背痠痛。手不能上下。目視不明。

手術　針二分至三分。灸三壯。

摘要　（百證賦）目覺䀮䀮。急取養老天柱。

七……支正

部位　在腕後五寸。

解剖　此處爲總指伸筋。歧出前膊骨間動脈之分枝。

主治　癲狂。驚風寒熱。頷腫項強。頭痛目眩。腰背痠。四肢無力。肘臂不能屈伸。手指痛不能握。

手術　針三分。灸三壯。

摘要　(百證賦)目眩兮。支正飛揚。

八……小海

部位　去肘尖五分陷中。

解剖　在三頭膊筋間。有下尺骨副動脈。撓骨神經枝。

主治　肘臂肩臑頸項痛。寒熱。齒根腫痛。小腹痛。

手術　針三分。灸三壯。

摘要　主肘臂痛。

九……肩貞

部位　直巨骨下六寸。

解剖　有小圓筋。廻旋肩胛動脈。腋下神經。肩胛上神經。

主治　傷寒寒熱。頷腫。耳鳴耳聾。缺盆中痛。風痺手足不舉。

手術　針五分。灸三壯。

十……臑俞

部位　肩貞上一寸。橫外開八分。

解剖　有肩胛骨肋下筋。橫肩胛動脈。肩胛神經。

主治　肩痠無力。肩痛引胛。寒熱氣腫痠痛。

手術　針五分至八分。灸三壯。

摘要　此穴爲手太陽陽維陽蹻三脈之會。

十一……天宗。部位　在肩貞斜上一寸七分。

解剖　有僧帽筋。肩胛骨肋下筋。肩胛動脈與神經。

主治　肩臂痠疼。肩外後廉痛。頰頷腫。

手術　針五分。灸三壯。

十二……秉風

部位　在臑俞直上一寸五分。

解剖　有僧帽筋。肩胛動脈與神經。

主治　肩痛不可舉。
手術　針五分灸五壯。

十三…曲垣　部位　在肩之中央。
解剖　有僧帽筋。肩胛横舉筋頸動脈。肩胛骨神經。
主治　肩背熱痛拘急周痺。
手術　針五分。灸十壯。

十四…肩外腧部位　去背椎第一節四寸五。
解剖　同曲垣穴。
主治　肩胛痛。發寒熱。痺寒至肘引項攣急。
手術　針五分。灸三壯。

十五…肩中腧部位　在肩外腧上五分。
解剖　有小方稜筋。肩胛動脈。肩胛神經。

主治　咳嗽上氣。吐血寒熱。目視不明。
手術　針三分。灸十壯。

十六—天窗
部位　在耳下二寸
解剖　此處當胸鎖乳頭筋之前。有內外頸之兩動脈。中頸皮下神經。
主治　頸癭腫痛。肩胛引項不得回顧。頰腫。齒噤。耳聾。
手術　針三分。灸三壯。

十七…天容
部位　在耳下。頰車後二寸。
解剖　有耳下腺內顎動脈。頸靜脈。顏面神經。
主治　癭氣頸癰不可回顧。不能言。齒噤耳鳴。耳聾喉痺。咽中如梗。寒熱胸滿。嘔逆吐沫。
手術　針五分。灸三壯。

十八……顴
部位　在顴骨下陷處。

解剖　此處有下眼窩動脈。三叉神經。第二枝之下眼窩神經

主治　口喎。面赤。目黃。齒痛。

手術　針三分。禁灸。

十九…聽宮

部位　在耳前珠子傍。

解剖　此處爲嘴嚼筋。有上顎動脈。顏面神經。

主治　失音。癲疾。心腹滿。耳聾耳鳴。

手術　針三分。灸三壯。

第八節　足太陽膀胱經 凡六十五穴 共百三十穴

膀胱足太陽之脉。起於目內眥。上額交巔。其支者。從巔至耳上角。其直者。從巔直絡腦。還出別下項。循肩膊內。挾脊抵腰中。入循膂絡腎。屬膀胱。其支者。從腰中下挾脊貫臀入膕中。其支者從膊內左右別下。貫胛挾脊內。過髀樞循髀外。從後廉下合膕中。以下貫踹內出外踝之後。循京骨至小指外側。是動。則病衝頭痛。目似脫。項如拔。脊痛腰似折。髀不可以曲。膕如結。踹如裂。是爲踝厥。是主筋所生病者。痔瘧狂癲疾。頭顖項痛。目黃淚出鼽衄項背腰尻膕踹脚皆痛。小指不用。爲此諸病。盛則瀉之。虛則補之。熱則疾之。寒則留之。陷下則灸之。不盛不虛以經取之。盛者人迎大再倍於寸口。虛者人迎反小於寸口也。

附足太陽膀胱經穴歌

足太陽經六十伍。睛明目內紅肉藏。攢竹眉冲與曲差。五處上寸半承光。通天絡却枕昂。天柱後際大筋外。大杼背部第二行。風門肺俞厥陰四心俞督俞膈俞强。肝胆脾胃俱挨次。三焦腎氣海大腸。關元小腸到膀胱。中膂白環仔細量。自從大杼至白環。各各節外寸半長。上髎次髎中復下。一空二空腰髁當。會陽陰尾骨外所。附分俠脊第三行。魄戸膏肓與神堂。譩譆膈關魂門九。陽綱意舍仍胃倉。肓門志室胞肓續。二十椎下秩邊場。承扶臀橫紋中央。殷門浮郄到委陽。委中合陽承筋是。承山飛陽踝附陽。崑崙僕參連申脉。金門京骨束骨忙。通谷至陰小指旁。

又分寸歌

足太陽兮膀胱經○目內眥角始睛明○眉頭陷中攢竹取○曲差髮際上伍分○伍處髮上一寸是○承光髮上二寸半○通天絡郄玉枕穴○相去寸伍調匀看○玉枕挾腦一寸三○入髮二寸枕骨現○天柱項後髮際中○大筋外廉陷中獻○自此挾脊開寸伍○第一大杼二風門○三椎肺俞厥陰四○伍椎之下心俞論○膈七肝九十膽俞○十一脾俞十二胃○十三三焦十四腎○大腸十六之下椎○小腸十八膀十九○中膂內俞二十椎○白環廿一廿下當○以上諸穴可排之更有下次中下髎○一二三四腰空好○會陽陰尾尻骨旁○背部二行諸穴了○又從脊上開三寸○第二椎下爲附分○三椎魄戶四膏肓○第伍椎下神堂尊○第六譩譆膈關七○第九魂門陽綱十○十一意舍之穴有○十二胃倉穴已分○十三肓門端正在○十四志室不須論○十九胞肓廿秩邊○背部三行諸穴匀○又從臀上陰紋取○承扶居於陷中主○浮郄扶下方六分○委陽扶下寸六數○殷門扶下六寸長○膕中外廉兩筋間○委中膝膕約紋裏○此下三寸尋合陽○承筋腳跟下七寸○穴在腨腸之中央○承山腨下分肉間○

外踝七寸上飛揚。輔陽外踝上三寸。崑崙後跟陷中央。僕參亦在踝骨下。申脈踝下陰分張。金門申脈下一寸。京骨外側骨際量。束骨本節後陷中。通谷節前陷中强。至五却在小指側。太陽之穴始周詳。

一……睛明　部位　在目內眥角外一分

解剖　爲前頭骨鼻上棘部。有鼻翼與上唇舉筋。鼻背動脈。滑車神經。

主治　目痛不明。迎風流淚。胬肉攀睛白翳。眥癢。疳眼。頭痛目眩。

手術　針一分半。不可灸

摘要　此穴爲手足太陽足陽明陰蹻陽蹻五脈之會。（靈光賦）睛明治眼胬肉攀。（席弘賦）睛明治眼未效時。合谷光明安可缺。

弍……竹攢　部位　在眉頭之陷中。

解剖　此處爲前頭骨部。有眉頭筋。前額動脉、及前額神經。

主治　目視䀮䀮。淚出目眩。瞳子癢。眼中赤痛。腮臉瞤動。不得臥。頰痛面痛。

手術　針一分至三分。禁灸。

摘要　(玉龍歌)眉間疼痛苦難當。攢竹沿皮刺不妨。若是眼昏皆可治。更針頭維即安康。(通玄賦)腦昏目赤。寫攢竹以偏宜。(勝玉歌)目內紅腫苦皺眉。絲竹攢竹亦堪醫。(百證賦)目中漠漠。即尋攢竹三間。

三……曲差　部位　在眉頭直上入髮際約五分。去神庭旁一寸五分。

解剖　爲前頭額骨部。有前頭筋。前額動脉。顏面神經之顳顬枝

主治　目不明。頭痛鼻塞。鼽衄臭涕頂巔痛。身心煩熱汗不出。

手術　針二分。灸三壯。

四……五處　部位　在曲差後五分上星旁寸五。

解剖　有前頭筋。前額動脈。顳顬神經。

主治　脊强反折。瘈瘲癲疾。頭痛戴眼。眩暈。目視不明。

手術　針三分。禁灸。

五……承光　部位　在五處後一寸五分。

解剖　爲帽狀腱膜部。有顱頂顳顬神經。

主治　頭風。風眩嘔吐。心煩。鼻塞不利。目翳口喎。

手術　針三分禁灸。

六……通天　部位　在承光後一寸五分。百会旁一寸半

解剖　爲後頭筋之上部。有顱頂骨顳顬動脈。大後頭神經。

主治　頭旋項痛。不能轉側。鼻塞偏風。口喎衂血。頭重耳鳴。

手術　針三分。灸三壯。

摘要　（百證賦）通天去鼻內之苦　（千金）癭氣面腫灸五十壯。

七……絡却　部位　在通天後一寸五分。

廣州西湖路流水井珠江承印

解剖　此處爲後頭骨部。有後頭筋。後頭動脉。大後頭神經。

主治　頭從口喎。鼻攣項腫。癭瘤。內障耳鳴。

手術　針三分。灸三壯

八……玉枕

部位　在絡却後一寸五分。

解剖　有後頭筋。後頭動脈。大後頭神經。

主治　目痛如脫。不能遠視。腦風頭項痛。鼻塞無聞。

手術　針三分。灸三壯。

摘要　(百證賦　顖會連於玉枕。頭風療以金針。

九……天柱

部位　在項之後部髮際。大筋外廉之陷中

解剖　爲後頭骨部。內側有僧帽筋。有後頭動脉與神經。

主治　頭旋腦痛。鼻塞淚出。項強肩背痛。目瞑不欲視。

手術　針二分。灸三壯。

十……大杼

摘要　（百證賦）目覺䀮䀮。亟取養老天柱。

部位　在第一胸椎之下。橫開各一寸五分。

解剖　有僧帽筋。大方稜筋。肩胛背側之動脉。脊髓神經之後枝。並第十二對神經。

主治　傷寒汗不出。腰脊項背强痛不得臥。喉痺。煩滿。痎瘧。頭痛。欬嗽身熱。目眩癲疾。筋攣瘈瘲。膝痛不可屈伸。

手術　針三分。勿灸。

大杼連長强尋。小腸氣痛卽行針。（勝玉歌）五瘧寒多熱更多。間使大杼眞妙穴。（肘後歌）風痺痿厥如何治。大杼曲泉眞眞妙。

十一……風門

部位　在第二胸椎下之旁一寸五分。大杼下。

解剖　有僧帽筋。背長筋。肩胛背神經。

主治　傷寒頭痛項强目瞑。胸中熱嘔逆上氣。喘臥不安。身熱。

手術　針伍分。灸伍壯。

摘要　此穴能瀉一身熱氣。

十二：肺俞

部位　在第三胸椎之下。脊旁寸伍。

解剖　有背長筋。上鋸筋。肩胛背神經。

主治　肺風肺痿。咳嗽嘔吐。上氣喘滿。腰脊强痛。黃疸。背僂如龜。

手術　針三分　灸三壯至數十壯。

摘要　此穴主瀉伍臟之熱。

十三：厥陰俞

部位　在第四胸椎之下。脊旁寸伍。

解剖　有背長筋。後上鋸痛。

主治　欬逆牙筋。心痛結胸。嘔吐。

手術　針三分。灸七壯。

摘要　主治胸中膈氣。積聚好吐。

一切血病 △ △

十四……心俞　部位　在第五胸椎之下。各開寸五。

解剖　有背長筋。後上鋸筋。

主治　偏風。半身不遂。食噎積結。寒熱。心氣悶亂。汗不出。嘔吐欬血。

手術　針三分。灸三壯。

摘要　（神農經）小兒氣不足者數歲不能語。可灸五壯。艾柱如麥粒。（玉龍歌）腎弱腰疼不可當。施爲行止甚非常。若知腎俞二穴處。艾火頻加體自康。（勝玉歌）遺精白濁心俞治。

十五：膈俞　部位　在第七胸椎之下。去脊寸五。

解剖　有背長筋。

主治　心痛。膈胃寒痰。暴痛心滿氣急。吐食翻胃。痃癖五積。氣塊血塊。欬逆四肢腫痛。熱病汗不出。腹脇脹滿。

手術　針三分。灸三壯。

摘要　(千金 治吐逆翻胃。灸百壯。

十六…肝俞

部位　在第九胸椎之下。去脊寸五。

解剖　有背長筋。

主治　氣短欬血。多怒。脇肋滿悶。欬引兩脅。脊背急痛不得息。轉側難反折。上視驚狂。鼻痠。眼目諸疾。氣疝。

手術　針三分。灸三壯。

摘要　此穴主瀉五臟之熱　(千金)胸滿心腹積聚疼痛。灸百壯。(又)氣短不語灸百壯。(玉龍歌)肝家血少目昏花。宜補肝俞力便加。更把三里頻瀉動。還光益血自無差。(勝玉歌)肝血盛兮肝俞瀉。

十七…胆俞

部位　在第十胸椎之下。去脊寸五。

解剖　爲闊背筋部。有胸背動脈。

主治　頭痛振寒。汗不出。腋不腫。心腹脹滿。口乾苦。咽痛嘔吐。翻胃食不下。骨蒸勞熱。目黃胸脇不能轉側。

手術　針三分。灸三壯。

摘要　（百證賦）曰黃兮。腸綱胆俞。

十八…脾俞

部位　在第十一胸椎之下。去脊寸伍。

解剖　有闊背筋。胸背動脈。

主治　痃癖。積聚。肋下滿。痃瘧寒熱。黃疸腹脹。飲食不化。煩熱嗜臥。泄痢。體重。

手術　針三分。灸三壯。

摘要　（百證賦）聽宮脾俞祛盡心下之悲悽。（又）脾虛穀食不消。脾俞膀胱俞覓。（千金）治食不消化。泄痢不作肌膚。脹滿水腫。灸隨年壯。

十九…胃俞

部位　在第十二胸椎之下。去脊寸伍。

廣州西湖路流水井珠江承印

胸椎12

腰椎5

膏肓

△

解剖　有闊背筋。

主治　胃寒吐逆。翻胃霍亂。腹脹。肌膚疲瘦。腸鳴腹痛。不嗜食。小兒痢下痢赤白。

手術　針三分。灸三壯。

摘要　(百證賦)胃冷食不化。魂門胃俞堪責。

二十三　焦俞

部位　在第一腰椎下。去脊一寸伍分。

解剖　有闊背筋。腰背筋膜。肋間動脈。脊椎神經之後枝。

主治　傷寒身熱頭痛。吐逆。肩背急。腰脊强。不得俛仰。臟府積聚脹滿膈塞不通。飲食不化。腹痛下痢。

手術　針五分。灸三壯。

摘要　(千金)少腹堅。大如盤盂。胸腹脹滿。飲食不消。婦人癥聚。同氣海各灸百壯。

廿一⋯腎俞　部位　在第二腰椎下。與臍眼並行。

解剖　有闊背筋。腰背筋膜。長背筋。後下鋸筋。肋間動脉。脊椎神經。

主治　虛勞。面目黃黑。耳聾腎虛。腰痛夢遺。精滑精冷。脚膝拘急身熱頭痛。溺血。婦人赤白帶下。月經不調。陰中痛。足寒如冰。

手術　針三分。灸三壯。

摘要　（千金）夢遺失精。五臟虛癆。少腹强急。各灸百壯。（勝玉歌）腎敗腰痛小便頻。頻督脉兩旁腎俞治。

廿二⋯氣海俞　部位　在第三腰椎之下。去脊寸五。

解剖　有長背筋。腰背筋膜。薦骨脊柱筋。

主治　腰痛痔漏。

手術　針三分。灸三壯。

廿三⋯大腸俞　部位　在第四腰椎之下。去脊寸五。

△

解剖　有長背筋。腰背筋薦骨脊柱筋。

主治　脊强不得俯仰。腰痛腹脹。腸鳴瀉痢。食不化。大小便不利。

手術　針三分。灸三壯。

摘要　（千金）脹滿雷鳴灸百壯（靈光賦）大小腸俞大小便。

廿四…關元俞　針位　在第四腰椎之下。去脊寸五。

解剖　有長背筋。腰背筋膜。肋間動脉。薦骨神經之後枝。

主治　風勞腰痛。泄痢虛脹。小便難。

手術　針三分，灸三壯。

廿五…小俞腸　部位　在薦骨上部去脊寸五。

解剖　有腰背筋膜。肋間動脉薦骨神經枝。

主治　膀胱三焦津液少。便赤不利。小腹脹滿。脚腫。心煩短氣。婦人帶下。

手術　針三分。灸三壯

摘要　（千金）洩注五痢。便膿血。腹痛。灸百壯。

廿六……膀胱俞部位　在十九椎下。去中行寸五。

解剖　有大臀筋。中臀筋。上臀動脈。上臀神經。

主治　遺尿洩痢。腰脊腹痛。陰瘡。脚脚寒冷無力。

手術　針三分。灸三壯。

摘要　脾虛穀兮不消。脾俞膀胱俞覓。

廿七……中膂俞部位　在第二十椎之下。去中行一寸五分。

解剖　有大臀筋。上臀動脈。上臀神經

主治　腎虛消渴。腰脊强痛不得俯仰。腸泄赤白痢。疝痛。汗不出。脅腹脹腫。

手術　針三分。灸三壯。

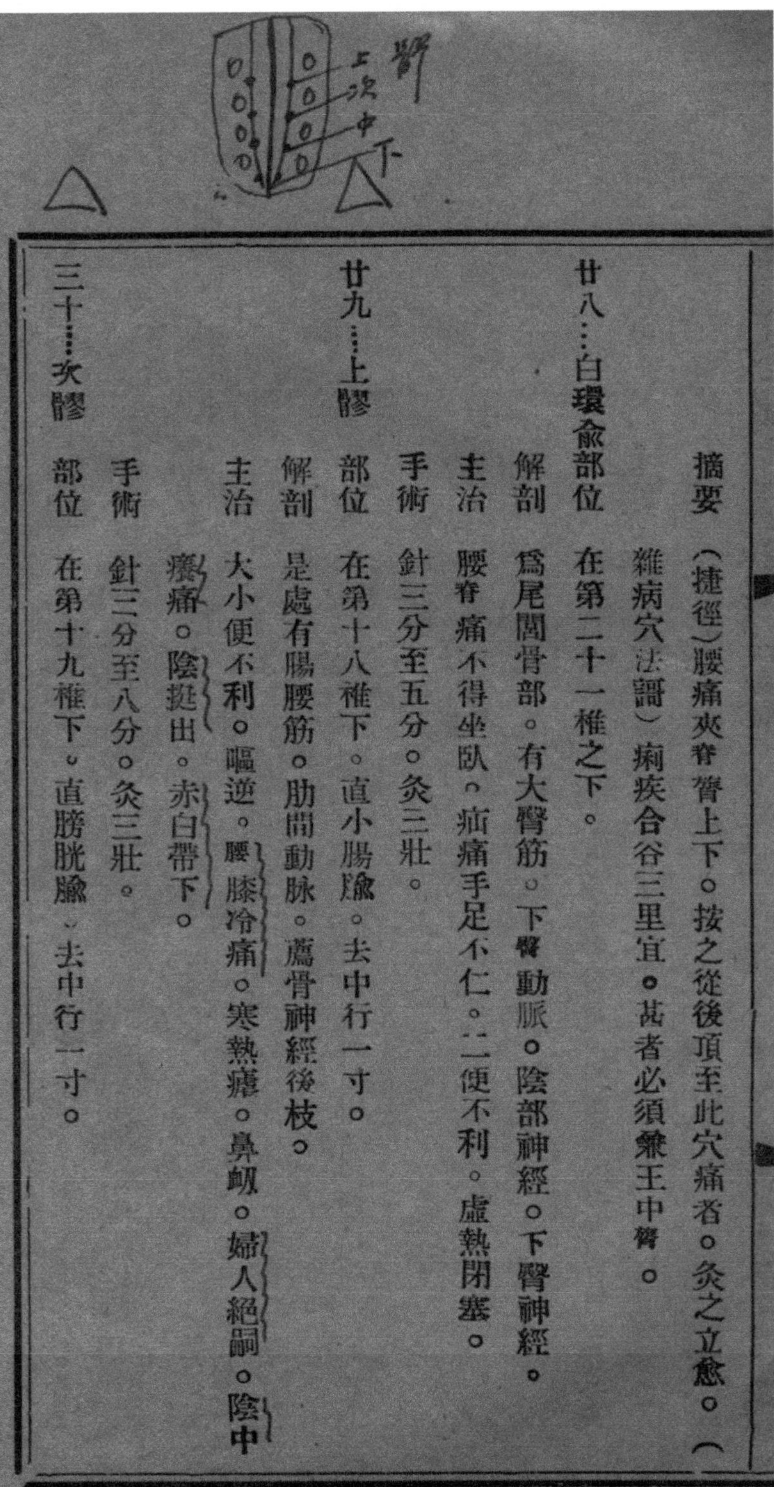

摘要（捷徑）腰痛夾脊膂上下。按之從後項至此穴痛者。灸之立愈。（雜病穴法謌）痢疾合谷三里宜。甚者必須兼王中膂。

廿八…白環俞部位 在第二十一椎之下。

解剖 爲尾閭骨部。有大臀筋。下臀動脈。陰部神經。下臀神經。

主治 腰脊痛不得坐臥。疝痛手足不仁。二便不利。虛熱閉塞。

手術 針三分至五分。灸三壯。

廿九…上髎

部位 在第十八椎下。直小腸俞。去中行一寸。

解剖 是處有腸腰筋。肋間動脈。薦骨神經後枝。

主治 大小便不利。嘔逆。腰膝冷痛。寒熱瘧。鼻衄。婦人絕嗣。陰中瘙痛。陰挺出。赤白帶下。

手術 針三分至八分。灸三壯。

三十…次髎

部位 在第十九椎下。直膀胱俞。去中行一寸。

解剖　有臀筋與中臀筋。上臀動脈。上臀神經。
主治　大小便不利。心下堅脹。腰痛。腸鳴洩瀉。赤白帶下。
手術　針三分。灸三壯。

卅一……中髎

部位　在第二十椎之下。直中膂俞。去中行一寸。
解剖　有大臀筋。上臀動脈。上臀神經。
主治　二便不利腹脹飧泄。婦人少子。帶下。月經不調。
手術　針三分。灸三壯。

卅二……下髎

部位　在第二十一椎之下。
解剖　有大臀筋。下臀動脈。陰部神經。下臀神經。
主治　腸鳴泄瀉。二便不利。下血。腰痛。淋濁。
摘要　（百證賦）溼寒溼熱下髎定。

卅三……會陽

部位　作尾閭骨下部之旁側。去中中行一寸八分

解剖　有大臀筋。下臀動脈。陰部神經。下臀神經。

主治　腹中寒氣泄瀉。便血。久痔。陽氣虛乏。陰汗溼癢。

手術　針三分。灸三壯。

卅四……附分

部位　在第二椎之下。去脊三寸。

解剖　有僧帽筋。後上鋸筋。小方稜筋。橫頸動脈。副神經。脊椎神經後枝。肩胛背神經。

主治　肘臂不仁。肩背拘急。風客腠理。頸痛不得回顧。

手術　針三分。灸四壯。

卅五……魄戶

部位　在第三椎下。去脊三寸。

解剖　有僧帽筋。大方稜筋。肩胛背神經。

主治　虛勞肺痿。肩膊胸背連痛。項强喘逆。煩滿嘔吐。

手術　針三分至五分灸五壯。

肺結核百痛皆療。癆瘵時即時可針之

三六……膏肓俞部位　在四椎下五椎上。去脊中三寸。

解剖　有僧帽筋。太方稜筋。脊椎神經後枝。肩胛背神經。

主治　夜夢遺精。上氣咳逆。痰火發狂。健忘。虛癆灸之

手術　針三分。灸三壯。灸後須灸足三里

三七……神堂部位　在第五椎下去脊三寸。

解剖　有僧帽筋。脊椎神經後枝。肩胛背神經。

主治　腰脊强痛。不可俯仰。惡寒。臟腹滿逆。

手術　針三分。灸五壯。

三八……譩譆部位　在第六椎之下。去脊三寸

解剖　有僧帽筋。脊椎神經後枝。肩胛背神經

主治　大風熱病。汗不出。勞損不得臥。溫瘧久不愈。胸腹脹悶。肩背脇痛。目痛。欬逆。鼻衄

手術　針六分。灸五壯。

摘要　（千金）多汗瘧病灸五十壯。

三九…膈關

部位　在第七椎下。去脊三寸。

解剖　有僧帽筋。脊椎神經枝。

主治　背痛惡寒脊强。嘔吐飲食不下。大小便不利。

手術　針三分。禁深針。灸五壯。

摘要　此穴爲血會。治諸血病。

四十…魂門

部位　在第九椎下。去脊三寸。

解剖　有闊背筋。胸背動脉。肩胛下神經。

主治　胸背連心痛。食不下。腹中雷鳴。大便不節。小便黄赤。

手術　針五分。灸三壯。

摘要　（百證賦）胃冷食而難化。魂門胃俞堪責。

四一……陽綱　部位　在第十椎下。去脊三寸。
解剖　有闕背筋。胸背動脉。脊椎神經。
主治　腸鳴腹痛。食不下。小便難。身熱消渴。目黃腹脹瀉。
手術　針五分。灸五壯。
摘要　（百證賦）目黃兮。陽綱胆兪。

四二……意舍　部位　在十一椎下。去脊三寸。
解剖　有闕背筋。胸背動脉。脊椎神經。
主治　背痛腹脹。大便泄。小便黃。嘔吐惡風寒。飲食不下。消渴目黃。
手術　針五分。灸七壯
摘要　（百證賦）。胸滿更加噎塞。中府意舍所行。

四三……胃倉　部位　在第十二椎下。去脊三寸。
解剖　有臘背動脉。脊椎神經。

△

主治　腹滿。水腫。食不下。惡寒。背椎痛。
手術　針五分。灸五壯

四四……肓門
部位　在第十三椎下。去脊三寸。
解剖　有關背筋。方形腰筋。肋間動脈。肩胛下神經。脊髓神經。
主治　心下痛。大便堅。婦人乳痛。
手術　針五分。灸五壯。

四五……志室
部位　在第十四椎下。去脊三寸。
解剖　有關背筋。方形腰筋。肋間動脈。肩胛下神經。脊髓神經。
主治　陰腫陰痛。失精。小便淋瀝。脊背强。腰脇痛。腹中堅滿。霍亂。
手術　針五分。灸三壯。

四六……胞肓
部位　在髖骨部。有大臀筋。中臀筋。上臀動脈。下臀神經。
主治　腰脊痛。惡寒。小腹堅。腸鳴。大小便不利。

手術　針五分。灸七壯。

四七…秩邊

部位　在二十椎下。去脊三寸。

解剖　有大臀筋。中臀筋。上臀動脈。下臀神經。

主治　腰痛。痔瘡。小便難。

手術　針五分。灸三壯。

四八…承扶

部位　在臀部高肉下垂之横紋中。

解剖　在大臀筋之下部。大肉轉股筋之間。有坐骨動脈。下臀神經。

主治　久痔臀腫。大便難。小便不利。

手術　針五分。禁灸。

四九…殷門

部位　在承扶下六寸。

解剖　爲二頭股筋部。有股動脈。坐骨神經。

主治　腰脊不可俯仰。外股腫。

手術　針五分。禁灸。

五十……浮郄

部位　在殷門下一寸三分。斜向外。

解剖　爲二頭股筋腱部。有膝膕動脈。坐骨神經。

主治　霍亂轉筋。小腹膀胱熱。大腸結。股外筋急。髀樞不仁。

手術　針五分。灸三壯。留三呼

五一……委陽

部位　去承扶一尺六寸。

解剖　在膝膕窩之外側。二頭股筋腱之間。有膝膕動脉。腓骨神經。

主治　腰脊腋下腫痛。不可俯仰。胸滿身熱。小腹滿。癲疾。

手術　針七分。灸三壯。

摘要　(百證賦)委陽天池。腋腫而速散。

五二……委中

部位　當膝膕窩之正中。

解剖　有膝膕動靜脉。脛骨神經。

主治　眉髮脫落。先寒後熱。頭重。腰脊背痛。半身不遂。遺溺。小腹堅。汗出不已。

手術　針一寸五分。禁灸。

摘要　（太乙歌）虛汗盜汗補委中。（玉龍歌）環跳能除腿股風。居髎二穴亦相同。委中毒血更出盡。愈見醫科神聖功（百證賦）背連腰痛。白環委中曾經。（勝玉歌）委中驅療脚風纏。（千金）委中崑崙治腰相連。（雜病穴法歌）腰痛環跳委中求。若連背痛崑崙式。

五二…合陽

部位　在委中下二寸。

解剖　有腓腸筋。環行後脛骨動脈。脛骨神經。

主治　腰脊强引腹痛。陰股熱。寒疝偏墜。女子崩帶不止。

手術　針五分。灸五壯。

摘要　（百證賦）女子少氣漏血。不無交信合陽。

五四……承筋　部位　在合陽與承山之中間。

解剖　有腓腸筋。環行後脛骨動脈。脛骨神經。

主治　腰臀拘急。腋腫。大便閉。痔瘡痛。霍亂。

手術　灸三壯禁針。

摘要　霍亂轉筋灸五十壯。

五五……承山　部位　在委中下八寸。

解剖　有腓腸筋。脛骨動脈。脛骨神經。

主治　頭熱鼻衄。寒熱癲疾。疝痛腹痛。痔腫便血。腰背痛。膝腫。霍亂。

手術　針七分。灸五壯。

摘要　（千金）灸轉筋隨年壯。（勝玉歌）兩股轉筋承山刺。（席弘賦）。陰陵泉治心胸滿。針到承山飲食思。（靈光賦）承山轉筋幷久痔。（天星秘訣）脚若轉筋幷眼花。先針承山次內踝。（雜病穴法歌）心胸痞滿伍六……飛揚 部位 在外踝上七寸。與承山相並。

解剖 有脛骨動脉。脛骨神經

主治 痔痛不得起立。脚痿腫。癲疾。寒瘧。頭目眩。逆氣。

手術 針三分。灸三壯。

摘要 （百證賦）目眩兮。支正飛揚。

陰陵泉。針到承山飲食美。脚若轉筋眼發花。然谷承山法自古。

五七……跗陽 部位 在外踝上三寸。

解剖 有長腓筋。前腓骨動脈。淺腓骨神經。

主治 霍亂轉筋。腰痛不能立。髀痛。頭重頞痛。時有寒熱。四肢不舉。屈伸不能。

手術 針三分。灸三壯。

五八……崑崙 部位 足外踝後五分跟骨上陷中。

廣州西湖路流水井珠江承印

解剖　此處爲長腓骨腱。有後腓骨動脈。脛骨神經。

主治　脚氣。腨腫痛。不能步行。頭痛鼽衄。肩背拘急。咳喘目眩。陰腫痛。產難。胞衣不下。小兒發癇。

手術　針三分。灸三壯

摘要　（靈光賦）住喘脚氣崑崙愈。（席弘賦）轉筋目眩針魚際。承山崑崙立便消。（馬丹陽十二訣）轉筋腰尻痛。暴喘滿中心。舉步行不得。一動卽呻吟。若欲求安樂。須於此穴針。（雜病穴法歌）腰痛環跳委中求。若連背痛崑崙式。

五九……僕參

部位　在崑崙直下足跟骨上。

解剖　當外踝之下。有腓骨動脈。脛骨神經

主治　腰痛。足痿不收。足跟痛。霍亂。轉筋吐逆。膝痛。

手術　針三分禁灸。

六十…申脉

摘要（靈光賦）後跟痛在僕參求。

部位 在外踝下陷中。容爪甲白肉際。

解剖 爲跟骨之上部。有脛骨神經腓骨動脈。

主治 風眩癲疾腰脚痛。膝寒痠。不能坐立。氣逆。腿足不能屈伸。婦人氣血痛。

手術 針三分。不宜灸。

摘要（神農經）治腰痛灸五壯。（標幽賦）頭風頭痛針申脉與金門。（雜病穴法歌）頭風目眩項捩强。申脉金門手三里。

六一…金門

部位 在申脉之前一寸少。

解剖 爲短總趾伸筋部。有腓骨動脈。脛骨神經。

主治 霍亂轉筋。疝氣膝胻痠。不能立。小兒張口搖頭。身反折。

手術 針三分。灸三壯。

摘要　(百證賦)轉筋兮。金門邱虛來醫。(標幽賦)頭風痛頭針申脈與金門。(雜病穴法歌)頭風目眩項捩強。申脈金門手三里。(肘後歌)瘧疾連日發不休。金門刺深七分是。

六二……京骨

部位　申脈前三寸。

解剖　爲小趾第一趾節骨之後部。即短腓筋腱部。有骨間背動脈。外小趾背神經。

主治　腰脊痛。髀不可曲。項强不能回顧。筋攣善驚。痎瘧寒熱。目眩。內眥赤爛。頭痛鼽衄。癲病狂走。

手術　針三分。灸七壯。

六三……束骨

部位　在小趾外側。本節後。

解剖　爲長總趾伸筋附着之部。有小趾背神經。骨間背動脈。

主治　腸澼泄瀉。瘧痔癲癇。頭痛目眩。內眥赤痛。耳聾腰膝痛。項强。

手術　針三分。灸三壯。

六四……通谷

部位　在小趾本節前。

摘要　（百證賦）項强多惡風束骨相連於天柱。

解剖　有長總趾伸筋附着部。外小趾背神經。

主治　頭痛目眩。善驚。食不化。

手術　針三分。灸三壯。

六五……至陰

摘要　此穴爲足太陽脉之所流爲滎水。

部位　在足趾端外側去瓜甲如韮葉。

解剖　有外小趾背神經骨間背動脈。

主治　風寒頭重。鼻塞目痛生翳。胸脅痛。轉筋寒瘧。汗不出。煩心。足下熱。小便不利。

手術　針一分。灸三壯。

摘要　此穴爲足太陽之脈所出爲井金。(百證賦)至陰屋翳療癢疾之爲多。(席弘賦)脚膝腫時尋至陰。(肘後歌)頭面之疾針至陰。

第九節　足少陰腎經 凡二十七穴 共五十四穴

腎足少陰之脈。起於小指之下。邪趨足心。出於然谷之下循内踝之後。別入跟中。以上端内出膕外廉。上股内後廉貫脊屬腎。絡膀胱。其直者。從腎上貫肝膈。入肺中。循喉嚨挾舌本。其支者。從肺出絡心。注胸中。是動。則病飢不此食。面如漆柴。咳唾則有血。喝喝而喘。坐而欲起。目䀮䀮如無所見。心如懸。若飢狀。氣不足。則善恐。心惕惕如人將捕之。是爲骨厥。是主腎所生病者。口熱舌乾。咽腫上氣。嗌乾及痛。煩心。心痛。黃疸腸澼脊股内後廉痛。痿厥嗜臥。足下熱而痛。爲此諸病。盛則瀉之。虛則補之。熱則疾之。寒則留之。陷下則灸之。不盛不虛。以經取之。灸則强食生肉。緩帶披髮。大杖重履而步。盛者寸口大再倍於人迎。虛者寸口反小於人迎也。

足少陰腎經穴歌

足少陰穴二十七。湧泉然谷太谿溢。大鍾水泉通照海。復留交信築賓實。陰谷膝內附骨後。以上從足走至膝。橫骨大赫聯氣穴。四海中注肓俞臍。商曲實關陰都密。通谷幽門寸半闢。折量腹上分十一。步廊神封陰靈墟。神藏彧中俞府畢。

腎經諸穴分寸歌

足掌心中是湧泉。然谷踝下一寸前。太谿踝後跟骨上。大鍾跟後踵中邊。水泉谿下一寸覓。照海踝下四分安。復溜踝上前二寸。交信踝上二寸聯。二穴止隔筋前後。太陰之後少陰前。築賓內踝上腨兮。陰谷膝下曲膝間。橫骨大赫麓氣穴。四滿中注亦相連。各開中行止寸半。上下相去一寸便。上隔肓俞亦一寸。肓俞商曲石關來。陰都通谷幽門闢。各開中行五分俠。六穴上下一寸裁。步廊神封靈墟存。神藏彧中俞府尊。各開中行計二寸。上下寸六六穴同。俞府璇璣旁二寸。取之得法有成功。

腎經諸穴解剖法

一……湧泉　部位　在足底中央。試屈足趾。在足底去足跟之居中隆起處。

解剖　爲轉拇筋部。有內足蹠動脈。內足蹠神經。

主治　喘嗽有血。目視䀮䀮無所見。善恐。心中結熱。風疹風痛。心痛不嗜食。男子如蠱。女子如妊。欬嗽氣短。身熱喉痺。目眩頸痛。胸脅滿。小便痛。泄瀉。霍亂不得尿。腰痛大便難。熱厥。五趾盡痛。

手術　針三分。灸三壯。

摘要　(百證賦)厥寒厥熱湧泉清。(通玄賦)胸結身黃。取湧泉而即可。(天星秘訣)如是小腸連臍痛。先刺陰陵後湧泉。

二……然谷

部位　在內踝前之高骨下。

解剖　爲長屈拇筋之附着部。有脛骨神經。

主治　喘呼煩滿。欬血。喉痺。心恐。小腹脹。不指久立。男子遺精。婦人陰挺出。月經不調不孕。初生兒臍風撮口。

手術　針三分。灸三壯。

摘要（百證賦）臍風須然谷而易醒。（雜病穴法歌）脚若轉筋眼發花。然谷承山法自古。

三……太谿

部位 在內踝後五分。

解剖 爲長總趾屈筋腱部。有後脛骨動脉。脛骨神經。

主治 熱病汗不出。傷寒手足逆冷。嗜臥。欬嗽咽腫。衄血吐血。溺赤。大便難。久瘧。欬逆。煩心不眠。脉沉。手足寒。嘔吐不嗜食。

手術 針三分。灸三壯。

摘要（神農經）牙痛。紅腫者瀉之。（百證賦）寒瘧兮商陽太谿驗。

四……大鍾

部位 在足跟後。太谿下五分。斜距水泉一寸。

解剖 有長總趾屈筋腱。脛骨動脈。脛骨神經。

主治 氣逆煩悶。小便淋便。腰脊強痛。便秘。嗜臥。口中熱。嘔逆多寒。胸脹喘息。善驚恐。喉中鳴。咳吐血。

手術　針二分灸二壯。

摘要　此穴爲足少陰絡別走太陽。(百證賦)倦言嗜臥。往通里大鐘而明。(標幽賦)大鐘治心內之癡呆。

五……照海

部位　在內踝下斜前一寸。

解剖　無外轉拇筋之上部。有後脛骨動脉。脛骨神經。

主治　咽乾嘔吐。四肢懈惰。嗜臥。善悲不樂。偏枯。腹中氣痛。小腹淋痛陰挺出。月水不調。

手術　針三分。灸七壯。

摘要　此穴爲陰蹻脈所生(玉龍歌)大便秘結不能通。照海分明在足中。更把支溝來瀉動。方知妙穴有神功。(神農經)治月事不行。可灸七壯。(蘭江賦)噤口喉風針照海。(百證賦)大敦照海。患寒疝而善觸。(席弘賦)若是疝小腹痛。照海陰交曲泉針。(通玄賦)四肢之懈惰。憑照海以消除。

六丨丨丨水泉　部位　在內踝後。太谿下一寸。

解剖　有長總趾屈腱部。有後脛骨動脉。及脛骨神經。

主治　目不能遠視。女子月事不來。心下悶痛。小腹痛。小便淋。陰挺出。

手術　針四分。灸五壯。

摘要　(百證賦)月潮違限。天樞水泉須詳。

七……復溜　部位　在內踝上二寸。距交信後五分。

解剖　爲後脛骨部。有後脛骨動脉。脛骨神經

主治　痔疾。腰脊內痛。不得俯仰。善怒舌乾涎出。足痿胻寒不得履。目視䀮䀮。腸鳴腹痛。四肢腫。盜汗。

手術　針三分。灸五壯。

摘要　此穴爲足少陰之脉所行爲經金。（神農經）治盜汗不收。面色痿黃灸七壯。（玉龍歌）傷寒無汗瀉復溜。（雜病穴法歌）水腫水分與復溜。（勝玉歌）脚氣復溜不須疑。（肘後歌）瘧疾寒多熱小取復溜。（席弘賦）復溜氣滯便離腰。復溜治腫如神醫。

八……交信

部位　在內踝上二寸。與復溜並立

解剖　爲長總趾屈筋部。有後脛骨動脈。脛骨神經。

主治　五淋。陰急。股腨內廉引痛。瀉痢赤白。大小便難。女子漏血不止。陰挺出。月事不調。小腹痛。盜汗。

手剖　針四分。灸五壯。

摘要　（百證賦）女子少氣漏血。不無交信合陽。（肘後歌）腰膝强痛交信濕。

九……築賓

部位　在內踝上五寸。

解剖　爲腓腸筋部。分布後脛骨動脉。脛骨神經。

主治　小兒胎疝癲疾。吐舌發狂。腹痛。嘔吐涎沫。足腨痛。

手術　針三分。灸五壯。

十……陰谷　部位　在膝內輔骨之後。大筋之下少筋之上。

解剖　爲大股筋連附之部。有關節動脉。與股神經。

主治　舌縱涎下。股脹煩滿。溺難。小腹疝急引陰。陰股內廉痛。爲痿爲痺。膝痛不可屈伸。女人漏下不止。少妊。

手術　針四分。灸三壯。

摘要　此穴爲足少陰脉之所入爲合水。（通玄賦）陰谷治臍痛。（太乙歌）利小便消水腫。陰谷水分與三里。（百證賦）中邪霍亂。尋陰谷三里之程。

十一……橫骨　部位　在大赫下一寸。去中行五分。

解剖　有腸骨下腹神經。三稜腹筋。

主治　五淋小便不通。陰器下縱引痛。小腹滿。目眥赤痛。五臟虛。

手術　針三分。灸五壯。

摘要　此穴爲足少陰衝脈之會。（百證賦）肓兪橫骨。瀉五淋之久積。（席弘賦）氣滯腰疼不能立。橫骨大都宜救急。

十二……大赫

部位　在氣穴下一寸。去中行五分。

解剖　有三稜腹筋。腸骨下腹神經。

主治　虛勞失精。陰萎下縮。莖中痛。目赤痛。女子赤帶。

手術　針三分。灸五壯。

十三……氣穴

部位　在四滿下一寸。去中行五分。

解剖　有腸骨下腹神經。直腹筋。

主治　久痢。經不調。

手術　針三分。灸五壯。

十四……四滿　部位　在中注下一寸。去中行五分。

解剖　有直腹筋。下腹動脈

主治　積聚疝瘕。腸癖切痛。臍下痛。女人月不調。惡血疞痛無子

手術　針三分灸三壯。

十五……中注　部位　在盲俞下一寸。去中行五分。

解剖　有直腹筋。下腹動脉。

主治　小腹熱大便堅燥。腰脊痛。目背痛。女子月事不調。

手術　針伍分。灸伍壯。

十六……盲俞　部位　去臍旁伍分。

解剖　有下腹動脉。直腹筋

主治　腹痛寒疝。大便燥。目赤痛。從內背始。

手術　針五分。灸五壯。

摘要　（百證賦）肓兪橫骨瀉伍淋之久積。

十七……商曲

部位　在石關二寸。

解剖　有直腹筋。上腹動脉。肋間神經枝。

主治　腹中切痛。積聚不嗜食。目赤痛從內背始。

手術　針伍分。灸五壯

十八……石關

部位　在陰都下一寸。

解剖　有直腹筋上腹動脈。肋間神經。

主治　噦噫嘔逆。脊强腹痛。氣淋。小便不利。大便燥閉。目赤痛。婦人無子。或藏有惡血上衝。腹痛不可忍

手術　針一寸。灸三壯。孕婦禁針。

摘要　（神農經）治積氣疝痛可灸七壯。（千金）嘔噫嘔逆灸百壯。（百證賦）

無子搜陰交石關之鄉。

十九：陰都 部位 在通谷下一寸

解剖 有直腹筋。上腹動脉。第十二肋間神經枝。

主治 心煩滿恍惚。氣逆。腸鳴肺脹。嘔沫。大便難。脅下熱痛。目痛寒熱。痎瘧。婦人無子。藏有惡血。腹絞痛。

手術 針五分。灸三壯。

二十：通谷 部位 在幽門下一寸。

解剖 有直腹筋。上腹動脉。十二肋間神經枝。

主治 口喎暴瘖。積聚痃癖。胸滿食不化。膈結嘔吐。目赤痛不明。清涕。項似拔不可回顧。

手術 針伍分。灸三壯。

二一：幽門 部位 在巨闕旁伍分。

解剖　爲直腹筋部。其內左爲胃府。右爲肝葉。有上復動脉。十二肋間神經枝。

主治　胸中引痛。心下煩悶。逆氣裏急。不嗜食。數欬。乾噦嘔吐。涎沫健忘。洩痢膿血。小腹脹滿。女子心痛逆氣。善吐食不下。

手術　針五分。灸五壯。

摘要　（神農經）治心下痞脹。飲食不化。積聚疼痛。灸四十壯。（百證賦）煩心嘔吐。幽門開徹玉堂明。

二三一……步廊

部位　在神封下一寸六分。中庭旁二寸。

解剖　有肋間動脉。內乳動脉。肋間神經前胸神經。

主治　胸脇滿痛。鼻塞少氣。欬逆不得息。嘔吐不食。臂不得舉。

手術　針三分。灸五壯。

二三二……神封

部位　靈墟下一寸六分。

解剖　有大胸筋。肋間動脈。內乳動脈。肋間神經。前胸神經。

主治　胸脅滿痛。欬逆不得息。嘔吐不食。乳癰。惡寒。

手術　針三分。灸五壯。

二四…靈墟

部位　在神藏下一寸六分。

解剖　有大胸筋。肋間動脈。肋間神經。

主治　胸滿不得息。欬逆。乳癰嘔吐。惡寒。不嗜食。

手術　針三分。灸三壯。

二五…神藏

部位　彧中下一寸六分。

解剖　爲大胸筋部。中藏肺葉。分布肋間動脈。內乳動脈。肋間神經。前胸神經。

主治　嘔吐欬逆。喘不得息。胸滿不嗜食。

手術　針三分。灸三壯。

二六……彧中

摘要 （百證賦）胸滿項强。神藏璇璣已試。

部位 在俞府下一寸六分。

解剖 爲大胸筋部。分布肋間動神經前胸神經。肋間動脉内乳動脉。

主治 欬逆不得喘息。胸脅支滿。多吐。嘔吐不食。

手術 針四分。灸五壯。

摘要 （神農經）治氣喘痰壅。灸十四壯。

二七……俞府

部位 在璇璣旁二寸

解剖 有大胸筋。及鎖上骨筋。鎖骨下動脉。胸廓神經。

主治 欬逆上氣。嘔吐。不食。中痛。

手術 針三分。灸五壯。

摘要 （玉龍歌）吼喘之症嗽痰多。若用金針疾自俞府乳根一樣刺氣喘風痰漸漸磨。

十一

广东中医药专门学校针灸学讲义（周仲房）

提 要

一、作者小传

周淦，参见《针灸学》（广东光汉中医学校）提要。

二、版本说明

该书为周仲房在广东中医药专门学校教授针灸学课程时所编撰的教材，此书现存版本为广东中医药专门学校铅印本和（香港）广东中医药学校铅印本。这两个版本都有残缺。笔者团队所见藏于广东省立中山图书馆（存1～201页）、广东中医药博物馆（存1～201页）、广州中医药大学图书馆（存1～201页）的和杨克卫所收藏（存1～201页，系配本）的广东中医药专门学校铅印本是同一版本。另杨克卫藏有《（香港）广东中医药学校针灸学讲义》（存1～186页）。

关于《广东中医药专门学校针灸学讲义》的刊行年份，分别有刊于1927年、刊于1929年和刊于1938年3种说法。由于刊行年份涉及对该书部分文献引用先后的考证，故有必要对该书的刊行年份进行探讨。据《中国针灸荟萃·现存针灸医籍》《全国中医图书联合目录》《中国中医古籍总目》《岭南医籍考》载，该书出版时间为1927年。其中《中国针灸荟萃·现存针灸医籍》所录书中“自序”实系“针灸治病论”，文后所录的“公元一九二七年，周仲房”，笔者团队在广东省立中山图书馆、广东中医药博物馆及广州中医药大学图书馆3处所藏版本中均未见。《中医近代史》中则载该书刊行时间为1929年，而刘芳据广州中医药大学图书馆藏本将该书刊行时间定为1938年。

据笔者团队所见，唯广州中医药大学图书馆藏本有明确时间标识，该藏本第二册封面书签有“民国廿七年，周仲房编”题注，第一册扉页有“梁衍家民国廿八年仲春”题词，惜第二册封面书签是粘贴上去的，未知是原题词还是后人所补。考证周仲房生平发现，周仲房于1922年绝仕业医，1932年前后在香港侨居。在1926年广东中医药专门学校的内部刊物《中医杂志》所列的教员名单中，周仲房并不在其中。广东中医药专门学校成立于1924年，学制5年，按其课程设置，针灸学课程安排在第5年，即最早应于1928年起始才有针灸学课程，当时所用的教材除周仲房的外，另有梁慕周（1873—1935）所编著的《广东中医药专门学校针灸学讲义》。因梁慕周在广东中医药专门学校建校之初就被聘为教员，故笔者团队推断其所著教材应早于周仲房所著。惜笔者团队在广州中医药大学图书馆、广东省立中山图书馆所见到的梁慕周所著的《广东中医药专门学校针灸学讲义》2套，均无时间标识，梁慕周在广东中医药专门学校教授针灸学课程的时间及其所撰教材的出版时间有待进一步考证。

综上，笔者团队认为，周仲房《广东中医药专门学校针灸学讲义》一书刊行于1927年之说值得商榷，该书出版时间可能在1932—1938年。

三、内容与特色

该书正文包括经络腧穴、刺法、治症三部分内容。卷首为针灸源流说略，着重讲述针灸学术的发展历程。次篇为针灸治病论，讲述作为一门医术，针灸疗病的基本原理与运用中的注意事项，特别强调作为针灸医生，阴阳五行、脏腑经络、子午流注等医学知识不可或缺，同时又不可纸上谈兵，“手术不研究，刺法不能从心，则尤为针治之忌”，并批判了某些从医者急功近利的态度。

第一部分论述经络腧穴，先列人身度量标准，讲述腧穴的定位方法，然后介绍经穴之考证，包括脏腑十二经穴、奇经八脉、十五络脉、经外奇穴、阿是穴等。在分述十二正经之经穴时，先总述某经的经穴数、循行位置、常见病证及相应治法，然后分述该经各穴的部位、解剖、主治、手术、摘要。“解剖”部分系从现代解剖学角度阐发某穴所在的肌肉、关节及其周围循行之神经、血管；“手术”部分讲述某穴适宜的进针深度、角度及施灸壮数等操作方法；“摘要”部分则引用历代医家、医著对某穴治疗作用的论述或阐述作者自己的治疗经验。值得一提的是，该部分除了介绍常规的教学内容，还介绍了许多押韵的歌诀，以便后学者记忆。

第二部分主要介绍刺法内容，先论九针形制，介绍火针、温针等针刺常识，详述《黄帝内经》补泻、《难经》补泻、《神应经》补泻、南丰李氏补泻和杨氏补泻。值得注意的是，虽然周仲房在经穴部分及治症内容中收录了灸治法，但在刺法部分，周仲房并未介绍灸法的相关内容，不知是否与周仲房在“针灸治病论”中所推崇的“药不如灸快，灸不如针快”的观点有关。

第三部分为针灸临床治症部分。该部分以症带方，方中有论，其内容引自《针灸大成》。

现将该书特色介绍如下。

（一）正本清源，述针灸源流

该书卷首讲述针灸源流，以时间轴线讲述针灸的发展史。

（二）宗中参西讲述经穴

该书经络腧穴部分以明清针灸古籍为基础，参考西医解剖学知识，对各经的经穴数、循行位置、常见病证及相应治法进行介绍，并对各穴的部位、解剖、主治、手术、摘要五部分进行了阐述，从现代解剖学角度介绍某穴所在的肌肉、关节及穴位周围循行的神经、血管。

（三）临床治症条分方症

临床治症部分以症带方，方中有论，其内容引自《针灸大成》。该部分将针灸治疗症状分门别类地阐述，条目清晰，便于查阅。

廣東中醫藥專門學校鍼灸學講義

增城周仲房編

鍼灸源流說畧

醫用鍼灸。由來已久。大都藥力所不能到。非針灸莫爲功。自內經靈蘭秘典。五常正大六元正紀等篇出世。開針灸新紀元。闡明陰陽五行生制之理。配象合德。實切於人身。其諸色脉病名。針刺治要。皆推是理。以爲後學津梁。而皇甫謐之甲乙。楊上善之太素。亦皆本於此。其間微有異同。針灸之綱法。無不濫觴於是矣。他如難經十三卷。秦越人祖述黃帝內經。設爲問答之辭。發明要理。子午經一卷。論針灸之要。撰成歌訣。後人依託扁鵲者。崇若山斗。存眞圖一卷。晁公謂楊介編。崇寧間泗州刑賊於市。郡守李夷行遣醫幷畫工往。親决膜。摘膏肓。曲折圖之。盡得纖悉。介校以古書無少異者。又王莽時。捕得翟義黨。王孫慶使太醫尙方與巧屠共刳剝。量度五臟。以竹筵度其脉。知所終始。可以治病。實鍼灸切要之經驗。千金方唐孫思邈所撰。至引導之要。無不周悉。此針灸之金聲玉律者也。十四經發揮三

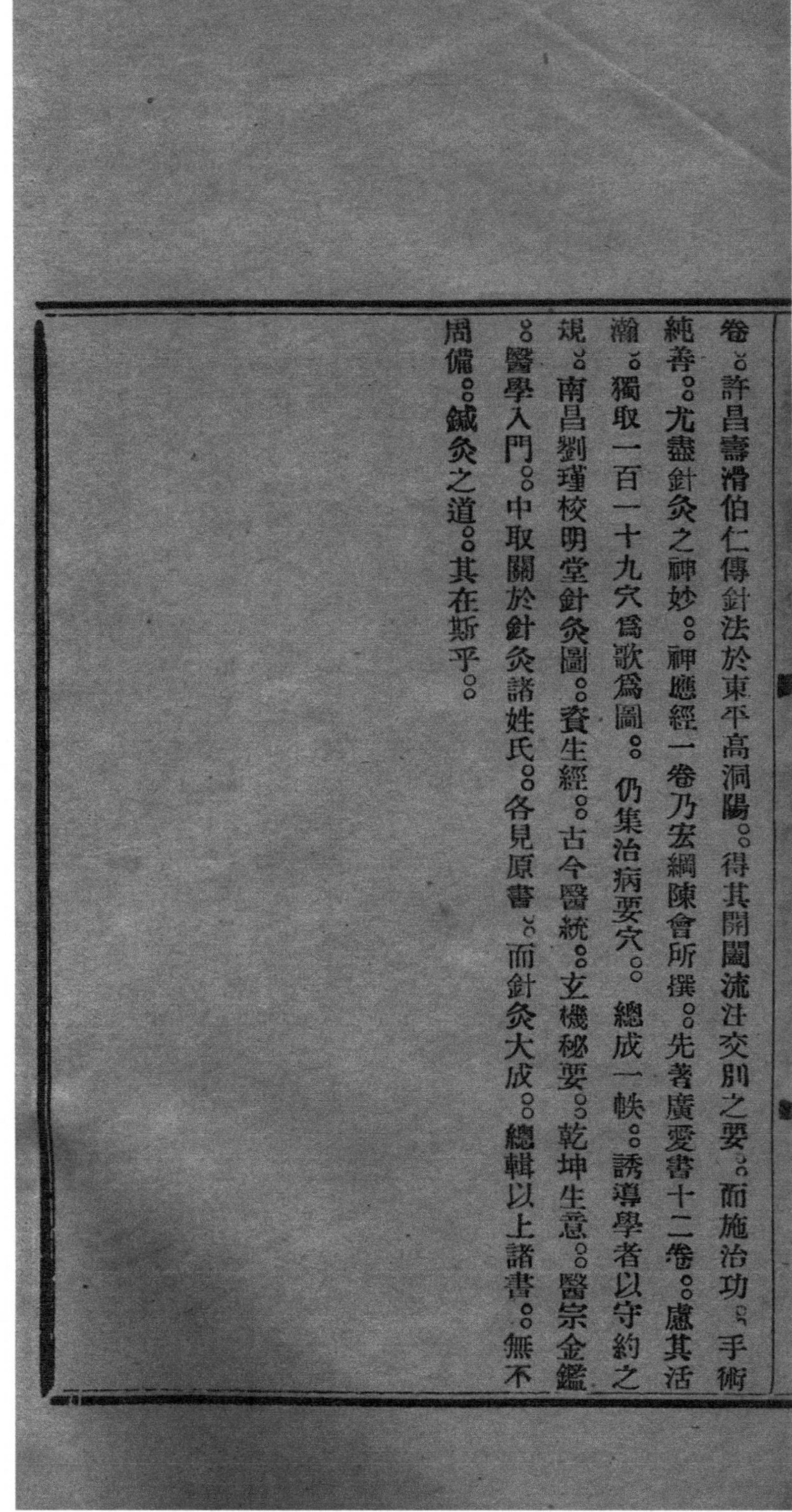

卷。許昌壽滑伯仁傳針法於東平高洞陽。得其開闔流注交別之要。而施治功。手術純善。尤盡針灸之神妙。神應經一卷乃宏綱陳會所撰。先著廣愛書十二卷。慮其浩瀚。獨取一百一十九穴爲歌爲圖。仍集治病要穴。總成一帙。誘導學者以守約之規。南昌劉瑾校明堂針灸圖。資生經。古今醫統。玄機秘要。乾坤生意。醫宗金鑑。醫學入門。中取關於針灸諸姓氏。各見原書。而針灸大成。總輯以上諸書。無不周備。鍼灸之道。其在斯乎。

針灸治病論

增城周仲房

鍼灸之學。古人論之甚詳。其考穴治法。以遺教後人。心亦良苦。或鑄銅人爲式。分列臟腑十二經。旁註俞穴所會。以定主療之術。或遣畫工。親赴刑塲。量度五臟。决摘膏肓。以審發病之源。其他若靜坐之內功。禁忌之發明。方宜之論列。闡明陰陽五行生制之理。抉發開闔流注交別之要。皆類輯成書。繪圖註說。爲後學階梯。故鍼灸之爲道。非於人身陰陽維蹻帶衝督任八脉十二經十五絡。研之有素。明乎流注。斷難分別眞邪。針灸所至。疾病若失。然手術不研究。刺法不能從心。則尤爲針治之忌。經云病有浮沉。刺有淺深。各至其理。無過其道。過之則內傷。不及則生外壅。壅則邪從之。淺深不得。反爲大賊。必至內動五臟。外生大病云云。嗚呼險矣。一孔之儒。以人命爲兒戲。往往朝誦黃庭。晚希說喝。倉卒以圖。鮮有不敗。蓋病之中人。必有其漸。有在毫毛腠理者。有在皮膚者。有在肌肉者。有在脉者。有在筋者。有在骨髓者。有在血氣者。知病所在。針灸從之。適乎其度。自不

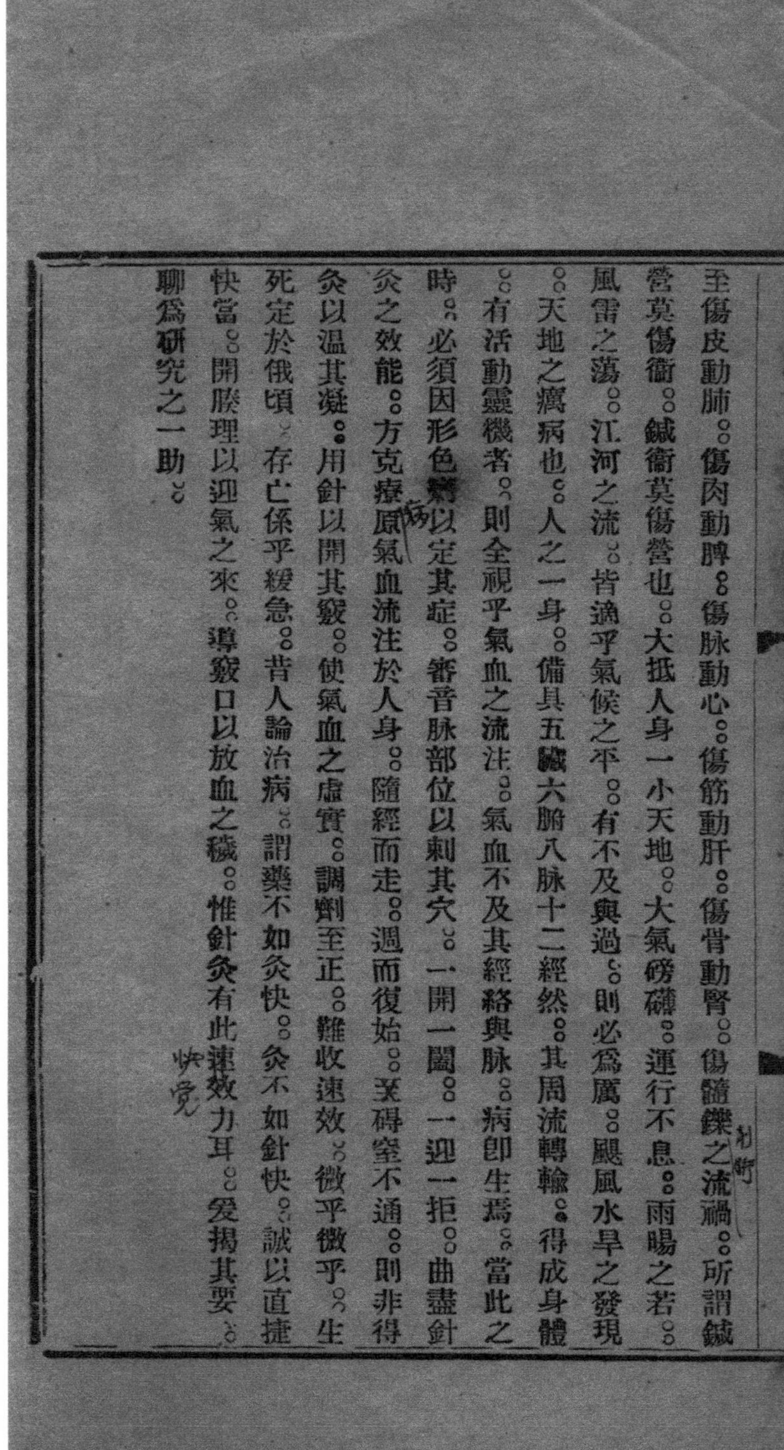
至傷皮動肺。傷肉動脾。傷脈動心。傷筋動肝。傷骨動腎。傷髓鑠之流禍。所謂鍼營莫傷衛。鍼衛莫傷營也。大抵人身一小天地。大氣磅礴。運行不息。雨暘之若。風雷之蕩。江河之流。皆適乎氣候之平。有不及與過。則必爲厲。颶風水旱之發現。天地之癘病也。人之一身。備具五臟六腑八脈十二經然。其周流轉輪。得成身體。有活動靈機者。則全視乎氣血之流注。氣血不及其經絡與脈。病即生焉。當此之時。必須因形色辨以定其症。審音脈部位以刺其穴。一開一闔。一迎一拒。曲盡針灸之效能。方克療原氣血流注於人身。隨經而走。週而復始。至礙窒不通。則非得灸以溫其凝。用針以開其竅。使氣血之虛實。調劑至正。難收速效。微乎微乎。生死定於俄頃。存亡係乎緩急。昔人論治病。謂藥不如灸快。灸不如針快。誠以直捷快當。開腠理以迎氣之來。導竅口以放血之穢。惟針灸有此速效力耳。爰揭其要。聊爲研究之一助。

人身度量標準

頭部

以前髮際至後髮際作爲一尺二寸計算。前髮際不明者。以眉心上行至後髮際作爲一尺五寸。後髮際不明者。以大椎骨上行至前髮際作爲一尺五寸。前後俱不明者。以大椎直行至眉心。作爲一尺八寸。此量頭部直寸之標準。橫寸則以內背角至外背角作爲一寸。頭部橫穴依此法取。

胸腹部

胸腹部之量法。以兩乳相去作八寸計算。爲橫寸之標準。直寸取穴。以鳩尾尖至臍心作八寸計算之。如無鳩尾尖。以胸岐骨量至臍心。作九寸計算之。

背部

以大椎至尾骶骨作三尺計算之。爲背部直寸之標準。橫寸則用中指寸取之。

手足部

以患人中指第二節內廷兩橫紋尖相去爲一寸計算之。此爲量手足部及背部橫寸之標準。

經穴之考正

臟腑十二經穴起止歌

手肺少商中府起。大腸商陽迎香二。足胃頭維厲兌三。脾部隱白大包四。手心極泉少衝來。小腸少澤聽宮去。膀胱睛明至陰間。腎經湧泉俞府位。心包天池中衝隨。三焦關冲繼耳門。胆家童子髎竅陰。厥肝大敦期門至。十二經穴始終歌。

手太陰肺經凡十一穴共二十二穴

肺手太陰之脉。起於中焦。下絡大腸。還循胃口。上膈屬肺。從肺系橫出腋下。下循臑內。行少陰心主之前。下肘中循臂內上骨下廉。入寸口上魚。循魚際。出大指之端。其支者。從腕後直出次指內廉。出其端。是動則病肺脹滿。膨膨而喘欬。缺盆中痛。甚則交兩手而瞀。此爲臂厥。是主肺所生病者。咳，上氣、喘、渴、煩心胸滿、臂內前廉痛。厥掌中熱。氣盛有餘。則肩臂痛。風寒汗出中風。小便數而欠。氣虛則有臂痛。寒少氣不足以息。溺色變。爲此諸病。盛則瀉之。虛則補之。熱則疾之。寒則留之。陷下則灸之。不盛不虛。以經取之。盛者寸口大三倍於人迎。虛者則寸口反小於人迎也。

肺經諸穴歌

手太陰肺十一穴。中府雲門天府列。俠白尺澤孔最存。列缺經渠太淵涉。魚際少商如韭葉。

肺經諸穴分寸歌

太陰肺兮出中府。雲門之下一寸許。雲門璇璣旁六寸。巨骨之下二骨數。天府腋下三寸求。侠白肘上五寸主。尺澤中約紋論。孔最腕上七寸取。列缺腕側一寸半。經渠寸口陷中是。太淵掌後横紋頭。魚際節後散脉舉。少商大指端内側。此穴若鍼疾減愈。

肺經諸穴之解釋

一 中府

部位 在雲門下一寸六分。乳上三肋間。有動應手者是。

解剖 在第一肋間。有大胸筋之處。腋窩動靜脉。及中膊皮下神經。前胸神經。

主治 腹脹。四肢腫。食不下。喘氣。胸滿。肩背痛。咳逆上氣。肺寒熱。風汗出。皮痛面腫。傷寒胸中熱。

手術 鍼三分。留五呼。灸五壯。

摘要 「百證賦」胸滿更加噎塞。中府意舍所行。

二一…雲門

部位　在巨骨之下。離任脉璇璣旁六寸。

解剖　在三角筋之旁。有頭靜脉。胸肩蜂動脉。分布前胸神經。及鎖骨下神經。

主治　傷寒四肢熱不已。咳逆喘不得息。胸脇短氣。氣上冲心。胸中煩滿。喉痺肩痛。

手術　針三分。灸五壯。

攝要　此穴主瀉四肢之熱。

三一…天府

部位　在腋下三寸。

解剖　即二頭膊筋之部。其深處有上膊骨。分布腋窩動靜脉。及正中神經。筋皮神經。

主治 中風中惡。遠視䀮䀮。暴痺。寒熱瘧。喘息不得臥。善忘

手術 針四分。留七呼。禁灸。

四　俠白

摘要 『千金』治身重嗜臥不自覺。灸百壯。針三分補之。

部位 在天府下二寸。離尺澤五寸。

解剖 爲三頭膊筋存在之部。分布頭靜脉。上膊動脉。及內膊皮下神經。橈骨神經枝。

主治 心痛。短氣。乾嘔。煩滿。

手術 針四分。留三呼。灸五壯。

摘要 與內關合針　能開胸滿。

五　尺澤

部位 在肘中約紋之中。

解剖 即前膊與上膊之關節部。適當二頭膊筋腱部之外面。分尺骨動脉。橈骨動脉。及正中神經。與重要靜脉。

主治 肩臂痛。汗出中風。小便數。善嚏。悲哭。寒熱。風痺。手臂不舉。喉痺。上氣。嘔吐口乾。咳嗽。唾濁。瘧疾。四肢腹腫。心痛。臂痛。短氣。肺膨脹。心煩悶。少氣。勞熱喘滿。腰脊强痛。小兒慢驚風。

手術 針三分。留三呼。灸五壯。

攝要 此穴爲手太陰之脉。所入爲合水。肺實瀉之。『席弘賦』五般肘痛尋尺澤。『玉龍歌』筋急不開手難伸。尺澤從來要認眞。『雜病穴法歌』吐血尺澤功無比。

六、孔最

部位 在腕側横紋上七寸。

解剖 緊接尺澤之下。即膞橈骨筋之後部也。亦有尺骨及橈骨動脈。又分布頭靜脈之枝。神經則有外膞皮下神經。及橈骨神經之皮下枝。

主治 熱病汗不出。咳逆、肘臂厥痛。屈伸難。手不及頭。指不能屈。吐血失音。咽腫、頭痛。

手術 針三分。灸五壯。

摘要 熱病汗不出。灸三壯即汗出。

七、列缺

部位 去腕側上一寸五分。

解剖 有長外轉拇筋。分布橈骨動脈枝、及前項之神經。

主治 偏風口眼喎斜。手腕無力。半身不遂。掌中熱。口噤不開。。寒熱瘧。。咳嗽。。善笑。。縱唇口。。健忘。。溺血精出。。陰莖痛。。小便熱。。癇驚妄見。。面目四肢癱腫。。肩痺腰背寒慄。。少氣不足以息。。實則胸背熱。。汗出。。四肢暴腫。。虛則胸背寒慄。。少氣不足以息。。

手術　針二分。。留五呼。。灸七壯。。

摘要　此穴爲手太陰之絡別走陽明之路。。「玉龍歌」寒痰咳嗽更兼風。。列缺二穴最堪攻。。先把太淵一穴瀉。。多加艾火即收功。。「四總穴」頭項尋列缺。。

八．經渠

部位　在寸口動脈陷中。。

解剖　有長外轉托筋。。撓骨神經之皮下枝。。撓骨動脈。。

主治　寒熱瘧。。胸背俱急。。胸滿膨脹。。掌中熱。。咳逆上氣。。傷寒熱病汗不出。暴痺喘促。心痛嘔吐。

手術 針二分。留三呼。禁灸。灸傷神明。

摘要 此穴爲手太陰脈之所行爲經金。

九：太淵

部位 在掌後內側橫紋上。魚肉後一寸陷中。

解剖 有外轉托筋。撓骨動脈枝。撓骨神經之皮下枝。

主治 胸痺逆氣。咳嗽。煩悶不得眠。肺膨脹。臂內廉痛。目生白翳。眼赤痛。乍寒乍熱。缺盆中痛。掌中熱。肩背痛。寒喘不得息。心痛。咳血嘔血。

手術 針二分。留三呼。灸三壯。

摘要 此穴爲手太陰脈之所注爲俞土。肺虛補之。難經曰。脈會太淵。。素曰胍病治此。。平旦寅時氣血從此始。。故曰寸口者脈之大要會也。。「席弘賦」列缺頭痛及偏正。。重瀉太淵無不應。。「雜病穴法歌」偏正頭痛左右針。。列缺太淵不用補。。

十 魚際

部位 在大指本節後內側白肉際陷中去太淵一寸。。

解剖 在拇指之反對筋部。。分布第一總指背動脈。。

主治 酒病。。惡風寒。。虛熱。。舌上黃。。身熱頭痛。。咳嗽。。傷寒汗不出。。痺走。。胸背痛。。目眩心煩少氣。。腹痛食不下。。肘攣。。肢滿。。喉中乾燥。。咳引尻痛。。嘔血。。

手術 針二分。。留二呼。。灸三壯。。

摘要 此穴爲手太陰脈之所溜爲滎火。。「百證賦」喉痛兮。。腕門魚際去療「千金」齒痛不能飲食。。左患灸右。。右患灸左。。「席弘賦」轉筋目眩針魚際。。承山崑崙立便消。。

十一 少商

部位 在拇指內側。。去爪甲角如韭葉。。

解剖 有拇指內轉筋。。分布撓骨神經枝

主治 頷腫喉閉。。煩心。。善噦。。心下滿。。汗出而寒咳逆。。痎瘧。。腹滿。。唇乾。。手攣指痛。。掌熱。。喉中鳴。。小兒乳鵝。。

手術 針一分。。留三呼。。瀉熱宜以三稜針刺出血。。

摘要 此穴爲手太陰脈之所出爲井木。。「百證賦」少商曲澤。。血虛口渴同施。。「一資生」咽中腫塞。。水粒不下。。針之立愈。。「肘後歌」剛柔二痓最乖張。。口噤眼合面紅粧。。熱血流心肺府。。須要金針刺少商。。

手陽明大腸經凡二十穴共四十穴

大腸手陽明之脉。起於大指次指之端。循指上廉。出合谷兩骨之間。上入兩筋之間。循臂上廉。入肘下廉。上臑外前廉。上肩出髃骨之前廉。上出於柱骨之會上。下入缺盆絡肺。下膈屬大腸其支者從缺盆上頸貫頰。入下齒中還出挾口。交人中。左之右。右之左。上挾鼻孔。是動則病齒痛頸腫。是主津液所生病者。目黄。口乾。鼽衄。喉痺。肩前臑痛。大指次指痛不用。氣有餘。則當脉所過者熱腫。虛則寒慄不復。爲此諸病。盛則瀉之。虛則補之。熱則疾之。寒則留之陷下則灸之。不盛不虛。以經取之。盛者人迎大三倍於寸口。虛者人迎反小於寸口也。

大腸經諸穴歌

手陽明穴起商陽。二間三間合谷藏。陽谿偏歷溫溜長。下廉上廉手三里。曲池肘髎五里近。臂臑肩髃巨骨當。天鼎扶突禾髎接。鼻旁五分號迎香。

大腸經諸穴分寸歌

商陽鹽指內側邊。。二間來尋本節前。。三間節後陷中取。。合谷虎岐骨間。。陽谿上側腕中是。。徧歷腕後三寸安。。温溜腕後去五寸。。池前五寸下廉看。。池前三寸上廉中。。池前二寸三里逢。。曲池曲骨紋頭盡。。肘髎大骨外廉近。。大筋中央尋五里。。肘上三寸行向裏。。臂臑肘上七寸量。。肩髃肩端舉臂取。。巨骨肩尖端上行。。天鼎喉旁可寸眞。。扶突天突旁三寸。。禾髎水溝旁五分。。迎香禾髎上一寸。。大腸經穴自分明。。

大腸經諸穴之解釋

一 商陽

部位 在手大指次指內側。。去爪甲角如韭葉。。

解剖 有頭靜脉。。指掌動脉。。並橈骨神經。。

主治 胸中氣滿。。喘咳支腫。。熱病汗不出。。耳鳴聾。。寒熱痎瘧。。口乾頷腫。。齒痛惡寒。。肩背急。。目靑盲。。

手術 針一分。。留一呼。。灸三壯。。

摘要 此穴爲手陽明大腸脉所出爲井金。「百證賦」寒瘧分商陽太谿驗。「乾坤生意」此爲十井穴之一。治中風跌倒。卒暴昏沉痰盛不省人事。牙關緊閉。藥水不下。急以三稜刺針出血之。

二間

部位 在食指本節前内側陷中

解剖 有頭靜脉。指背動脉。及橈骨神經。

主治 喉痺頷腫。肩背痛。齒目黃。

手術 針一分。留一呼。灸三壯。

摘要 此穴爲手陽明脉所溜爲滎水。大腸實瀉之。「百證賦」寒慄惡寒二間疏通陰郄暗。「席弘賦」牙痛腰痛并咽痺。二間陽谿疾怎逃。「玉龍歌」牙疼陣陣若相煎。穴在二間要得傳。。

三：三間

部位 在食指本節後內側陷中。。

解剖 有頭靜脈。。指掌動脈。。並橈骨神經。。

主治 喉痺咽中如梗。。嗜臥。。胸腹滿。。腸鳴洞泄。。寒熱瘧。。唇焦。。口乾。。氣喘。。月背急痛

手術 針三分。。留三呼。。灸三壯。。

摘要 此穴為手陽明脈所注為俞木「百證賦」目中漠漠。。即尋攢竹三間。。「席弘賦」更有三間腎俞妙。。善治肩背浮風勞。。「捷徑」治身熱氣喘。。口乾目急。。

四：合谷

部位 在手大指次指歧骨間陷中。。

解剖　有重要之靜脉。橈骨動脉。並橈骨神經。

主治　發熱惡寒。頭痛脊强。無汗。寒熱瘧。熱病汗不出。目視不明。生白翳。頭痛。耳聾喉痺面腫唇吻不收。瘖不能言口噤不開。偏正頭痛。腰脊內引痛。小兒單乳蛾。

手術　針三分留六呼三壯。孕婦禁針

摘要　此穴爲手陽明脉之所過爲原穴。「百證賦」天府合谷。鼻中衄血宜追。「四總穴」面口合谷收。「肘後歌」口噤眼合藥不下。合谷一針效甚奇「雜病穴法歌」頭面耳目口鼻病。曲池合谷爲之主。

五…陽谿

部位　在手腕橫紋之上側。兩筋間陷中

解剖　即橈骨與舟狀骨之關節部。分布頭靜脉。撓骨動脉枝。及外膊皮下神經。。撓骨神經。。

主治 狂言喜笑。。熱病煩心。。目風赤爛有翳。。厥逆頭痛。。胸滿不得息。。寒熱瘧疾。。喉痺。。耳鳴耳聾。。臂不舉。。

手術 針二分。。留七呼。。灸三壯。。

六…偏歷

摘要 此穴爲手陽明大腸脉所行爲經火。。

部位 在腕中後三寸。。

解剖 有短伸拇筋。。分布頭靜脉。。橈骨動脈枝。。及後下膊皮下神經。。橈骨神經。。

主治 肩膊肘腕痠痛。。寒熱瘧。。癲疾多言。。咽喉乾。。喉痺。。耳鳴。。風汗不出。。小便利。。

手術 針三分。。留七呼。。灸三壯

七：溫溜

摘要　此穴爲手陽明絡脈別走太陰。

部位　去腕五寸。

解剖　爲長外轉拇筋所在之處。有頭靜脈。及撓骨動脈之分枝。分布後下膊皮下神經。

主治　腸鳴腹痛。傷寒嘔逆。寒熱頭痛。喜笑狂言。四肢腫。吐舌。口舌痛。喉痺。

手術　針三分。留三呼。灸三壯。

摘要　「百症賦」傷寒項强。溫溜期門而主之。

八：下廉

部位　去腕後六寸。去曲池四寸。

解剖　分布頭靜脈。橈骨動脈枝及後膊皮下神經。撓骨神經。

主治　小腹滿。小便黄。便血狂言。冷痺不遂。風濕痺。小腸氣不足。面無顏色。腹脇痛滿。俠臍痛。食不化。喘息不能行。唇乾涎出。乳癰。

手術 針三分。留五呼。灸三壯。

摘要 是穴與巨虛三里氣衝上廉主瀉胃中之熱。

九 上廉

部位 在三里下一寸。

解剖 有長屈拇指筋。中頭靜脉。橈骨動脉。外膊皮下神經。橈骨神經。

主治 小便難。赤黃。腸鳴胸痛。半身不遂。骨髓冷。手足不仁。喘氣。腦風頭痛。

手術 針三分。灸三壯。

摘要 此穴主瀉胃中之熱。與氣衝三里巨虛下廉同。

十…三里　部位　在曲池下二寸。按之肉起。銳肉之端。

解剖　近長屈拇指筋之上。分布橈骨動脉。中頸靜脉。及外膊皮下神經。橈骨神經。

主治　霍亂。遺矢。失音。齒痛。頰頷腫。瘰癧。手臂不仁。肘攣不伸。中風。手足不遂。

手術　針三分灸五壯。

摘要　「百證賦」手臂頑痲。少海治傍於三里。「席弘賦」腰背痛連臍不休。手中三里便須求下針痲重即須瀉「通玄賦」肩背痛治三里宜。「勝玉歌」臂痛背疼鍼三里「雜病穴法歌」頭風目眩項强。申脉金門手三里

十一…曲池　部位　在肘外輔骨之陷中。屈肘橫紋頭。

解剖 有迴反撓骨動脈。及撓骨神經。

主治 繞踝風。手臂紅腫。肘中痛偏風半身不遂。惡風邪氣風癮瘮。喉痺不能言。胸中煩滿臂膊痛。筋緩。提物不得。屈伸難。風痺肘細無力。傷寒餘熱不盡。皮膚乾燥。瘈瘲癲疾。體痛。皮脫作瘡。婦人經脈不通。

手術 鍼五分。灸七壯。

摘要 此穴爲手陽明大腸脈所入爲合土。「百證賦」半身不遂陽陵遠達於曲池。「標幽賦」曲池肩井。甄權鍼臂痛而復射「席弘賦」曲池兩手不如意。合谷下鍼宜仔細。「馬丹陽十二訣」善治肘中痛偏風手不收。挽弓開不得。筋緩莫梳頭。喉閉促欲死。發熱更無休。遍身風癬癩鍼著即時瘳。

「千金」爲十三鬼穴之一名曰鬼臣。。治百邪癲狂。。鬼魅。。「肘後歌」鶴膝腫痛難移步。。尺澤能舒筋骨疼。。更有一穴曲池妙。。「雜病穴法歌」頭面耳目口鼻病。。曲池合谷爲之主。。

十二、肘髎

部位 在大骨外廉陷中。。

解剖 爲三頭膊筋部。。有廻反橈骨動脈。。頭靜脈及橈骨神經。。

主治 風勞嗜臥。。肘節風痺。。臂痛不舉。。屈伸攣急。。麻木不仁。。

手術 針三分。。灸三壯。。

摘要 手臂痛麻木灸七壯即愈。。

十三、五里

部位 在肘上三寸。。

解剖 位於二頭膊筋之旁。分布橈側副動脉。頭靜脉。及內膊皮下神經。

主治 風勞驚恐。吐血咳嗽。肘臂痛。嗜臥。四肢不得動。心下䐜滿。上氣身黃。時有微熱。瘰癧。目視𥆧𥆧。痎瘧。

手術 禁針。灸三壯至十壯。

摘要 「百證賦」五里臂臑。生癧瘡而能治。

十四：臂臑

部位 在肘上七寸䐃肉端。

解剖 係三角筋部。分布頭靜脉。後迴旋上膊動脉。及橈骨神經。

主治 寒熱臂痛。不得舉。瘰癧頸項拘急。

十五‥肩髃

手術 禁針。。灸七壯至百壯。。

摘要 「千金」治癭氣灸隨年壯。。

部位 膊骨頭肩端上兩骨罅間。。舉臂有空陷。。

解剖 有三角筋。。迴轉上膊動脉。。及頭靜脉枝。。鎖骨神經枝。。

主治 中風手足不遂。。偏風。。風痪。。風痿。。風病半身不遂。。肩中熱。。頭不可回顧。。肩臂痛。。臂無力。。攣急。。顏色枯焦。。勞氣泄精。。傷寒熱不已。。四肢熱。。癭氣。。

手術 針六分。。留六呼。。灸七壯。。

摘要 此穴主瀉四肢之熱。。「百證賦」肩顒陽谿（絡）。。消癮風之熱極。。「玉龍歌」肩端紅腫痛難當。。寒濕相爭氣血狂。。若須肩顒明補瀉。。管君多灸自安康。。「天星秘訣」手臂攣痺取肩顒。。

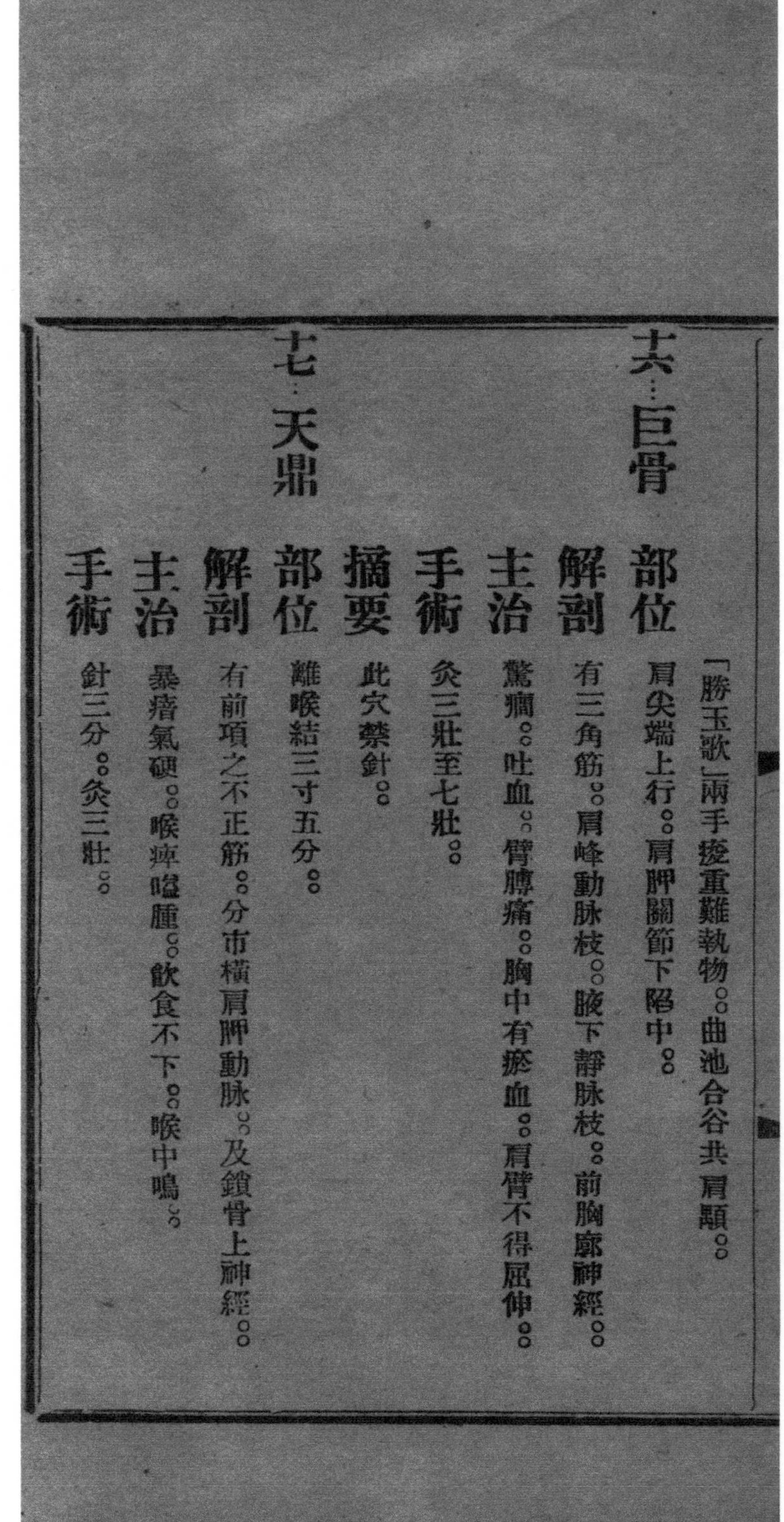

「勝玉歌」兩手痠重難執物。。曲池合谷共肩顒。。

十六：巨骨

部位　肩尖端上行。。肩胛關節下陷中。。

解剖　有三角筋。。肩峰動脉枝。。腋下靜脉枝。。前胸廓神經。。

主治　驚癎。。吐血。。臂膊痛。。胸中有瘀血。。肩臂不得屈伸。。

手術　灸三壯至七壯。。

摘要　此穴禁針。。

十七：天鼎

部位　離喉結三寸五分。。

解剖　有前項之不正筋。。分布横肩胛動脉。。及鎖骨上神經。。

主治　暴瘖氣硬。。喉痺嗌腫。。飲食不下。。喉中鳴。。

手術　針三分。。灸三壯。。

十八：扶突

摘要〔百證賦〕天鼎間使。失音囁嚅而休遲。

部位 去喉結三寸。天鼎上前一寸二分。

解剖 係胸鎖乳頭筋部。有横頸動脈。及第三頸椎神經。

主治 咳嗽多唾。上氣喘息。暴瘖氣硬。

手術 針三分灸三壯。

十九：禾髎

摘要 此穴仰而取之。

部位 在水溝旁五分。直對鼻孔下。

解剖 在上顎骨大齒窩部。分布下眼窩動脈。深部顏面靜脈。及下眼窩神經枝。

主治 尸厥。口不能開。鼻瘡瘜肉。鼻塞不聞香臭。鼽衄。

手術　針二分。。禁灸。。

摘要　「雜病穴法歌」衄血上星與禾窌。。

二十．迎香

部位　禾髎上一寸。。鼻下孔旁五分。。

解剖　爲顏面方筋。。有下眼窩動脈。。深部顏面神經。。

主治　鼻塞不聞香臭。。偏風口喎。。面痒浮腫。。唇腫痛。。喘息不利。。鼻喎多涕。。鼽衄。。骨瘡。。鼻有瘜肉。。

手術　針二分。。禁灸。。

摘要　「玉龍歌」赤眼迎香出血奇。。『席弘賦』耳聾氣閉聽會針。。迎香穴瀉功如神。。

足陽明胃經凡四十五穴共九十穴

胃足陽明之脈起於鼻之頞中。旁約太陽之脈下循鼻外。上入齒中還出挾口。環唇下交承漿。却循頤後下廉。出大迎循頰車。上耳前過客主人。循髮際至額顱。其支者從大迎前。下人迎。循喉嚨。入缺盆下膈。屬胃絡脾。其直者。從缺盆。下乳內廉。下挾臍。入氣街中。其支者起於胃口。下循腹裏。下至氣街中而合。以下髀關。抵伏兔下膝臏中。下循脛外廉下足跗入中指內門。其支者下廉三寸而別下入中指外間。其支者別跗上。入大指間。出其端。是動則病灑灑振寒。善呻數欠。顏黑病至則惡人與火。聞木聲則惕然而驚。心欲動。獨閉戶塞牖而處。甚則欲上高而歌。棄而走賁響腹脹。是爲骭厥。是主血所生病者。狂瘧溫淫。汗出鼽衄。口喎。唇胗。頸腫。喉痺。大腹水腫。膝臏腫痛。循膺乳氣街。股伏兔骭外廉。足跗上皆痛。中指不用。氣盛則身已前皆熱。其有餘於胃。則消穀善饑。溺色黃。氣不足。則身已前皆寒慄。胃中寒。則脹滿。爲此諸病。盛則瀉之虛則補之。熱則疾之。寒則留之。陷下則灸之。不盛不虛。以經取之。盛者人迎大三倍於寸口。虛者人迎反小於寸口也。。

足陽明胃經諸穴歌

四十五穴足陽明。。頭維下關頰車停。。承泣四白巨髎經。。地倉大迎對人迎。。水特氣舍連缺盆。。氣戶庫房屋翳屯。。膺窻乳中延乳根。。不容承滿梁門起。。關門太乙滑肉門。。天樞外陵大巨存。。水道歸來氣衝次。。髀關伏兎走陰市。。梁邱犢鼻足三里。。上巨虛連條口位。。下巨虛跳上豐隆。。解谿衝陽陷谷中。。內庭厲兌經穴終。。

足陽明胃經諸穴分寸歌

胃之經兮足陽明。。承泣目下七分尋。。四白目下方一寸。。巨髎鼻孔旁八分。。地倉夾吻四分近。。大迎頷下寸三分。。頰車耳下八分穴。。下關耳前動脉行。。頭維神庭旁四五。。人迎喉旁寸五眞。。水突筋前迎下在。。氣舍突下穴相乘。。缺盆舍下橫骨內。。各去中行寸半明。。氣戶璇璣旁四寸。。至乳六寸又四分。。庫房屋翳膺窗近。。乳中正在乳頭心。。次有乳根出乳下。。各一寸六不相侵。。却去中行須四寸。。以前穴道與君陳。。不容巨闕旁三寸。。却近幽門寸五新。。其下承滿與梁門。。關門太乙滑肉門。。上下一寸無多少。。共去中行三寸中。。天樞臍旁二寸間。。樞下一寸外陵安。。樞下二寸大巨穴。。樞下四寸水道全。。樞下六寸歸來好。。共去中行二寸邊。。氣衝鼠蹊上一寸。。又去中行四寸專。。髀關膝上有尺二。。伏兎膝上六寸是。。陰市膝上方三寸。。梁丘膝上二寸記。。膝臏陷中犢鼻存。。膝下三寸三里至。。膝下六寸上廉穴。。膝下七寸條口位。。膝下八寸下廉看。。膝下九寸豐隆係。。却是踝上八寸量。。比那下廉外邊綴。。解谿去庭六寸半。。衝陽庭後五寸換。。陷谷庭後二寸間。。內庭次指外間現。。厲兌大指次指端。。去爪如韭胃井判。。

足陽明胃經諸穴之解釋

一…頭維　部位　在額角入髮際。。去神庭旁四寸五分。。

解剖　即前頭骨部。。有前頭筋。。分布顳動脉前枝。。及顏面神經。。前額顳顬枝。。

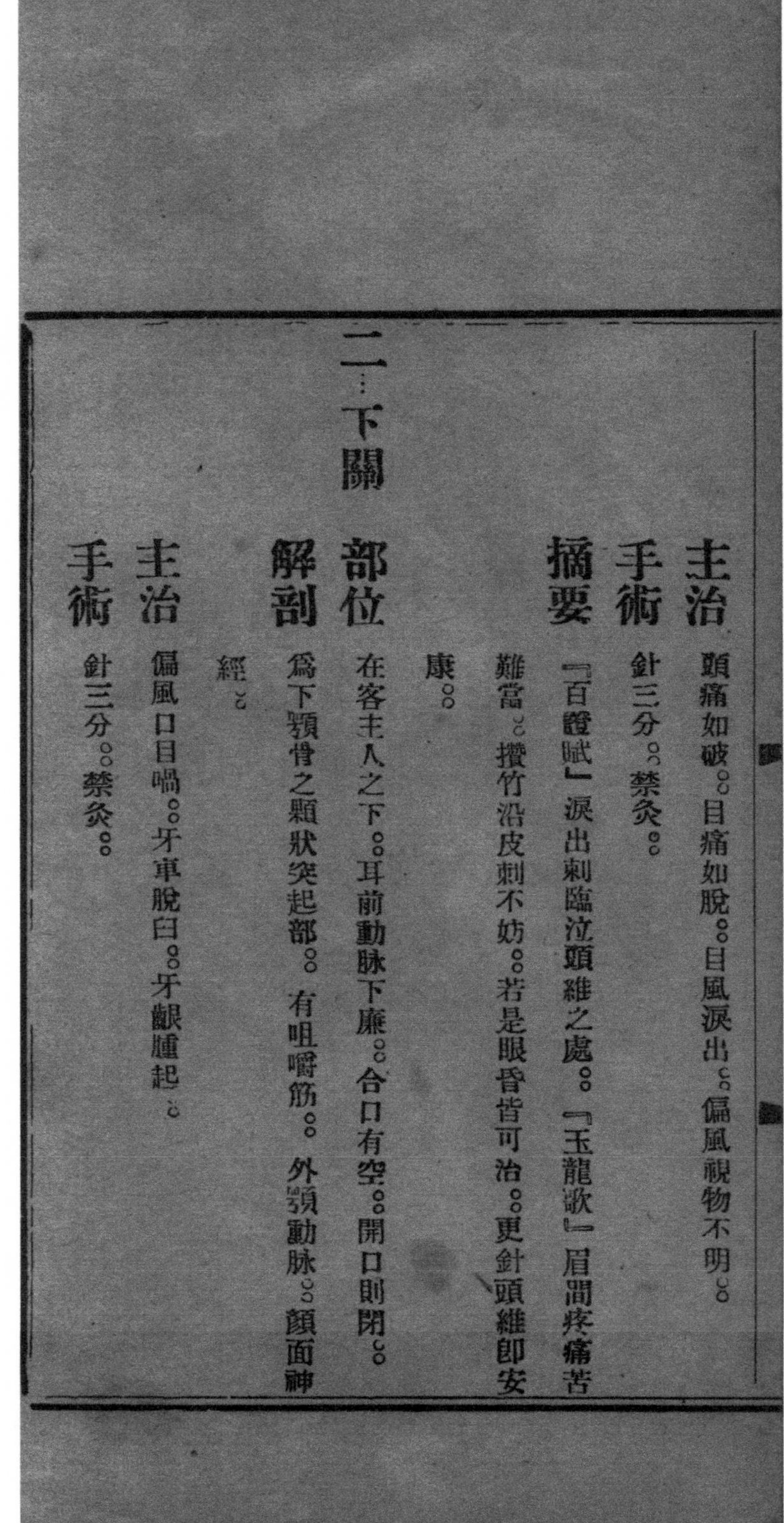

主治 頭痛如破。目痛如脫。目風淚出。偏風視物不明。

手術 針三分。禁灸。

摘要 『百證賦』淚出刺臨泣頭維之處。『玉龍歌』眉間疼痛苦難當。攢竹沿皮刺不妨。若是眼昏皆可治。更針頭維即安康。

二一 下關

部位 在客主人之下。耳前動脈下廉。合口有空。開口則閉。

解剖 爲下顎骨之顆狀突起部。有咀嚼筋。外顎動脈。顏面神經。

主治 偏風口目喎。牙車脫臼。牙齦腫起。

手術 針三分。禁灸。

三：頰車

摘要 此穴爲足陽明少陽之會。

部位 在耳下八分。曲頰端近前陷中。

解剖 爲下腭骨部。有咬嚼筋。外腭動脉。顏面神經。

主治 中風牙關不開。口噤不開。失音。牙車疼痛。頷頰腫。牙不能嚼物。頸强不得回顧。口眼喎斜。

手術 針三分。灸三壯。

摘要 「百證賦」頰車地倉穴。正口喎於片時。「玉龍歌」口眼喎斜最可嗟。地倉妙穴連頰車。「雜病穴法歌」口噤喎斜流涎多。地倉頰車仍可舉。

四：承泣

部位 在眼之正中下七分處。

解剖 為上腭骨部。有上唇固有舉筋。下側有半月狀骨。（即顴骨）有下眼窠動脉。下眼窠神經。

主治 目冷淚出。遠視䀮䀮。口眼喎斜。口不能言。眼赤痛。耳鳴耳聾。瞳子癢。昏夜無見。

手術 此穴宜淺針少灸。

摘要 此穴為足陽明陽蹻脉任脉之會。

五：四白

部位 在目下一寸直對瞳子。

解剖 為上腭骨部。有下眼窠動脈。下眼窠神經。

主治 頭痛目眩。目赤生翳。眼癢。口眼喎僻不能言。

手術 針二分。灸宜少。

六：巨髎

摘要 此穴忌深針。。刺太深則令人目烏色。。

部位 在四白之下。。距鼻孔旁八分。。與水溝並行。。

解剖 爲上腭骨部。。有下眼窠動脉。。與下眼窠神經。。

主治 瘈瘲。。唇頰腫痛。。口喎僻。。目障無見。。遠視䀮䀮。。白膜翳瞳子。。脚氣膝腫。。靑盲無見。。

手術 針三分。。灸四壯。。

摘要 「百證賦」胸膈停留瘀血。。腎俞巨髎宜遵。。

七：地倉

部位 在口角旁四分。。

解剖 此處爲口輪匝筋之部。。有顏面神經。。三叉神經。。上下口唇冠狀動脉。。

主治 偏風。口喎目不得閉。脚腫。失音不語。瞳子痒。遠視䀮䀮。昏夜無見。牙關不開。齒痛頰腫。

手術 針三分。灸七壯。

摘要 「雜病穴法歌」口噤喎斜流涎多。地倉頰車仍可舉。「玉龍歌」頰車地倉穴。正口喎於片時。「靈光賦」地倉能治口流涎。「肘後歌」虫在臟腑食肌肉須要神針刺地倉。

八：大迎

部位 在曲頷前一寸三分。

解剖 爲下腭骨部。有咬嚼筋。外腭動脉。及顏面神經。

主治 風痙口禁不開。唇吻瞤動。頰腫牙痛。寒熱頸痛。瘰癧。口喎齒齲痛。數欠氣。惡寒。舌强不能言風壅面浮腫目痛不能閉。

手術 針三分。留七呼。灸三壯。

摘要 「百證賦」目眩兮顴髎大迎。

九：人迎

部位 在頸部大動脈應手之處。去結喉旁一寸五分。

解剖 當胸鎖乳嘴筋之內緣。有外頸動脈。上頸皮下神經及舌下神經之下行枝。

主治 吐逆霍亂。胸中滿。喘呼不得息。咽喉癰腫瘰癧。

手術 針二分。禁灸。

摘要 此穴切忌深針。過深則殺人。

十：水突

部位 在人迎之下。微斜向外。

解剖 此處爲胸鎖乳嘴筋。有上頸皮神經。舌下神經之下行枝。

外頸動脉。。

主治 咳逆上氣。。咽喉癰腫。。呼吸短氣。。喘息不得臥。。

手術 針三分。。灸三壯。。

十一：氣舍

部位 在人迎之直下近陷凹中。。旁爲天突穴。。

解剖 在胸骨把柄之端。。鎖骨上窩之下內面。。分布內乳動脉。。及鎖骨上神經。。

主治 咳逆上氣。。頸項强。。不得回顧。。喉痺哽噎。。咽腫不消。。瘿瘤。。

手術 針三分。。灸三壯。。

十二：缺盆

部位 在結喉旁橫骨上部之陷凹中。。

解剖　是處爲鎖骨上窩。有闊頸筋。適當肺尖之部。分布鎖骨下動脉。及鎖骨神經。

主治　胸滿喘急。水腫瘰癧。喉痺。汗出寒熱。缺盆中腫。胸中熱滿。傷寒胸熱不已。

手術　針三分。灸三壯。

摘要　是穴孕婦禁鍼。

十三　氣戶

部位　在鎖骨下一寸。去中行璇璣旁四寸。

解剖　此處爲乳線部卽第一肋間。有大胸筋。深部有小胸筋。及內外肋間筋。中包肺臟分布上胸動脉。及胸廓神經。

主治　咳逆上氣。胸背痛。咳不得息。不知味。胸脇支滿。喘急。

手術　針三分。灸五壯。
摘要　百證賦脇肋疼痛。氣戶華蓋有靈。
部位　在氣戶下一寸六分。
解剖　在第二肋間有大胸筋小胸筋。內外肋間筋。上胸動脉。胸廓神經。
主治　胸脇滿。咳逆上氣。呼吸不至息。唾膿血濁沫。
手術　鍼三分。灸五壯。
要摘　此穴仰而取之。

十四：庫房

部位　在庫房下一寸六分。
解剖　在第三肋間部。有大小胸筋。內外肋間筋。上胸動脈。胸

十五：屋翳

廓神經。。

主治　咳逆上氣。。憂怒鬱悶。。肝氣橫逆。。身腫。。皮膚痛

手術　鍼三分。。灸五壯。。

摘要　「百證賦」至陰屋翳療癢疾之疼多。。

十六：膺窻

部位　在屋翳下一寸六分。。

解剖　是處爲心臟部。。即第四肋間也。。

主治　胸滿短氣。。唇腫。。腸鳴注泄。。乳癰。。寒熱臥不安。。

手術　鍼三分。。灸三壯。。

十七：乳中

部位　在乳之正中。。

解剖　在第四五肋間。。內爲心臟部。。外爲前橫胸筋。。

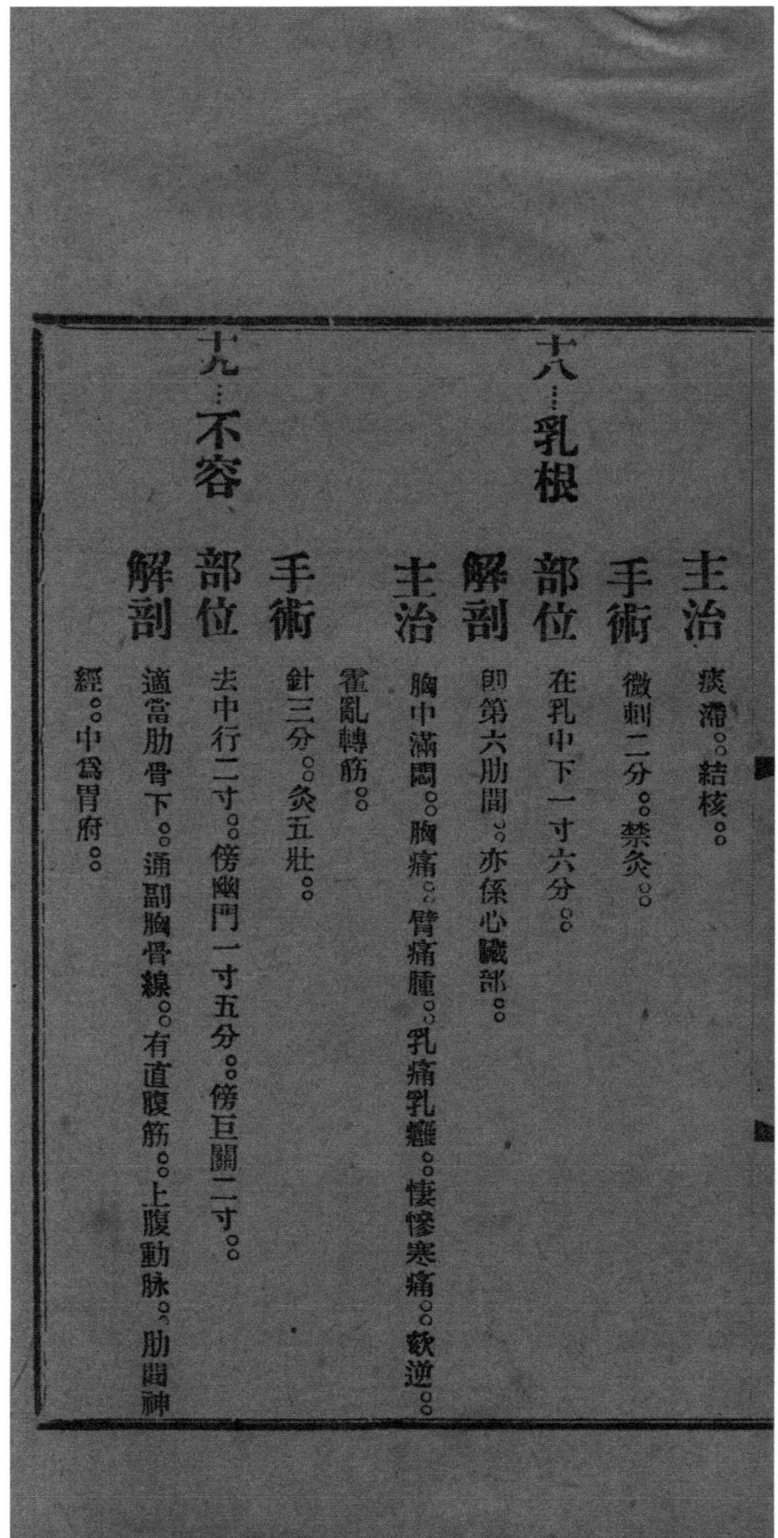

主治　痰滯○○結核○○

手術　微刺二分○○禁灸○○

十八…乳根

部位　在乳中下一寸六分○○

解剖　即第六肋間○○亦係心臟部○○

主治　胸中滿悶○○胸痛○○臂痛腫○○乳痛乳癰○○悽慘寒痛○○欬逆○○霍亂轉筋○○

手術　針三分○○灸五壯○○

十九…不容

部位　去中行二寸○○傍幽門一寸五分○○傍巨闕二寸○○

解剖　適當肋骨下○○通副胸骨線○○有直腹筋○○上腹動脈○○肋間神經○○中爲胃府○○

主治　腹滿。痃癖吐血。肩脇痛。口乾心痛。肩背相引痛。喘咳不嗜食。腹虚鳴。嘔吐。痃癖痞瘕。

手術　針五分。灸五壯。

二十……承滿

部位　在不容下一寸。去中行二寸。

解剖　通副胸骨線。有直腹筋。肋間神經。上腹動脉。

主治　腸鳴腹脹。上氣喘逆。飲食不下。痰飲。身體腫。皮膚痛。

手術　針三分。灸五壯。

摘要　「千金」腸中雷鳴相逐痢下灸五十壯。

二一……梁門

部位　在承滿下一寸。去中行二寸。

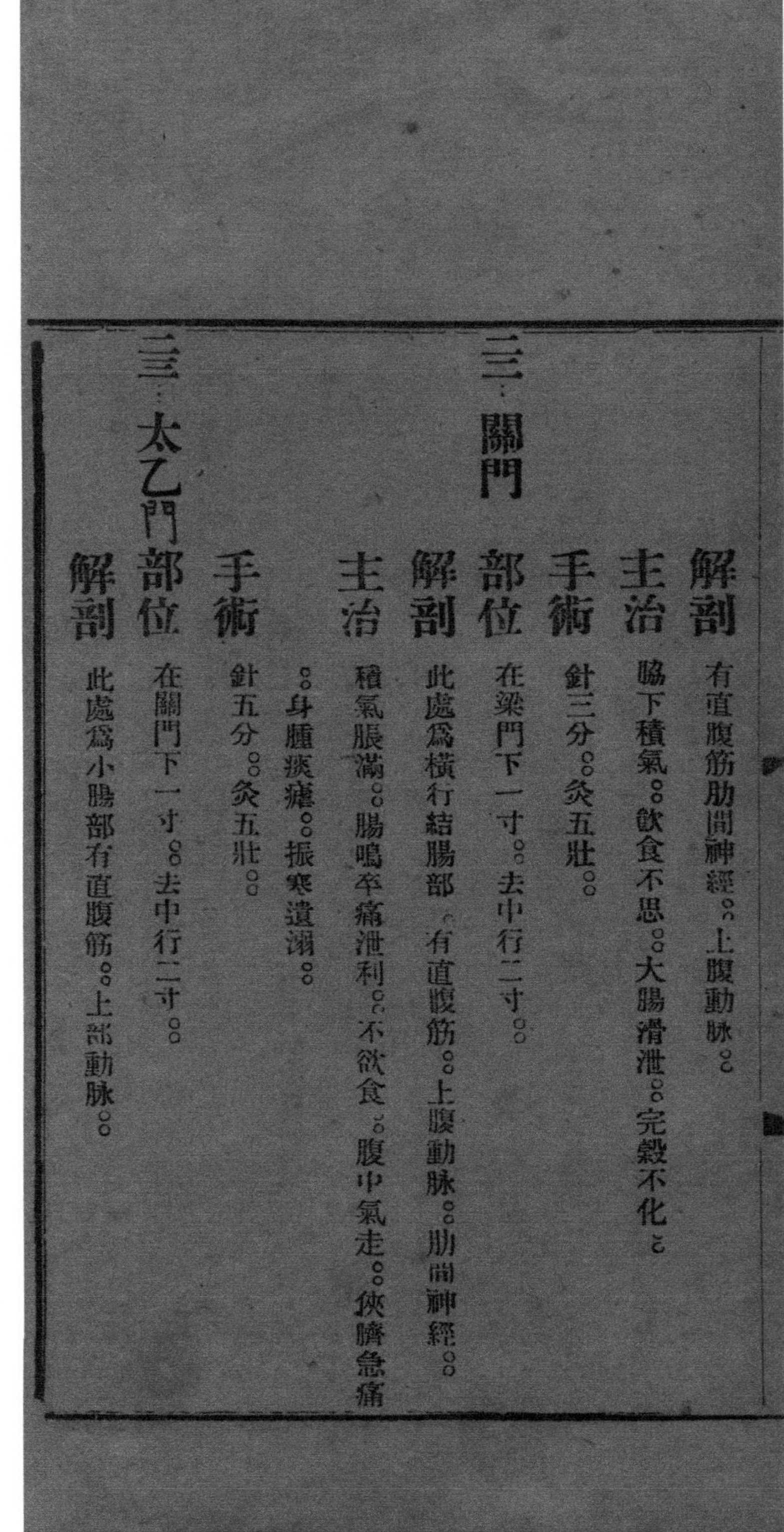

解剖　有直腹筋肋間神經。。上腹動脈。。

主治　脇下積氣。。飲食不思。。大腸滑泄。。完穀不化。。

手術　針三分。。灸五壯。。

二二：關門

部位　在梁門下一寸。。去中行二寸。。

解剖　此處爲橫行結腸部。有直腹筋。。上腹動脈。。肋間神經。。

主治　積氣脹滿。。腸鳴卒痛泄利。。不欲食。。腹中氣走。。侠臍急痛。。身腫痎瘧。。振寒遺溺。。

手術　針五分。。灸五壯。。

二三：太乙門

部位　在關門下一寸。。去中行二寸。。

解剖　此處爲小腸部有直腹筋。。上部動脈。。

主治　癲狂吐舌。心煩。
手術　針五分。灸五壯。

二四　滑肉門
部位　在太乙下一寸。去中行二寸。
解剖　此處爲小腸部，有直腹筋上腹動脉。
主治　癲狂嘔逆。吐舌舌强。
手術　針五分。灸三壯。

二五　天樞
部位　在臍旁二寸。
解剖　此處亦爲小腸部。有直腹筋。上腹動脉。
主治　泄瀉。赤白痢。下痢不止。食不化。水腫腹脹。腸鳴。上氣衝胸。不能久立。久積冷氣。遶臍切痛。煩滿嘔吐。霍亂。寒瘧不嗜食。癥瘕。血結成塊。漏下月水不調。淋濁帶下。

手術 針五分。灸五壯至百壯。孕婦禁針。

摘要 此穴爲手陽明大腸之募。「百証賦」月潮違限。天樞水泉須詳。「勝玉歌」腸鳴大便時泄瀉。臍旁兩寸灸天樞。

二六．外陵

部位 在天樞下一寸。去中行二寸。

解剖 亦屬小腸部。有直腹筋。下腹動脈。

主治 腹痛。心下如懸。下引臍痛。

手術 針四分。灸五壯。

二七．大巨

部位 在外陵下一寸。去中行二寸。

主治 小腹脹滿。煩渴。小便難。㿗疝。四肢不收。驚悸不眠

手術 針五分至八分。灸五壯。

二八 水道

部位 在大巨下三寸。去中行二寸。

解剖 有直腹筋。及下腹動脈。

手術 針三分。灸五壯。

主治 腰背強急。膀胱有寒。三焦結熱。婦人小腹脹滿。痛引陰中。胞中瘕。子門寒。大小便不通。

二九 歸來

部位 在水道上二寸。去中行二寸。

解剖 此處爲直腹筋之下部。有下腹動脈。

主治 疝氣。陰丸上縮入腹。痛引莖中。婦人血臟積冷。

手術 針五分。灸五壯。

摘要 「勝玉歌」小腸氣痛歸來治。

三十 氣衝

部位 在歸來下一寸。去中行二寸。

解剖 是處爲直腹筋之下部。分布下腹動脉。及腸骨下腹神經。

主治 腹滿不得正臥。癩疝。大腸中熱。身熱腹痛。陰痿莖痛。婦人月水不利。腰痛。婦人無子。小腸痛。胞衣不下。

手術 鍼三分。灸七壯。

摘要 「百證賦」帶下產崩。衝門氣衝宜審。

三一 髀關

部位 在伏兎之上鍼行向裏。去膝蓋一尺二寸。

解剖 此處爲外大股筋部。內有大腿骨。分布股動脉及股神經。

主治 腰痛。足麻木。膝寒不仁。痿痺。股內筋絡急。不屈伸。

小腹引喉痛。

三二：伏兎

手術　針六分。灸三壯。

部位　在膝上六寸。

解剖　爲外大股筋部。有股動脉關節筋枝。股神經。

主治　膝冷不得溫。風勞痺逆。頭重脚氣。

三三：陰市

手術　針五分。禁灸。

部位　在膝上三寸。

解剖　亦爲外太股筋部。有股動脉關節筋枝。股神經。

主治　腰脚如冷水。膝寒。痿痺不仁。不能屈伸。小腹痛。脹滿。脚氣

手術 針三分。禁灸。

摘要 「勝玉歌」股腿轉痠難移步。環跳風市及陰市。「靈光賦」兩足拘攣覓陰市。

三四．梁邱

部位 在膝上二寸。兩筋間。

解剖 有外大股筋。股動脈關節筋枝。股神經。

主治 膝脚腰痛。冷痺不仁。不可屈伸。足寒。大驚。乳腫痛。

三五．犢鼻

手術 針三分。灸三壯。

部位 在膝眼外側之陷凹處。

解剖 是處爲膝蓋骨之外側。有膝蓋固有靭帶。中通關節動脈。。分布內上腿皮神經。。及腓骨神經。。

主治　膝痛不仁。。難跪起。。脚氣。。

手術　針三分。。禁灸。。

三六　三里

部位　在膝眼下三寸。。

解剖　爲前脛骨部。。分布反迴脛骨動脈。。及深腓骨神經。。

主治　胃中寒。。心腹脹滿。。腸鳴。。臟氣虛憊。。胃氣不足。。腹痛。。大便不通。。心悶。。心痛。。小腸氣。。四肢脹滿。。膝痛。。

手術　針五分。。灸三壯。。

摘要　此穴爲足陽明胃脈所入爲合土「百證賦」中邪霍亂尋陰交

三里之程。「席弘賦」手足上下針三里。食癖氣塊憑此取。「天星秘訣」耳鳴腰痛先五會。次針耳門三里內。「玉龍歌」寒濕脚氣不可熬。先針三里及陰交。再將絕骨穴兼刺。腫痛頓時立見消。『馬丹陽十二訣』能通心腹脹。善治胃中寒。腸鳴幷泄瀉。腿股膝脛痠。傷寒羸瘦損。氣鼓及諸般。『勝玉歌』兩膝無端腫如斗。膝眼三里艾當施。『靈光賦』治氣上壅足三里。『雜病穴法歌』霍亂中脘可入深。三里內庭瀉幾許。

三七 上巨虛

部位 在三里下三寸。

解剖 爲前脛骨筋部。循行前脛骨動脈。

主治 臟氣不足。偏風脚氣。腰腿手足不仁。脚脛痠痛。屈伸難。。不能久立。。骨髓冷疼。。俠臍腹痛。。腸中切痛。。氣上衝胸。。食不化。。

手術　針三分。。灸七壯。。

三八　條口

部位　在上巨虛下二寸。。

解剖　有前脛骨筋。。脛骨動脉。。深腓骨神經。。

主治　足膝麻木。。風氣。。寒痠腫痛。。脛寒濕痺脚痛。。足下熱。。足緩不收。。

手術　針五分。。灸三壯。。

摘要　「天星秘訣」足緩難行先絕次尋條口及衝陽。。

三九　下巨虛

部位　在三里下六寸。。

解剖 有前脛骨筋。脛骨動脉。

主治 偏風。腿痿。風濕痺。喉痺。脚氣。唇乾。汗不出。毛髮焦。胸脇痛。小腸氣。乳癰。

手術 針三分。灸三壯。

豐隆

部位 在外踝上八寸。去本經約五分。與條口相並。微下些。

解剖 此處亦為前脛骨筋。有脛骨動脉與神經。

主治 厥逆。大小便難。腿膝痠痛。屈伸難。胸痛如刺。四肢腫脹。喉痺不能言。癲狂。足不收。頭痛面腫。

手術 針三分。灸三壯。

摘要 此穴為足陽明絡別走太陰。「百證賦」强間豐隆之際。頭痛難禁。「玉龍歌」痰多須向豐隆瀉。「席弘賦」豐隆專治婦人心中痛。「肘後歌」哮喘發來寢不得。豐隆刺入三分深。

四一：解谿

部位　在衝陽後一寸五分。去內庭六寸半。

解剖　是處爲足踝關節之環狀韌帶部。有前內顆動脈。大薔薇神經。

主治　風氣面浮。顏黑。氣上衝。腹脹。大便下重。目眩。頭痛。癲疾。煩心悲泣。霍亂。面赤。

手術　針三分。灸三壯。

攝要　此穴爲足陽明脉之所行爲經火。「百證賦」驚悸怔忡。治陽谷解谿弗誤。。「神農經」治腹脹脚腕痛。。目眩頭痛可灸七壯。。

四二…衝陽

部位 在足跗上五寸。。即足背最高之部。。

解剖 是處爲大趾長伸筋部。。有前內踝動脈。。與大薔薇神經。。

主治 偏風。。口眼喎。。跗腫。。齒齲。。發寒熱。。腹堅大。。不嗜食。。傷寒病。。身前痛。。面腫。。

手術 針三分。。留十呼。。灸三壯。。

撮要 此穴爲足陽明之脉所過爲原。。是穴針之出血不止者死。。「天星秘訣」足緩難行先絕骨。。次尋條口及衝陽。。

四三…陷谷

部位 在次趾之外本節後。。去內庭二寸。。

解剖 此處爲短總趾伸筋腱部。分布第一骨間背動脉。及趾背神經。

主治 面目浮腫及水病善噫。腸鳴腹病。熱病。汗不出。瘧疾。少腹痛。

手術 針三分。灸三壯。

摘要 此穴爲足陽明脉所注爲俞木。「百證賦」腹内腸鳴。下脘陷谷能平。

四四…内庭

部位 在次趾外間之陷凹中。

解剖 有短總趾伸筋。第一骨間背動脈。趾背神經。

主治 四肢厥逆。腹脹滿。悪聞人聲。咽中引痛。口喎。赤白痢。。寒瘧。。

手術 針三分。。留十呼。。灸三壯。。

摘要 此穴爲足陽明脉之所流爲滎水。。「天星秘訣」寒瘧面腫及腸鳴。。先取合谷後內庭。。「玉龍歌」小腹脹滿氣攻心。。內庭二穴要先針。。「千金」三里內庭。。治肚腹之病妙。。「雜病穴法歌」霍亂中脘可入深。。三里內庭瀉幾許。。

四五：厲兌

部位 在足大指次趾之端。。去爪甲角如韭葉。。

解剖 此處爲長總趾伸筋腱附著部之外側。。分布趾背動脈。。趾背神經。。

主治 口噤氣絕。。心腹脹滿。。水腫。。熱病汗不出。。寒瘧。。不嗜食。。面腫。。喉痹。。惡寒。。多驚好臥。。口喎唇裂。。頸腫。。

膝臏腫痛。。溺黃。。

手術　針一分。。留一呼。。灸三壯。。

摘要　此穴爲足陽明胍之所出爲井金。。胃實瀉之。。

足太陰脾經　凡二十一穴共四十二穴

脾足太陰之脈。。起於大指之端。。循指內側白肉際。。過核骨後。。上內踝前廉。。上踹內。。循脛骨後。。交出厥陰之前。。上膝股內前廉。。入腹。。屬脾絡胃。。上膈。。挾咽。。連舌本。。散舌下。。其支者。。復從胃別上膈注心中。。是動。。則病舌本強。。食則嘔。。胃脘痛。。腹脹善噫。。得後與氣。。則快然如衰。。身體皆重。。是主脾所生病者。。舌本痛。。體不能動搖。。食不下。。煩心。。心下急痛。。溏瘕泄。。水閉黃疸。。不能臥。。強立。。股膝內腫。。厥足大指不用。。爲此諸病。。盛則瀉之。。虛則補之。。熱則疾之。。寒則留之。。陷下則灸之。。不盛不虛。。以經取之。。盛者寸口大三倍于人迎。。虛者寸口反小于人迎也。。

足太陰脾經諸穴歌

二十一穴脾中洲。隱白在足大指頭。大都太白公孫盛。商邱三陰交可求。漏谷地機陰陵穴。血海箕門衝門開。府舍腹結大橫排。腹哀食竇連天谿。胸鄉周榮大包隨。

足太陰脾經諸穴分寸歌

大指端內側隱白。節後陷中求大都。太白內側核骨下。節後一寸公孫呼。商丘內踝微前陷。踝上三寸三陰交。踝上六寸漏谷是。踝上五寸地機朝。膝下內側陰陵泉。血海膝臏上內廉。箕門穴在魚腹取。動脈應手越筋間。衝門期下尺五分。府舍期下九寸看。腹結期下六寸入。大橫期下五寸半。腹哀期下方二寸。期門肝經穴道現。巨闕之旁四寸五。却連脾穴休胡亂。自此以上食竇穴。天谿胸鄉周榮貫。相去寸六無多寡。又上寸六中府換。大包腋下有六寸。淵液腋下三寸絆。

足太陰脾經諸穴之解釋

一…隱白　部位　在大趾內側指甲縫際。。去爪甲如韭葉。。

解剖　有足背動脈。。及淺腓骨神經

主治　腹脹喘滿。。不得安臥。。嘔吐。。食不下。。胸中熱。。足寒不能溫。。婦人月事過時不止。。小兒驚風。。尸厥不識人。。

手術　針一分。。留三呼。。灸三壯。。

摘要　此穴爲足太陰脈所出爲井木。。「雜病穴法歌」尸厥百會一穴美。。更針隱白效昭昭。。

二…大都　部位　在足大趾內側本節前第二節後。。骨縫白肉際陷中。。

解剖　有足背動脈。。及淺腓骨神經。。

主治 熱病汗不出。不得臥。身重骨痛。傷寒手足厥冷。腹滿善嘔。煩熱悶亂。吐逆目眩。腰痛。繞踝風。心胃痛。腹脹胸滿。四肢腫痛。

手術 針三分。留三呼。灸三壯。

摘要 此穴爲足太陰脈之所流爲榮火。「百證賦」熱病汗不出。大都更接于經渠。「席弘賦」氣滯腰痛不能立。橫骨大都宜救急。「肘後歌」腰腿疼痛十年春。服藥尋方枉費金。大都引氣探根本。

三、太白

部位 在足大趾內側。內踝前核骨下陷中。

解剖 即第一趾骨之第二節後部與第一蹠骨之間部。當長伸拇筋之側下。分布足背動脈及腓骨神經。

主治 身熱煩滿。腹脹食不化。嘔吐。泄瀉膿血。腰痛。大便難。氣逆霍亂。腹中切痛。腸鳴。轉筋。身重骨痛。胃心痛。腹脹胸滿。心痛脉緩。

手術 針三分。留七呼。灸三壯。

摘要 此穴爲足太陰脉所注爲俞土。「通玄賦」太白一穴。能宣導於氣衝。『玉龍歌』痔漏之疾亦可憎。表裏急重最難禁。或痛或痢或下血。二白穴在足中尋。

四 公孫

部位 在足大趾本節後一寸。內踝前。

解剖 有長伸拇筋。足背動脉。腓骨神經。

主治 寒瘧不嗜食。癎氣。多寒熱汗出。頭面腫起。煩心狂言。。多飲胆虚。。喜嘔。。腹脹如鼓。。脾冷胃痛。。

手術 針四分。。灸三壯。。

摘要 此穴爲足太陰之絡。。別走陽明胃經。。「席弘賦」肚痛須是公孫妙。。「神農經」治腹脹心疼。。灸七壯。。「標幽賦」脾冷胃疼。。瀉公孫而立愈。。「雜病穴法歌」腹痛公孫內關原。。

五 商丘

部位 在足內踝骨下。。微前陷中。。

解剖 爲前脛骨之筋腱部。。有後內踝動脈及神經。。

主治 腹脹腸鳴。。便秘。。脾虚。。身寒。。善太息。。心悲。。骨痺。。氣逆。。痔疾。。骨疽。。黄疸。。寒痛。。陰股內痛。。小腹痛。。脚背痛。。

手術 針三分。留七呼。灸七壯。

摘要 此穴為足太陰脉所行為經金。「百證賦」商丘痔漏而最良。「玉龍歌」脚背疼起丘墟穴。斜針出血即時輕。解谿再與商丘識。補瀉行針要辨明。「勝玉歌」脚背痛時商丘刺。「神農經」治脾虛腹脹胃脘痛灸七壯。

六、三陰交

部位 在內踝上三寸。

解剖 為長總趾屈筋之下部。有後脛骨動脉之分枝及神經。

主治 脾胃虛弱。心腹脹滿。不思飲食。脾痛身重。四肢不舉。腹脹腸鳴。溏泄。食不化。膝內廉痛。小便不利。陰莖痛。足痿。不能行。疝氣。小便遺。胆虛。食後吐水。夢遺失精。霍亂。手足逆冷。臍下痛不可忍。

手術 針三分。灸三壯。

摘要 此穴爲足太陰少陰厥陰之會『百證賦』針三陰於氣海。專司白濁與遺精。『玉龍歌』寒濕脚氣不可熱。先針三里及陰交。『席弘賦』冷嗽先宜補合谷。却須針瀉三陰交。『天星秘訣』脾病血氣先合谷。後針三陰交莫遲。『雜病穴法歌』舌裂出血尋內關。太冲陰交走上部。『又』孕婦禁針。

七 漏谷

部位 在三陰交上三寸。內踝上六寸。

解剖 爲比目魚筋部。即腓腸筋之內端。分布脛骨動脈枝。及脛骨神經。

主治　腸鳴腹脹。逆氣。膝痺脚冷不仁。小腸痛。小便不利。失精。

手術　針三分。禁灸。

八、地機

部位　在漏谷上二寸。膝下內側五寸。

解剖　爲腓腸筋內端。有脛骨動脉脉枝。及脛骨神經。

主治　腰痛。溏泄腹脇痛。水腫腹痛。不嗜食。小便不利。精不足。女子癥瘕。足痺痛。

手術　針三分。灸三壯。

摘要　『百證賦』女子少氣漏血。是有地機血海。

九、陰陵泉

部位　在膝下內側。輔骨下陷中。與陽陵泉相對。

解剖 居髀骨頭之下。卽二頭股筋之連附處。分布反迴脛骨動動脉。及外髀腸皮神經。淺在髀骨神經。

主治 腹中寒。不嗜食。脇下滿。水脹腹堅。喘逆不得臥。腰痛。霍亂。疝瘕。遺精。小便不利。氣淋。胸中熱。暴泄。寒熱不節。

手術 鍼五分。留七呼。灸三壯。

摘要 此穴爲足太陰脈所入爲合穴。「百證賦」陰陵水分。治水腫之臍盈。「玉龍歌」膝蓋紅腫鶴膝風。陽陵二穴亦可攻。陰陵鍼透尤收效。「席弘賦」陰陵泉治心胸滿。「天星秘訣」若是小腸連臍痛。先刺陰陵後湧泉。「通玄賦」陰陵能開通水道。「雜病穴法歌」小便不通陰陵泉。三里瀉下溺如注。

十：血海

部位　在膝臏上二寸半。。膝之內側。。

解剖　爲內大股筋下部。。上有膝關節動脉及股神經。。

主治　氣逆腹脹。。女子漏下惡露。。月事不調。。兩腿瘡癢濕不可當。。

手術　針五分。。灸三壯。。

摘要　「百證賦」婦人經事改常。。是有地機血海。。「雜病穴法歌」五淋血海男女通。。「勝玉歌」熱瘡臁內年年發。。血海尋來可治之。。「靈光賦」氣海血海療五淋。。

十一：箕門

部位　去血海上六寸。。在內股部。。

解剖　爲內大股筋部。。分布上膝關節動脈。。及股神經。。

主治 五淋。小便不通。遺溺。鼠蹊腫痛。

手術 針三分。灸三壯。

部位 在府舍下一寸。去中行四寸半。

解剖 占恥骨地平枝之直上。斜內爲直腸。有下腹動脉之恥骨枝。下腹神經。

十二 衝門

主治 腹寒氣滿。中寒積聚。不得息。妊娠子衝心。婦人難乳。

手術 針五分。灸五壯。

摘要 「百證賦」帶下產崩衝門氣衝宜審。

十三 府舍

部位 在腹結下三寸。去中行四寸半。

解剖 爲內斜腹筋之下部。分布下腹動脉之恥骨枝。與腸骨下腹神經。

主治　疝瘕。腹脇滿痛。積聚痺痛。厥氣。霍亂。

手術　針七分。灸五壯。

十四 腹結

部位　在大橫下一寸三分。去中行四寸半。

解剖　有內斜腹筋。下腹動脈。腸骨下腹神經。

主治　咳逆。中寒。四肢不能舉動。瀉痢心痛。遶臍腹痛。

手術　針七分。灸五分。

十五 大橫

撮要　此穴爲足太陰陰維之會。

部位　在腹哀下三寸五分。去臍旁四寸。

解剖　爲內外斜腹筋部。中藏小腸。有下腹動脈。肋間神經枝。

腸骨下腹神經。

主治　逆氣。四肢不舉。多寒善悲。

手術　針四分。灸三壯。

摘要　「百證賦」反張悲哭。從天衝大橫須精。

十六…腹哀

部位　去中脘旁四寸五分。

解剖　即腹部也。有内外斜腹筋。上腹動脈。肋間神經枝。腸骨下腹神經。

主治　寒中食不化。大便膿血。腹痛。

手術　針三分。灸五壯。

十七…食竇

部位　在天谿下一寸六分。去胸中行六寸。

解剖 在第五肋間部。當胃之上。有大胸筋。及內外肋間筋。分布長胸動脉。及前胸神經。

主治 膈痛。胸脇皮滿。氣逆。飲不下。欬吐。膈有水聲。

手術 針四分。灸五壯。

十八 天谿

部位 在胸鄉下一寸六分。去任脈六寸。

解剖 在第四肋間部。即乳房之左旁也。有大胸筋。胸動脉。前胸神經。

主治 胸滿喘逆。上氣。喉中作聲。婦人乳腫。

手術 針四分。灸五壯。

十九 胸鄉

部位 在天谿上一寸六分。去任脉六寸。

解剖 在第三肋間部。。有大鋸筋。。長胸動脈。。長胸神經。。

主治 胸脇支滿。。引背痛不得臥。。轉側難。。

手術 針四分。。灸五壯。。

二十：周榮

部位 在胸鄉上一寸六分。。去胸中行六寸。。

解剖 在第二肋間部。。有大胸筋。。長胸動脈。。前胸廓神經。。

主治 胸滿不得俯仰。。咳逆。。食不下。。

手術 鍼四分。。灸五壯。。

三：大包

部位 在腋窩下六寸。。淵腋下三寸。。

解剖 在胸旁之第二肋間部。。有前大鋸筋。。長胸動脈。。長胸神經。。

主治 胸脇中痛。。喘氣。。

手術 鍼三分。。灸三壯。。

摘要 此穴為脾之大絡。。總統陰陽諸絡。。四肢百節皆縱者補之。。身體盡痛者瀉之。。

手少陰心經 凡九穴共十八穴

心手少陰之脈。。起於心中。。出屬心系。。下膈絡小腸。。其支者從心系上挾咽。。繫目系。。其直者復從心系。。上肺下出腋下。循臑內後廉。行手太陰心主之後。。下肘內循臂內後廉。。抵掌後銳骨之端。。入掌內後廉循小指之內出其端。。是動則病嗌乾。。心痛。。渴而欲飲。。是為臂厥。。是主心所生病者。。目黃。。脇痛。。臑臂內後廉痛。。厥掌中熱痛。。為此諸病。。盛則瀉之。。虛則補之。。熱則疾之。。寒則留之。。陷下則灸之。。不盛不虛。。

以經取之。盛者大最倍於人迎。虛者反小於人迎也。

手少陰心經諸穴歌

九穴午時手少陰。極泉靑靈少海深。靈道通里陰郄邃。神門少府少衝尋。

手少陰心經諸穴分寸歌

少陰心起極泉中。腋下筋間脉入胸。靑靈肘上三寸取。少海肘後端五分。靈道掌後一寸半。通里腕後一寸同。陰郄腕後方半寸。神門掌後兌骨隆。少府節後勞宮直。小指內側取少衝。

手少陰心經諸穴之解釋

一：極泉

部位　在腋窩內兩筋間。橫直天府三寸。微高於天府。

解剖　分布腋下動脉。腋下靜脉枝。及中膊皮下神經。尺骨神經。。

主治 臂肘厥寒。。心脇滿痛。。四肢不收。。乾嘔煩渴。。目黃。。

手術 灸三分。。灸七壯。。

二一…青靈

部位 在肘上三寸。。

解剖 在肘上三頭膊筋之旁。。分布重要靜脈之一部。。及腋窩動脉枝正中神經在其部。。

主治 目黃頭痛。。振寒脇痛。。肩臂不舉。。

手術 灸三壯。。禁針。。

三一…少海

部位 在肘內廉。。去肘端五分。。

解剖 在二頭膊筋腱膜之旁。。分布重要靜脈。。尺骨副動脉。。及中膊皮下神經正中神經。

主治 寒熱刺痛。目眩發狂。嘔吐涎沫。項不得回顧。腋脇下痛。四肢不得舉。腦風頭痛。氣逆。瘰癧。

手術 針三分。不宜灸。

摘要 此穴爲手少陰脉爲合水。「百証賦」兩臂頑麻。少海就傍於三里。「雜病穴法歌」心痛手顫少海求。「勝玉歌」瘰癧少海天井邊。

四…靈道

部位 去少海三寸五分。在掌後一寸五分。

解剖 爲內尺骨筋部。分布中靜脉。及中膊皮下神經。尺骨神經。

主治 心痛乾嘔。悲恐。瘈瘲肘攣。暴瘖不能言。

手術　針三分。灸三壯。

摘要　此穴爲手少陰脉所行爲經金。「肘後歌」骨寒髓冷火來燒。靈道妙穴分明記。

五　通里

部位　在掌後一寸。靈道下五分陷中。

解剖　爲內尺骨筋部。有尺骨動脉中膊皮下神經。尺骨神經。

主治　頭痛目眩。熱病面赤。無汗。暴瘖不能言。肘臂痛。喉痺。遺溺。婦人經血過多崩漏。

手術　針三分灸三壯。

摘要　此穴爲手少陰心脉之絡別走太陽小腸經。（百証賦）倦言言嗜臥。往通里大鍾而明。「玉龍歌」連日虛煩面赤粧。心中驚悸亦難當。若須通里穴能得。一用金針體便康。「神農經」治目眩頰疼可灸七壯。

六：陰郄

部位 在通里下半寸。去腕五分。

解剖 有尺骨動脈。中膊皮下神經。尺骨神經。

主治 鼻衄吐血。霍亂胸滿。惡寒。厥逆。驚恐心痛。

手術 針三分。灸四壯。

摘要 此穴爲手少陰郄。「百証賦」寒慄惡寒。二間疎通陰郄諳。「標幽賦」瀉陰郄止盜汗。

七：神門

部位 在陰郄下五分。即掌後銳骨之端陷中。

解剖 有深掌側動脈。中靜脈交通枝。及尺骨神經。

主治 瘧疾心煩甚。惡寒則欲處溫中。咽乾不嗜食。心痛。少氣不足。手臂寒。面赤喜笑。掌中熱。目黃脇痛。喘逆身熱狂悲狂笑。嘔血吐血。遺溺失音。健忘。大小癇症。

手術 針三分。灸三壯。

摘要 此穴爲手少陰脉所注爲俞土。「百証賦」發狂奔走上脘同起於神門。「雜病穴法歌」神門專治心癡呆。「玉龍歌」癡呆之症不堪親。不識尊卑枉罵人。神門獨知癡呆病。

八、少府

部位 在手小指本節後。掌上橫紋頭。骨縫陷中。

解剖 有指掌動脉。及尺骨神經之指掌枝。

主治 煩滿少氣。掌中熱。臂痠。肘腋攣急。胸中痛。病瘧。小便不利。陰癢。陰痛遺尿。

手術 針二分。灸三壯。

摘要 此穴爲手少陰脉所流爲榮火。「肘後歌」心胸有病少府瀉。

九 少冲

部位 在手小指內側之端。去爪甲如韭葉。

解剖 有指掌動脉。及尺骨神經之指掌枝。

主治 熱病。煩滿上氣。嗌乾渴。目黃。臑臂內後廉痛。痰氣悲驚。寒熱。肘痛不伸。

手術 針一分。灸三壯。

摘要 此穴爲手少陰脈所出爲井木。「百證賦」發熱仗少冲曲池之津「玉龍歌」胆寒心虛病如何。少冲二穴最功多。

手太陽小腸經凡十九穴共三十八穴

小腸手太陽之脉。起於小指之端。循手外側上腕。出踝中。直上循臂骨下廉。出肘內側兩筋之間。上循臑外後廉。出肩解。繞肩胛。交肩上。入缺盆。絡心。循咽。下膈。抵胃。屬小腸。其支者從缺

手太陽小腸經諸穴歌

手太陽穴一十九。少澤前谷後谿藪。腕骨陽谷養老繩。支正小海外輔肘。肩貞臑俞接天宗。髎外秉風曲垣首。肩外俞連肩中俞。天窻乃與天容偶。銳骨之端上顴髎。聽宮耳前珠上走。

手太陽小腸經諸穴分寸歌

小指端外爲少澤。前谷外側節前覓。節後捏拳取後谿。腕骨腕前骨陷側。兌骨下陷陽谷討。腕上一寸名養老。支正腕後量五寸。小海肘端五分好。肩貞胛下兩骨解。臑俞大骨下陷保。天宗秉風後骨陷。秉風髎外舉有空。曲垣肩中曲胛陷。外俞胛後

一寸從。。肩中有二寸大杼旁。。天窗扶究後昭詳。。天容耳下曲頰後。。顴髎面頄銳端量。。聽宮耳端大如菽。。此爲小腸手太陽。。

手太陽小腸經諸穴之解釋

一⋮少澤　部位　在小指外側指甲縫際一分處。。

解剖　有指背動脈。。尺骨神經之分枝。。

主治　痎瘧。。寒熱。。汗不出。。喉痺。。舌强口乾。。心煩臂痛。。瘈瘲。。咳嗽頸項强急。。不得回顧。。目生翳。。頭痛。。

手術　針一分。。灸二壯。。

摘要　此穴爲手太陽小腸脈所出爲井金。。「百証賦」攀睛攻肝俞少澤之所。。「雜病穴法歌」心痛翻胃刺勞宮。。寒者少澤細手指。。「玉龍歌」婦人吹乳痛難消。。吐血風痰稠似膠。。少澤穴內明補瀉。

二　前谷

部位　在小指外側本節前陷凹處。

解剖　有外轉小指筋。指背動脉。尺骨神經枝

主治　熱病汗不出。痎瘧。癲疾。耳鳴。頸項腫。喉痺。頰腫引耳後。鼻塞。咳嗽。臂痛不得舉。婦人產無乳。

手術　針一分。灸三壯。

摘要　此穴爲手太陽脉所流爲滎火。

三　後谿

部位　在小指本節後。即第五掌骨之前外端部。

解剖　有外轉小指筋。及重要靜脈。指背動脉。尺骨神經枝。

主治　痎瘧寒熱。目赤生翳。鼻衄耳聾。胸滿項强。癲癇。臂肘

攣急。。五指盡痛。。

手術 針一分。。留二呼。。灸一壯。。

摘要 此穴爲手太陽小腸脈所注爲俞木。。「百證賦」陰郄後谿治盜汗之多出。。「勝玉歌」後谿鳩尾及神門。。治療五癇立便痊。。「千金」後谿列缺。。治胸項之痛。。「肘後歌」脇腿痛後谿妙。。「通玄賦」癇發顛狂兮。。憑後谿而療理。。「蘭江賦」後谿專治督脈病。。癲狂此穴治還輕。。「玉龍歌」時行瘧疾最難禁。。穴法由來未審明。。若把後谿穴尋得。。多加艾火即時輕。。

四 腕骨

部位 在內踝下端之陷凹中。。側爲豌豆骨部。。

解剖 有少指外轉筋。。分布重要靜脈。。腕骨背側動脈。。及尺骨神經。。

主治 熱病汗不出。。脇下痛。。頸頷腫。。寒熱耳鳴。。目冷淚生翳。。偏枯。。肘臂不得屈伸。。癲疾。。頭痛煩悶。。驚風瘈瘲。。五指掣攣。。

手術 針二分。。留三呼。。灸三壯。。

摘要 此穴爲手太陽小腸脈所過爲原。。「玉龍歌」腕中無力痛艱難。。握物難移體不安。。腕骨一針雖見效。。莫將補瀉等閒看。。「通玄賦」固知腕骨祛黃。。「雜病穴法歌」腰連腿疼腕骨升三里降下隨拜跪。。

五…陽谷

部位 在手腕兩顆之間。。去腕骨穴一寸二分。。

解剖 此處爲迴前方筋。。及深屈指筋部。。有腕骨背側動脈。。分布內膊皮神經。。及尺骨神經。。

主治 癲疾發狂。熱病汗不出。脇痛頸頷腫。寒熱耳鳴耳聾。齒痛。臂不舉。吐舌。目眩。小兒瘈瘲。舌强。

手術 針二分。留二呼。灸三壯。

摘要 此穴爲太陽脉所行爲經火「百證賦」陽谷俠谿。頷腫口禁並治。

六：養老

部位 去陽谷斜向外。腕後一寸。手踝骨上。

解剖 當外尺骨筋腱之側。分布尺骨動脉之背枝。及尺骨神經。

主治 有臂痠痛。肩欲折。臂如拔。手不能自上下。目視不明。

手術 針二分。灸三壯。

摘要 此穴爲手太陽郄。「百證賦」目覺䀮䀮。急取養老天柱。

七・支正

部位　在腕後五寸。適介於少海之中間。

解剖　有總指伸筋。前膊骨間動脉之分枝。歧出其間。橈骨神經藏於深部。

主治　風虛驚恐悲愁。癲狂。四肢虛强。肘臂攣難屈伸。手不能握。十指盡痛。熱病。項强。

手術　針三分。灸三壯。

摘要　此穴爲手太陽之絡脉。別走少陰「百證賦」目眩兮。支正飛揚。

八・小海

部位　在肘外大骨外。去肘端五分陷中。

解剖　在三頭膊筋間。有下尺骨副動。橈骨神經枝。

主治 頸頷肩臑肘臂項痛。寒熱。齒根腫痛。風眩小腹痛。癇疾。狂走。頷腫不可回顧。耳聾目黃頰腫。

手術 針三分。灸三壯。

摘要 此穴爲手太陽小腸脉所入爲合土。

九 肩貞

部位 在肩峰突起尖端上之下。直巨骨下六寸。去脊橫開八寸。下直腋縫。

解剖 有少圓筋。廻旋肩胛動脉。腋下神經。肩胛上神經。

主治 傷寒寒熱。耳鳴耳聾。缺盆肩中熱痛。風痺。手足痲木不舉。

手術 針五分。灸三壯。

十：臑俞

部位　在後大骨下。。髀上廉陷中。。舉臂取之。。

解剖　有肩胛骨棘下筋。。橫肩胛動脉。。及肩胛上神經。。

主治　臂痠無力。。肩痛引胛。。寒熱氣腫。。頸痛。。

手術　針三分。。灸三壯。。

十一：天宗

摘要　此穴爲手太陽陽維陽蹻三脉之會。。

部位　在肩貞斜上一寸七分。。

解剖　有僧帽筋。。及肩胛骨棘下筋。。肩胛動脉與神經。。

主治　肩臂痠疼。。肘外後廉痛。。頰頷腫。。

手術　針六分。。留六呼。。灸三壯。。

十二：秉風

部位　在臑俞直上一寸五分。。舉臂有空。。

解剖 爲僧帽筋部。有横肩胛動脉。及肩胛上神經。

主治 肩痛不能舉。

手術 針五分。灸五壯。

十三：曲垣

部位 在肩之中央。曲胛陷中。

解剖 有僧帽筋。肩胛横舉筋。頸動脉。肩胛骨神經。

主治 肩臂熱痛。肩胛拘急。痛悶。

手術 針五分。灸三壯。

十四：肩外俞

部位 在肩胛上廉。去脊三寸陷中。

解剖 有僧帽筋。肩胛横舉筋。肩胛神經。頸動脈。

主治 肩胛痛。周痺寒至肘。發寒熱。引項攣急。

手術　針四分。灸三壯。

十五　肩中兪

部位　在肩胛內廉。去脊二寸陷中。

解剖　有小方稜筋。肩胛動脈。肩胛神經。

主治　咳嗽上氣。吐血寒熱。目視不明。

手術　針三分。灸十壯。

十六　天窻

部位　在頸大筋間。前曲頰下。扶突後動脈應手陷中。

解剖　此處當胸鎖乳頭筋之前。有內外頸之兩動脈。及中頸皮下神經。

主治　頸癭腫痛。肩痛引項。不得回顧。耳聾頰腫。喉痛暴瘖不能言。

手術　針三分。灸三壯。

十七：天容

部位 在耳下曲頰後。

解剖 有耳下腺。內頸動脈。頸靜脈。及顏面神經。

主治 喉痺寒熱。咽中如梗。瘿氣頸癰。不能回顧。胸痛胸滿。

手術 針三分。灸三壯。

十八：顴髎

部位 在顴下骨陷凹處。

解剖 有下眼窩動脈。三叉神經第二枝之下眼窩神經。

主治 口喎。面赤。目黃眼瞤不止。頷腫齒痛。

手術 針二分。禁灸。

摘要 「百証賦」目眩兮顴髎大迎。

十九：聽宮

部位 在耳前珠子傍。

解剖 此處爲咀嚼筋有上腭動脉。。顏面神經。。

主治 失音癲疾心腹滿。。耳鳴耳聾。。

手術 針三分。。灸三壯。。

摘要 聽宮脾俞袪盡心下之悲悽。。

足太陽膀胱經 凡六十三穴共一百二十六穴

膀胱足太陽之脉。。起于目內眥。。上額交巔。。其支者從巔至耳上角。。其直者從巔入絡腦。。還出別下項。。循肩髆內。。挾脊抵腰中。。入循膂絡腎。。屬膀胱。。其支者從腰中。。下挾脊貫臀入膕中。。其支者從髆內左右。。別下貫胛。。挾脊內。。過髀樞循髀外。。從廉下合膕中。。以下貫踹內。。出外踝之後。。循京骨至小指外側。。是動則病衝頭痛。。目似脫。。項如拔。。脊痛腰似折。。髀不可以曲膕如結。。踹如裂。。是爲踝厥。。是主筋所生病者。。痔瘧狂癲疾頭顖項痛。。目黃淚出。。鼽衄。。項背腰尻。。膕踹脚皆痛。。小指不用。。

爲此緒病盛則瀉之。虛則補之。熱則疾之。寒則留之。陷下則灸之。不盛不虛。以經取之。盛者人迎大再倍於寸口。虛者人迎反小于寸口也。

足太陽膀胱經諸穴歌

足太陽經六十七。睛明目內紅肉藏。攢竹眉冲與曲差。五處上寸承光。通天絡却玉枕昂。天柱後際大筋外。大杼背部第二行。風門肺俞厥陰四。心俞督俞膈俞強。肝胆脾胃俱挨次。三焦腎氣海大腸。關元小腸到膀胱。中膂白環仔細量。自從大杼至白環。各各節外寸半長。上髎次髎中復下。一空二空腰髁當。會陽陰尾骨外取。附分俠脊第三行。魄戶膏肓與神堂。譩譆膈關魂門九。陽綱意舍仍胃倉。肓門志室胞肓續。二十椎下秩邊塲。承扶臀横紋中央。殷門浮郄到委陽。委中合陽承筋是。承山風揚踝附陽。崑崙僕參連申脉。金門京骨束骨忙。通谷至陰小指旁。

足太陽膀胱經諸穴分寸歌

足太陽兮膀胱。目內眥角始睛明。眉頭陷中攢竹取。曲差髮際上五分。五處髮上一寸是。承光髮上二寸半。通天絡却玉枕穴。相去寸五調勻看。玉枕夾腦一寸三。入髮二寸枕骨現天柱項後髮際中。大筋外廉陷中獻。自此夾脊開寸五。第一大杼二風門。三椎肺俞厥陰四。心俞五椎之下論。膈七肝九十胆俞。十一脾俞十二胃。十三三焦十四腎。大腸十六之下推。小腸十八膀十九。中膂內俞二十椎。白環廿一廿下當。以上諸穴可排之。更有上次中下髎。一二三四腰空好。會陽陰尾尻骨旁。背部二行諸穴了。又從脊上開三寸。第二椎下爲附分。三椎魄戶四膏肓。第五椎下神堂尊。第六譩譆膈關七。第九魂門陽綱十。十一意舍之穴有。十二胃倉穴已分。十三肓門端正在。十四志室不須論。十九胞肓廿秩邊。背部三行諸穴勻。又從臀下陰紋取。承扶居於陷中主。浮郄扶下方六分。委陽扶下寸六數。殷門扶下六寸長。膕中外廉兩筋鄉。委中膝膕約紋裏。此下三寸尋合陽。承筋腳跟上七寸。穴在腨腸之中央。承山腨下分肉間。外踝七寸上飛揚。輔陽外踝上三寸。崑崙後跟陷中央。僕參亦在踝骨下。中脉踝下五分張。金門申脉下一寸。京骨外側骨際量。束脉本節後陷中。通谷節前陷中强。至陰却在小指側。太陽之穴始周詳。

足太陽膀胱經諸穴之解釋

一、睛明

部位 在目內眥角外一分。宛宛中。

解剖 爲鼻翼上唇舉筋。乃前頭骨鼻上棘部也。鼻背動脉及滑車神經分布其間。

主治 目遠視不明。惡風淚出。憎寒痛。目眩內眥赤痛。白翳。大眥攀睛。努肉侵睛。雀目。瞳子生瘴。小兒疳眼。

手術 針一分。留三呼。禁灸。

摘要 此穴爲手足太陽足陽明陰蹻陽蹻五脉之會。「百證賦」雀目汗氣。睛明行間而須推。『席弘賦』睛明治眼未效時。合谷光明安可缺。『靈光賦』睛明治眼賦肉攀。

二 攢竹

部位 在眉毛頭之陷凹中。

解剖 是處有眉頭筋。爲前頭骨部。前額動脈。及前額神經分布其間。

主治 目視䀮䀮。視物不明。淚出目眩。瞳子癢。眼中赤痛。頰痛面腫。

手術 針一分至二分。禁灸。

摘要 『百證賦』目中漠漠。即尋攢竹三間。『通玄賦』腦昏目赤。瀉攢竹以偏宜。『勝玉歌』目內紅腫苦皺眉。絲竹攢竹亦堪醫。『玉龍歌』眉間疼痛苦難當。攢竹沿皮刺不妨。

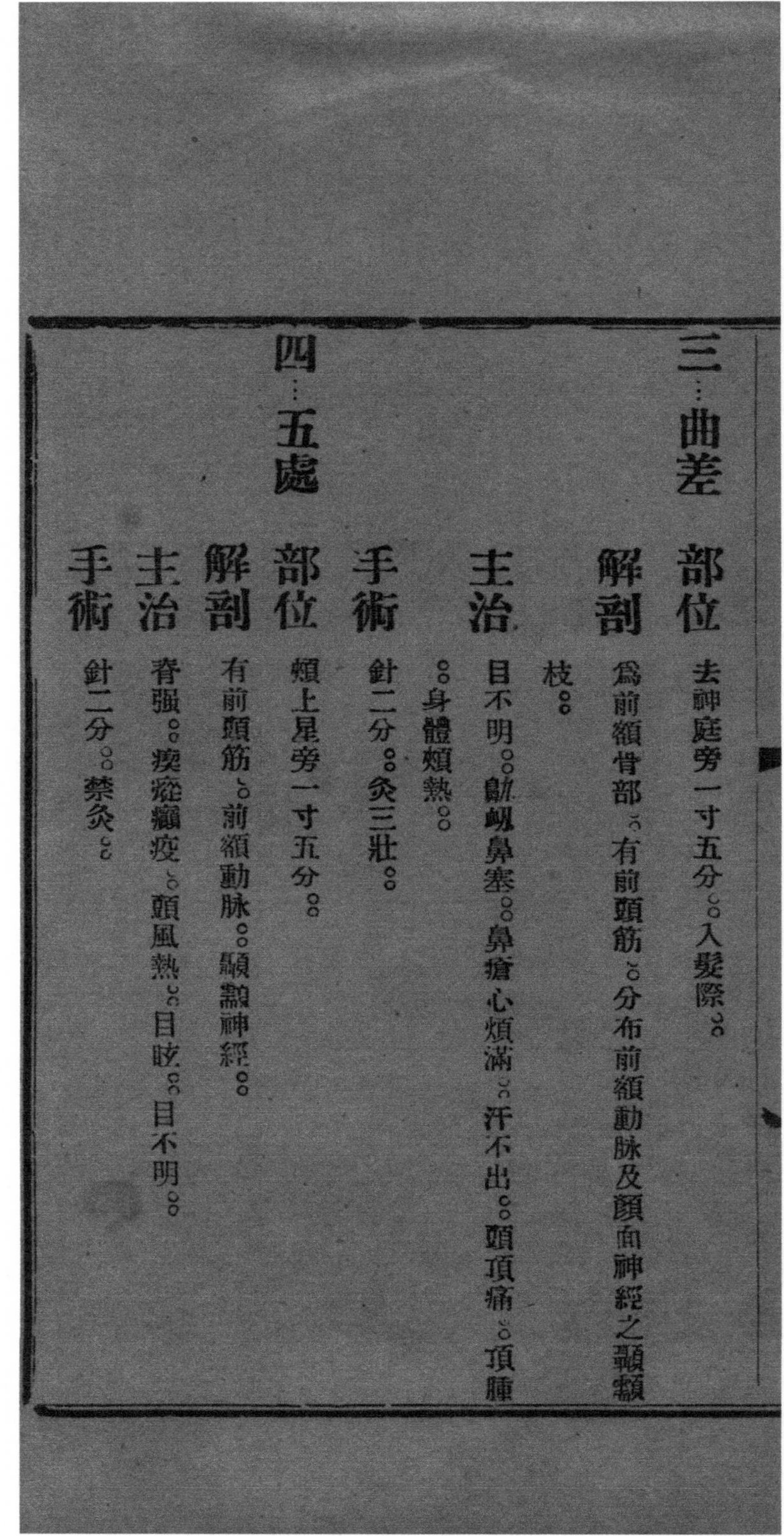

三…曲差

部位　去神庭旁一寸五分。入髮際。

解剖　為前額骨部。有前頭筋。分布前額動脈及顏面神經之顳顬枝。

主治　目不明。鼽衄鼻塞。鼻瘡心煩滿。汗不出。頭項痛。項腫。身體煩熱。

手術　針二分。灸三壯。

四…五處

部位　頰上星旁一寸五分。

解剖　有前頭筋。前額動脈。顳顬神經。

主治　脊强。瘈瘲癲疫。頭風熱。目眩。目不明。

手術　針二分。禁灸。

五：承光

部位　在五處後一寸五分。

解剖　爲帽狀腱膜部。有顱頂骨顳顬動脉。顳顬神經。

主治　風眩頭痛。嘔吐心煩。鼻塞。口喎。鼻流清涕。目生白膜。

手術　針二分。禁灸。

六：通天

部位　在承光後一寸五分。

解剖　爲後頭筋之上部。有顱頂骨顳顬動脉及大後頭神經。

主治　頸項轉側難。癭氣。鼻衄鼻瘡。鼻流清涕。口喎喘息。頭重癭瘤。

手術　針三分。灸三壯。

摘要　「百證賦」通天去鼻內無聞之苦。「千金」癭氣面腫灸五十壯。

七…絡却

部位　在通天後一寸五分。

解剖　是處爲後頭骨部。有後頭筋。後頭動脉。及大後頭神經。

主治　頭眩耳鳴。青盲內障。鼻塞項腫。內障耳鳴。

手術　針三分。灸三壯。

八…玉枕

部位　在絡却後一寸五分。去腦戶傍一寸三分。

解剖　有後頭筋。後頭動脉。及大後頭神經。

主治　目痛如脫。不能遠視。頭風項痛。鼻塞不聞。

九：天柱

手術 針三分。灸三壯。

摘要 「百證賦」顖會連於玉枕頭風療以金針。

部位 在項之後部髮際。大筋外廉之陷凹中。

解剖 爲後頭骨部。內側有僧帽筋。有後頭動脉與神經。

主治 身體肩背痛。頭旋腦痛。鼻塞淚出。目眩不欲視。

手術 針二分。灸四壯。

摘要 「百證賦」目覺䀮𥆧。亟取養老天柱。

十：大杼

部位 在大椎之下兩旁。去脊一寸五分。

解剖 有僧帽筋。大方稜筋。肩胛背側之脉。脊髓神經之後枝。

並腦之第十二對神經。

主治 膝痛不可屈伸。傷寒汗不出。腰脊痛。熱甚不已。頭風。痎瘧。咳嗽身熱。目眩腹痛。

手術 針三分。禁灸。

摘要 「勝玉歌」五瘧寒多熱更多。間使大杼眞妙穴。「席弘賦」大杼若連長强尋。小腸氣痛卽行針。「肘後歌」風痺痿厥如何治。大杼曲泉眞是妙。

十二、風門

部位 在二椎下兩旁。去脊一寸五分。

解剖 有僧帽筋。背長筋。肩胛背神經。

主治 發背癰疽。身熱上氣喘。咳逆胸背痛。風勞。嘔吐多嚏。

鼻衄。出清涕。傷寒頭項强。目眩胸中熱。喘臥不安。

手術 針三分。灸五壯。

摘要 「神農經」傷風咳嗽頭痛。鼻流清涕。可灸十四壯。及治頭疼風眩鼻衄不止。

十二、肺兪

部位 在第三椎下。去脊旁一寸五分。

解剖 有長背筋。上鋸筋。肩胛背神經。

主治 癭氣黃疸勞瘵。口舌乾勞熱。上氣腰脊强痛。寒熱喘滿。虛煩。骨蒸肺痿咳嗽。肉痛皮癢。嘔吐。不嗜食。胸滿短氣。汗出。食後吐水。

手術 針三分。灸三壯。

摘要 「百證賦」咳嗽連聲。肺俞須臨天突穴。「勝玉歌」若是痰涎并咳嗽。治却須當灸肺俞。「玉龍歌」傷風不解嗽頻頻。久不醫時癆便成。咳嗽須針肺俞穴。痰多宜向豐隆行。「神農經」治咳嗽吐血。唾紅骨蒸。虚勞。可灸十四壯。「乾坤生意」同陶道身柱膏肓。治五勞七傷虚損。

十三…厥陰俞

部位 在第四椎下。去脊旁一寸五分。

解剖 有背長筋。及後上鋸筋。

主治 咳嗽牙痛心痛。胸滿嘔吐。

手術 針三分。灸四壯。

十四…心俞

部位 在第五椎之下。去脊旁一寸五分。

解剖 有背長筋。及後上鋸筋。

主治 偏風。半身不遂。心氣亂恍惚。汗出。唇赤。發癇。心胸悶亂吐吐血。寒熱嘔吐。食不下。

手術 針三分。灸三壯。

摘要 「百証賦」風癇常發。神道還須心俞寧。「玉龍歌」腎弱腰痛不可當。施爲行止甚非常。若知腎俞二穴處。艾火頻加體自康。「勝玉歌」遺精白濁心俞治。

十五：膈兪

部位 在第七椎下。去脊一寸五分。

解剖 有脊長筋。

主治 心痛周痺。吐食翻胃。骨蒸。四肢怠惰。嗜臥。咳逆。嘔吐。膈胃寒痰。熱病汗不出。身痛。腫脹。脇腹滿。自汗盜汗。。

手術 針三分灸三壯。。

摘要 「千金」治吐逆翻胃灸百壯。。

十六：肝兪

部位 在第九椎之下。。去脊一寸五分。。

解剖 有背長筋。。

主治 多怒黃疸鼻痠。。熱病後目暗淚出。。目眩氣短。。咳血。。目上視。。咳逆口乾寒熱脛筋急。。轉筋入腹。。攀睛。。

手術 針三分。。灸三壯。。

摘要 「百證賦」攀睛攻肝俞少澤之所。。「玉龍歌」肝家血少目昏花。。宜補肝兪力便加。。更把三里頻瀉動。。還光益血自無差。。

「標幽賦」取肝俞于命門。使瞽士視秋毫之末。「勝玉歌」肝血盛兮肝俞瀉。

十七：胆俞

部位 在第十椎之下。去脊一寸五分

解剖 爲闊背筋部。有胸背動脉。及肩胛下神經。

主治 頭痛振寒。汗不出。腋下腫脹。口苦舌乾。咽痛。乾嘔。骨蒸勞熱。食不下。目黃。

手術 針三分。灸三壯。

摘要 「百證賦」目黃兮。陽綱胆俞。「捷徑」胆俞膈俞可治勞噎。

十八：脾俞

部位 在第十一椎之下。去脊一寸五分。

解剖 有闗背筋。。胸背動脉。。

主治 腹脹引胸背痛。。痃癖積聚。。脇下滿。。泄利痎瘧。。寒熱。。水腫氣脹。。脊痛。。黃疸善欠。。不嗜食。。

手術 針三分。。灸五壯。。

摘要 「百證賦」聽宮脾兪。。祛蠱心下之悲悽。。「千金」治食不消化洩痢不作肌膚。。脹滿水腫。。灸隨年壯。。

十九　胃兪

部位 在第十二椎之下。。去脊一寸五分。。

解剖 有闗背筋。。

主治 霍亂胃寒。。腹脹而鳴。。翻胃嘔吐。。不嗜食。。目不明。。腸鳴腹痛。。脊痛筋攣。。肌膚皮瘦。。

手術　針三分。。灸三壯。。

摘要　「百證賦」胃冷食不化、、魂門胃俞堪責。。

二十　三焦兪

部位　在第十三椎之下。。去脊一寸五分。。

解剖　有濶背筋。腰背筋膜。。肋間動脈。。及脊椎神經之後枝。。

主治　臟腑積聚脹滿。。不能飲食。。傷寒頭痛。。飲食吐逆。。肩背急。。腰脊强。。腹脹腸鳴。。目眩頭痛。。

手術　鍼五分。。灸五壯。。

二一　腎兪

部位　在第十四推之與臍相並行。。

解剖　有闊背筋腰背筋膜。。長背筋。。後下鋸筋。。肋間動脈脊椎神經。。

主治 虛勞羸瘦。。腎虛耳聾。。心腹塡滿脹急。。兩脇滿脹引小腹急痛。。目視䀮䀮。。少氣溺血。。小便濁。。出精。。夢泄。。五勞七傷。。脚膝拘急。。腰寒如冰。。頭重身熱。。面黃黑腸鳴。。身腫如水。。女人積冷氣成勞。。寒熱往來。。

手術 針三分。。灸三壯。。

摘要 「勝玉歌」腎敗腰疼小便頻。。腎脉兩旁腎兪治。。「千金」夢遺失精。。五臟虛勞。。少腹强急。。灸百壯。。

三 氣海兪

部位 在第十五椎之下。。去脊一寸五分

解剖 有長背筋。。腰背筋膜。。薦骨脊柱筋。。

主治 腰痛痔漏。。

手術 針三分。。灸三壯。。

三…大腸俞 部位 在第十六椎之下。。去脊一寸五分。。

解剖 有長背筋。。腰脊筋。。薦骨柱筋。。

主治 脊强腰痛。。腹中氣脹。。繞臍切痛。。多食身瘦。。腸鳴。。大小不利。。小腹絞痛。。

手術 針三分。。灸三壯。。

摘要 「靈光賦」太小腸俞大小便。。「千金」脹滿雷鳴灸五壯。。

四…關元俞 部位 在第十七椎之下。。去脊一寸五分。。

解剖 有長背筋。。腰背筋膜。。肋間動脉。。薦骨神經之後枝。。

主治 風勞腰痛。。泄痢虚脹。。小便難。。婦人瘕聚諸疾。。

手術 針三分。。灸三壯。。

二五：小腸俞　部位　在第十八椎之下。去脊一寸五分。

解剖　有腰背筋膜。肋間動脉。薦骨神經枝。

主治　膀胱三焦津液少。大小腸寒熱。小便赤不利。遺溺。小腹脹滿。赤痢下重。腫痛。脚痛。五痔。消渴。口乾。婦人帶下。

手術　針三分。灸三壯。

摘要　「靈光賦」大小腸俞大小便。「千金」洩注五痢便膿血。腹痛。灸百壯。

二六：膀胱俞　部位　在第十九椎之下。去脊一寸五分。

解剖　有大臀筋。中臀筋。上臀動脉。上臀神經。

主治　風勞脊急强。小便赤黃。遺溺。陰部生瘡。脛寒。拘急不屈伸。腹滿。大便難。泄利。腹痛。脚膝無力。女子瘕聚。

手術　針三分。灸五壯。

摘要　『百證賦』脾虛穀兮不消。脾俞膀胱覓。

二七…中膂俞　部位　在第二十椎之下。去脊一寸五分。

解剖　有大臀筋。上臀動物。上臀神經。

主治　腰痛俠脊裏痛。腎虛消渴。腰脊强。腸冷赤白痢。腹痛汗不出。腹脹脇痛。

二八…白環俞　部位　在第十一椎之下。去脊一寸五分。

解剖 爲尾閭骨部。有大臀筋。下臀動脉。及陰部神經。下臀神經。

主治 手足不仁。腰脊痛。疝痛。大小便不利。脚膝不遂。温瘧腰脊冷痛。不得久臥勞損。筋攣臂縮。虛熱閉塞。

手術 針三分。灸三壯。

摘要 「百證賦」背連腰痛。白環委中曾經。

元……上髎

部位 在第一空腰踝下一寸。俠脊陷中。

解剖 有腸腰筋。肋間動脉。薦骨神經後枝。

主治 大小便不利。嘔逆。膝冷痛。鼻衄寒熱瘧。陰挺出。帶下。

手術　針三分。。灸三壯。。

摘要　此穴爲足太陰少陽之絡。。

三十　次髎

部位　在第二空俠脊陷中。。

解剖　有上臂筋。。與中臂筋。。上臂動脉。。上臂神經。。

主治　小便赤淋。。腰痛不得轉搖。。足不仁。。心下堅脹。。疝氣下墜。。足軟氣痛。。腸鳴洩瀉。。偏風。。婦人赤白帶下。。

手術　針三分。。灸三壯。。

三一　中髎

部位　在第三空俠脊陷中。。

解剖　有大臀筋。。上臀動脉。。及上臀神經。。

主治　大小便不利。。腹脹下利。。大便難。。婦人絕子帶下。。月事不調。。

手術 針三分。。灸三壯。。

摘要 此穴爲足厥陰少陽之會

三二：下髎

部位 在第二十一椎之下。。俠脊陷中。。

解剖 有大臀筋。。下臀動脈。。陰部神經。。下臀神經。。

主治 大小便不利。。腸鳴洩瀉。。大便下血。。腰痛。。女子淋濁不禁。。濕寒。。濕熱。。

手術 針三分。。灸三壯。。

摘要 「百證賦」濕寒濕熱下髎定。。

三三：會陽

部位 在陰骨尻兩旁。。去中行一寸八分。。

解剖 有大臀筋。。下臀動脈。。陰部神經。。及下臀神經

主治 腹寒。。熱氣冷氣。。泄瀉。。腸澼下血。。陽氣虛乏。。陰汗濕癢久痔。。

手術 針三分。。灸三壯。。

三四 附分

部位 在第二椎之下。。去脊三寸。。

解剖 有僧帽筋。。後上鋸筋。。小方稜筋。。橫頸動脈。。副神經。。及脊椎神經後枝。。肩胛背神經。。

主治 肘臂不仁。。有背拘急。。風客腠理。。頸痛不得回顧。。

手術 針三分。。灸三壯。。

三五 魄戶

部位 在第三椎之下。。去脊三寸。。

解剖 有僧帽筋。大方稜筋。及肩胛背神經。

主治 肩膊痛。虛勞肺痿。頸項强急。不得回顧。喘息咳逆。嘔吐煩滿。

手術 針三分。灸五壯。

摘要 「百證賦」勞瘵傳尸。取魄戶膏肓之路。「標幽賦」體熱勞嗽而瀉魄戶。

三六…膏肓兪

部位 在第四椎下。去脊三寸。

解剖 有僧帽筋。大方稜筋。脊椎神經後枝。及肩胛背神經。

主治 五勞七傷。夢遺失精。上氣咳逆。痰火發狂。健忘。

手術 針三分。灸五壯。

摘要 此穴百病皆療。。「百証賦」勞瘵傳尸。。趨魄戶膏肓之路。。「靈光賦」膏肓穴灸治百病。。乾坤生意膏肓陶道身柱肺俞爲治虛損五勞七傷緊要之穴。。

三七 神堂

部位 第五椎之下。。去脊三寸。。

解剖 有僧帽筋。。脊椎神經後枝。。及肩胛背神經。。

主治 腰背脊强痛。。寒熱。。胸滿氣逆。。

手術 針三分。。灸五壯

三八 譩譆

部位 在第六椎之下。。去脊三寸。。

解剖 有僧帽筋。。脊椎神經後枝。。及肩胛背神經

主治 大風熱病汗不出。。勞損不得臥。。溫瘧寒瘧。。胸悶氣滿。。腹

脹。。胸中痛。。引腰背腋拘脇痛。。目眩目痛。。鼻衄喘逆。。臂膊內廉痛。。

手術　針六分。。灸五壯。。

三九：膈關

摘要　「千金」多汗瘧病灸五十壯。。

部位　在第七椎下。。去脊三寸。。

解剖　有僧帽筋及脊椎神經枝。。

主治　背痛。。惡寒脊強。。飲食不下。。嘔吐多涎。。胸悶。。大便不節。。小便黃

手術　針五分。。灸三壯。。

四十：魂門

部位　在第九椎之下。。去脊三寸。。

四一：陽綱

解剖　有闗背筋。。胸背動脉。。肩胛下神經。。

主治　胸背連心痛。。飲食不下。。腹中雷鳴。。大便不節。。小便黃。。

手術　針三分。。灸三壯。。

摘要　「百證賦」胃冷食而難化。魂門胃俞堪責。。「標幽賦」筋攣骨痛宜補魂門。。

部位　在第十椎之下。。去脊三寸。。

解剖　有闗背筋。。胸背動脉。。脊椎神經。。

主治　腸鳴腹痛。。飲食不下。。腹脹身熱。。大便不節。。泄痢赤黃。。不嗜食。。怠惰。。

手術　針三分。。灸三壯。。

四二 意舍

摘要 「百証賦」目黄兮陽綱胆俞。

部位 在第十一椎之下。去脊三寸。

解剖 有濶背筋。胸背動脉。及脊椎神經。

主治 腹滿虛脹。大便滑泄。小便赤黄。背痛悪風寒。飲食不下。嘔吐消渴。身熱目黄。

手術 針五分。灸七壯。

摘要 「百證賦」胸滿更加噎塞。中府意舍可行。

四三 胃倉

部位 在第十二椎下。去脊三寸。

解剖 有胸背動脉。及脊椎神經。

主治 腹滿虛脹。水腫。飲食不下。悪寒。背脊痛。

四四 肓門

手術 針五分。灸三壯。

部位 在第十三椎之下。去脊三寸。

解剖 有闊背筋。方形腰筋。肋間動脉。及肩胛下神經。與脊髓神經。

主治 心下痛。大便堅。婦人乳痛。

四五 志室

手術 針五分。灸三壯。

部位 在第十四椎下。去脊三寸。

解剖 有闊背筋。方形腰筋。肋間動脉肩胛下神經。脊椎神經。

主治 陰腫陰痛。背痛。腰脊强直。飲食不消。腹中堅滿。夢遺失精。吐逆。兩脇急痛。霍亂。

手術　針四分。灸三壯。

四六　胞肓

部位　在第十九椎下。去脊三寸。

解剖　有大臀筋。中臀筋及上臀動脉。下臀神經。

主治　腰脊急痛。食不消。腹堅急。腸鳴。大小便不利。

手術　針四分。灸七壯。

四七　秩邊

部位　在第二十椎下。去脊三寸。

解剖　有大臀筋。中臀筋。及上臀動脉。下臀神經。

主治　五痔發腫。小便赤黃。腰痛。

手術　針三分。灸三壯。

四八　承扶

部位　在尻臀之下。陰股上紋中。

解剖 有坐骨動脉。。及下臀神經。。

主治 腰脊相引如解。。久痔尻臀腫。。大便難。。胞寒。。小便不利。。

四九…殷門

部位 承扶下六寸。。

解剖 有股動脉。。坐骨神經。。

主治 腰脊强硬。。恶血流注。。外股腫。。

手術 針七分。。不宜灸。。

五十…浮郄

部位 在殷門下一寸三分斜向外。。

剖解 有膝膕動脉。。及坐骨神經。。

主治 霍亂轉筋。。小腸熱。。大腸結。。股外筋急。。髀樞不仁。。

手術 針五分。。灸三壯。。

五一：委陽

部位　在承扶下六寸。足太陽之前。足少陽之後。

解剖　在膝膕窩之外側。二頭股筋腱之間。有膝膕動脈。腓骨神經。

主治　腋下腫痛。胸滿膨脹。筋急身熱。痿厥不仁。小腹滿

手術　針七分。灸三壯。

摘要　此穴爲足太陽之別路「百證賦」委陽天池。腋腫針而速散。

五二：委中

部位　在膝膕窩之正中。

解剖　有膝膕動靜脈。脛骨神經。

主治　膝痛。腰重不能舉。小腹堅滿。熱病汗不出。大風眉髮脫落。足軟無力。半身不遂遺溺

手術 鍼五分。。禁灸。。

摘要 此穴爲足太陽脉之所入爲合土。。「百證賦」背連腰痛。。白環委中曾經。。「勝玉歌」委中驅療脚風纏。。「四總穴」腰背委中求。。「千金」委中崑崙治腰相連「太乙歌」虛汗盜汗補委中。。「雜病穴法歌」腰痛環跳委中求。。若連背痛崑崙識。。

五三…合陽

部位 在委中下二寸。。

解剖 有腓腸筋。。環行後脛骨動脉。。分布脛骨神經。。

主治 腰脊强引腹痛。。陰股熱。。步履難。。寒疝。。女子崩帶不止。。

手術 針四分。。灸三壯。。

摘要 「百証賦」女子少氣漏血。。不無交信合陽。。

五四：承筋

部位　在腨腸中央陷中。。即合陽與承山之中間也。。

解剖　有腓腸筋。。環行後脛骨動脈。。及脛骨神經。。

主治　腰背拘急。。大便秘。。腋腫。。痔瘡。。腿痠脚急。。跟痛。。腰痛。。霍亂轉筋。。

手術　針三分。。禁灸。。

五五：承山

部位　在委中下八寸腨肉之間。。

解剖　有腓腸筋。。脛骨動脈。。及脛骨神經。。

主治　大便不通。。轉筋痔腫。。脚氣脚腫。。脛痠脚跟痛。。霍亂。。

手術　針五分。。灸七壯。。

摘要　「百証賦」鍼長强與承山。。善治腸風新下血。。「勝玉歌」兩股轉筋承山刺。。「靈光賦」承山轉筋并久痔。。「雜病穴法歌」心胸痞滿陰陵泉。。針到承山飲食美。。脚若轉筋眼發花。。然谷承山法自古。。「天星秘訣」脚若轉筋并眼花。。先鍼承山次內踝。。「玉龍歌」九般痔漏最傷人。。必刺承山效若神。。「肘後歌」五痔踝原因然血作承山鍼下病無踪。。

五六、飛揚

部位 在足外踝上七寸後陷中。。

剖解 有腔骨動脉。。及腔骨神經。。

主治 痔腫痛。。體重。。起坐不能。。脚腨痠腫久坐足指不能屈伸。。目眩痛。。逆氣癲疾寒瘧。。頸背痛。。

手術 針三分。。灸三壯。。

摘要 「百證賦」目眩兮。。支正飛揚。。

五七：跗揚

部位　在足外踝上三寸

解剖　有長腓筋。前腓骨膀及淺腓骨神經。

主治　霍亂轉筋。腰痛不能久立。坐不能起。痿厥。風痺不仁。頭重頞痛。時有寒熱。四肢不舉。屈伸不能。

手術　針三分。灸三壯。

五八：崑崙

部位　在足外踝後五分。跟骨上陷中。細動脉應手。

解剖　此處爲長腓骨筋腱。有後腓骨動脉。腓骨神經

主治　腰尻脚氣。足腨腫不能履地。頭痛肩背拘急。咳逆喘滿。腰背內引痛。陰腫痛。目眩痛如脫。瘧疾多汗。心痛與背相接。婦人難孕。胞衣不出。小兒發癇瘈瘲。

手術　針三分。灸三壯。

摘要　是穴爲足太陽之脉所行爲經火「肘後歌」脚膝經年痛不休。內外踝邊用意求。穴號崑崙并呂細。「玉龍歌」腫紅腿足草鞋風。須把崑崙兩穴攻。「雜病穴法歌」腰痛環跳委中求。若連背痛崑崙識。「靈光賦」住喘脚氣崑崙愈。「馬丹陽十二訣」轉筋腰尻痛。暴喘滿中心。舉步行不得。一動卽呻吟。若欲求安樂。須於此穴針。「席弘賦」轉筋目眩鍼魚際。承山崑崙立便消。

五九：僕參

部位　在跟骨下昭中。

解剖　有腓骨動脉。及脛骨神經。

主治　足痿不收。足跟痛。霍亂轉筋。吐逆。癲疾。狂言見鬼。

脚氣膝腫。。腰痛。。

手術 針三分。。灸三壯。。

摘要 「靈光賦」後跟痛在僕參求。。

六十：申脈

部位 在足外踝下五分陷中。。

解剖 爲跟骨之上部。。有脛骨神經。。及腓骨動脈。。

主治 風眩腰脚痛。。氣逆。。脚膝屈伸難。。婦人血氣痛

手術 針三分。。灸三壯。。

摘要 此穴爲陽蹻脉所生「標幽賦」頭風痛鍼申脈與金門。。

六一：金門

部位 在足外踝下一寸。。邱墟之後申脈之前。。

解剖 爲短總趾伸筋部。。有腓骨動脈。。及脛骨神經。。

主治 霍亂轉筋。。癲癇。。小兒張口搖頭。。

手術 針三分。。灸三壯。。

摘要 此穴爲足太陽之郄。。「百証賦」轉筋兮。。金門邱墟來醫。。「肘後歌」瘧疾連日發不休。。金門刺深七分是。。「標幽賦」頭風頭痛。。鍼申脉與金門。。

六二…京骨

部位 在足小指外側。。本節後。。大骨下。。赤白肉際陷中。。

解剖 爲小趾第一趾骨節之後部。。有骨間背動脈。。及外小趾背神經。。

主治 腰痛不可屈伸。。身體痛。。目肉背赤爛。。目眩。。發瘧寒熱。。筋攣善驚。。頸項強。。頭痛

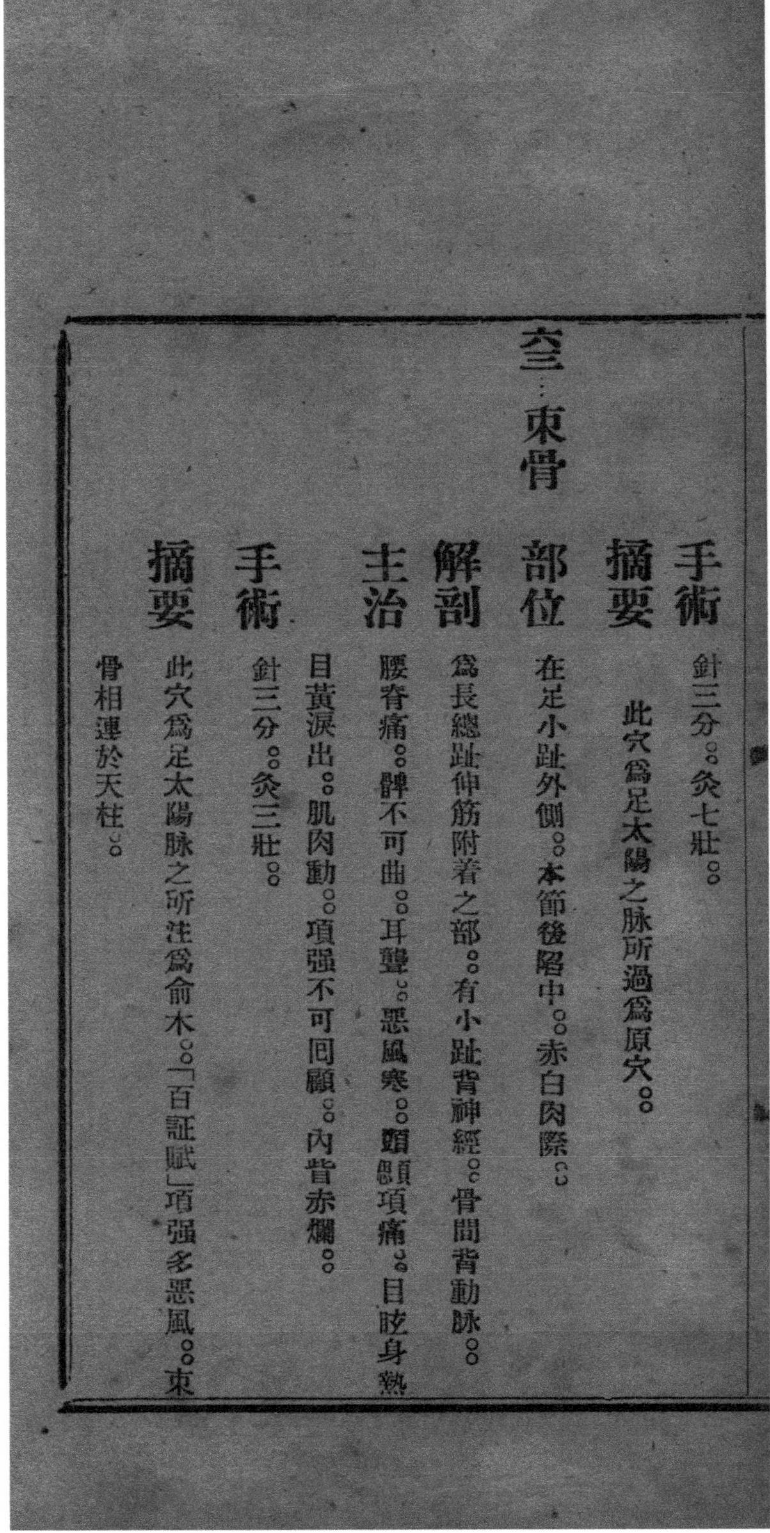

手術 針三分。灸七壯。

摘要 此穴爲足太陽之脉所過爲原穴。

六三 束骨

部位 在足小趾外側。本節後陷中。赤白肉際。

解剖 爲長總趾伸筋附着之部。有小趾背神經。骨間背動脉。

主治 腰脊痛。髀不可曲。耳聾。惡風寒。頭顖項痛。目眩身熱目黃淚出。肌肉動。項强不可囘顧。內眥赤爛。

手術 針三分。灸三壯。

摘要 此穴爲足太陽脉之所注爲俞木。「百証賦」項强多惡風。束骨相連於天柱。

六四：通谷

部位　在足小指外侧。本节前陷中。

解剖　有长总指伸筋附着部。外小指背神经。

主治　头重目眩。善惊。项痛。胸满。食不化。目䀮䀮。

手术　针二分。灸三壮。

摘要　此穴为足太阳脉之所流为荥水。

六五：至阴

部位　在足小趾外侧。去爪甲角如韭叶。

解剖　有外小趾背神经。及骨间背动脉。

主治　目生翳。风寒头重。鼻塞。胸胁痛。转筋寒疟。汗不出。烦心。足下热。小便不利。失精目痛。

手术　针二分。灸三壮。

摘要 此穴爲足太陽之脉。所出爲井金。「百証賦」至陰屋翳。療癢疾之疼多。「肘後歌」頭面之疾針至陰。「席弘賦」脚膝腫時尋至陰。

足少陰腎經 凡二十七穴共五十四穴

腎足小陰之脉。起于小指之下。斜趨足心。出于然谷之下。循內踝之後。別入跟中。以上踹內。出膕內廉。上股內後廉。貫脊屬腎。絡膀胱。其直者。從腎上貫肝膈。入肺中。循喉嚨。挾舌本。其支者。從肺出絡心。注胸中。是動則病饑不欲食。面如漆柴。咳唾則有血喝。喝而喘。坐而欲起。目䀮䀮如無所見。心如懸。若飢狀。氣不足。則善恐。心惕惕。如人將捕之。是爲骨厥。是主腎所生病者。口熱。舌乾。咽腫。上氣。嗌乾及痛。煩心。心痛黃疸腸澼。脊股內後廉痛。痿厥嗜臥。足下熱而痛。爲此諸病。盛則瀉之虛則補之。熱則疾之。寒則留之。陷下則灸之。不盛不虛。。以經取之。。盛者寸口大再倍于人迎。。虛者寸口反小于人迎也。。

足少陰腎經諸穴歌

足少陰穴二十七。。湧泉然谷太谿溢。。大鍾水泉通照海。。復溜交信築賓實。。陰谷膝內附骨後。。以上從足走至膝。。橫骨大赫聯氣穴。。四滿中注肓俞臍。。商曲石關陰都密。。通谷幽門寸半闢。。折量腹上分十一。。步廊神封陰靈墟。。神藏或中俞府畢。。

足少陰腎經諸穴分寸歌

足掌心中是湧泉。。然谷踝下一寸前。。太谿踝後跟骨上。。大鍾跟後踵中邊。。水泉谿下一。。寸覓。。照海踝下四分安。。復溜踝上前二寸。。交信踝上二寸聯。。二穴止隔筋前後太陰之後少陰前。。築賓內踝上腨分。。陰谷膝下曲膝間。。橫骨大赫連氣穴。。四滿中注亦相連。。各開中行止寸半。。上下相去一寸便。。上隔肓俞亦一寸。。肓俞臍旁半寸邊。。肓俞商曲石關來。。陰都通谷幽門開。。各開中行五分俠。。六穴上下一寸裁。。步廊神封靈墟存。。神藏彧中俞府尊。。各開中行計二寸。。上下寸六六同。。俞府璇璣旁二寸。。取之得法有成功。。

足少陰腎經諸穴之解釋

一…湧泉

部位　在足心陷中。。屈足卷趾宛宛中。。

解剖　爲外轉拇筋部。。乃內足蹠動脈及內足蹠神經分布之區域。。

主治　尸厥面黑。。咳吐有血。。渴而喘。。目䀮䀮無所見。善恐。舌乾咽腫。。上氣嗌乾。。煩心心痛。。黃疸。。股內後廉痛。。痿厥嗜臥。。小腹急痛。。泄而下重。。足脛寒。。腰痛。。大便難。。胸中結熱。。風疹風癎。。飢不嗜食。。咳嗽身熱。。喉閉舌強失音。。胸脇滿悶。。頸痛目眩。。五指端盡痛。。足不熱。。男子如蠱女子如娠。。

手術　針三分。。留三呼。。灸三壯。。

摘要　此穴爲足少陰腎脉之所出爲井木。。「百證賦」厥寒厥熱湧泉清。。「玉龍歌」傳尸勞病最難醫。湧泉出血免災危。。「通玄賦」胸結身黃取湧泉而即可。。「靈光賦」足掌下去尋湧泉。。此法千金莫忘傳。。此穴多治婦人疾。。男蠱女孕兩病痊。。「天星秘訣」如是小腸連臍痛。。先刺陰陵後湧泉。。「肘後歌」頂心頭痛眼不開。。湧泉下針足安泰

二…然谷

部位　在足內踝前高骨之下陷者中。。

解剖　爲長屈拇筋之附着部。。有脛骨神經。。

主治　喘呼咳血。。喉痺。。淋濁。。舌縱煩滿。。消渴。。自汗。。痿厥。。

心痛。精泄。月事不調。陰癢。初生小兒臍風口噤

手術 針三分。灸三壯。

摘要 此穴爲足少陰脉之所流爲榮火。「百證賦」臍風須然谷而易醒。「雜病穴法歌」脚若轉筋眼發花。然谷承山法自古。

三…太谿

部位 在足內踝後五分。跟骨上。動脉陷中。

解剖 爲長總趾屈筋腱部。有後脛骨動脉。脛骨神經。

主治 熱病汗不出。嗜臥。溺黃。大便難。咽腫唾血。咳嗽不嗜食。腹脇痛。傷寒手足厥冷。

手術 針三分。灸三壯。

摘要 此穴爲足少陰脉之所注爲俞土。「百証賦」寒瘧兮。商陽太

谿驗。「玉龍賦」腫紅腿足草鞋風。須把崑崙兩穴攻。申脈太谿如再刺。神醫妙訣起疲癃。「雜病穴法歌」兩足痠麻補太谿。

四…大鍾

部位 在足跟後踵中。大骨之上兩筋之間。

解剖 有長趾屈筋腱部。及脛骨動脈。脛骨神經。

主治 嘔吐胸脹喘息。腹滿便難。腰脊痛。嗜臥。口中熱。舌乾。咽中食噎不得下。喉中鳴。咳唾。氣逆煩悶。

手術 針二分。灸三壯。

摘要 此穴爲足少陰絡。別走太陽。「百證賦」倦言嗜臥。往通里大鍾而明。「標幽賦」大鍾治心內之癡呆。

五：照海

部位 在足內踝下一寸。。微前。。高骨陷中。。

剖解 爲外轉拇筋之上部。。乃後脛骨動脉及脛骨神經分布之區域。。

主治 咽乾。。心悲不樂。。四肢懈惰。。嘔吐嗜臥。。小腹痛。。婦人經逆。。月水不調。。濁淋。。寒疝。。

手術 針二分。。灸三壯。。

摘要 此穴爲陰蹻脉所生。。「百証賦」大敦照海。。患寒疝而善蠲。。「蘭江賦」噤口喉風針照海。。「席弘賦」若是七疝小腹痛。。照海陰交曲泉針。。「雜病穴法歌」腌衣照海內關尋。。「通玄賦」四肢之懈惰。。憑照海以消除。。「玉龍歌」大便秘結不能通。。

照海分明在足中。。更把支溝來瀉動。。方知妙穴有神功。。

六…水泉

部位　在足內踝下。。太谿穴下一寸。。

解剖　爲長總指屈腱部。。有後脛骨動脈。。及脛骨神經。。

主治　目䀮䀮不能遠視。。女子月事不來。。來卽多悶痛。。陰挺出。。小便淋瀝。。腹中痛。。

手術　針四分。。灸五壯。。

摘要　此穴爲足少陰郄。。『百證賦』月潮違限。。天樞水泉須詳。。信。。

七…復溜

部位　在足內踝上二寸。。筋骨陷中。。前傍骨是復溜。。後旁骨是交

解剖　爲後脛骨部。。有後脛骨動脈。。及脛骨神經。。

主治 腸澼。腰脊內引痛。不得俯仰。目視䀮䀮。善怒多懈。舌乾涎出。足痿不收。膜中雷鳴。腹脹如鼓。四肢腫。五淋。盜汗。

手術 針五分。灸三壯。

摘要 此穴爲足少陰腎脉。所行爲經金。『雜病穴法歌』水腫分與復溜。「玉龍歌」傷寒無汗瀉復溜。「勝玉歌」脚氣復溜不須疑。「席弘賦」復溜氣滯便離腰。復溜治腫如神醫。

八……交信

部位 在足內踝上二寸。筋骨間。少陰前。太陰後。

解剖 爲長總趾屈筋部。有後脛骨動脉。及脛骨神經。

主治 五淋。陰急。瀉痢赤白。股樞內痛。大小便難。女子漏血

不止。陰挺出。月水不來。小腹偏痛。盜汗

手術 針四分。灸五壯。

摘要 此穴爲陰蹻脈之郄。『百證賦』女子少氣漏血。不無交信合陽。「肘後歌」腰膝強痛交信憑。

九…築賓

部位 足內踝上五寸。腨陷中。

解剖 爲腓腸筋部。分布後脛骨動脈。及脛骨神經。

主治 癲疾。小兒胎疝。吐舌。嘔吐涎沫。足腨痛。

手術 針三分。灸五壯。

十…陰谷

部位 在膝內輔骨後。大筋下。小筋上。

解剖 爲大股筋連附之部。有關節動脈與股神經

主治　膝痛如錐。不得屈伸。舌縱涎下。溺難。小便急引陰痛。婦人漏下不止。腹脹滿。男子如蠱。女子如娠。霍亂。

手術　針四分。灸三壯。

摘要　此穴爲足少陰腎脉所入爲合水「百証賦」中邪霍亂。尋陰谷三里之程。「太乙歌」利小便消水腫。陰谷水分與三里。「通玄賦」陰谷治腹臍痛。

十一．横骨

部位　在大赫穴下一寸。去中行五分。

解剖　有腸骨下腹神經。及三稜腹筋。

主治　五淋。小便不通。陰氣下縱引痛。小腹滿。目赫痛。五臟虛。腰痛。

手術 針三分。。灸三壯不宜多。。

摘要 此穴爲足少陰衝脈之會。。「百證賦」盲俞橫骨瀉五淋之久積。。「席弘賦」氣滯腰痛不能立。。橫骨大都宜救急。。

十二…大赫

部位 在氣穴下一寸。。去中行五分。。

解剖 爲三稜腹筋部。。分布腸骨下腹神經

主治 虛勞失精。。男子陰器縮結。。莖中痛。。目赤痛。。婦人赤帶。。

手術 針三分。。灸五壯。。

十三…氣穴

部位 在四滿穴下一寸。。去中行五分。。

解剖 有腸骨下腹神經。。直腹筋。。

主治 泄痢不止。。目赤痛。。婦人月事不調。。

十四…四满

手術　針三分。灸五壯。

部位　在中注下一寸。去中行五分。

摘要　有直腹筋。下腹動脉。

主治　積聚疝瘕腸澼。臍下切痛。振寒。目内眥赤痛。婦人月水不調。

十五…中注

手術　針三分。灸三壯。

部位　在肓俞下一寸。去中行五分。

解剖　有直腹筋。下腹動脉。

主治　小腹有熱。大便堅燥不利。氣泄上下引腰痛。目内眥赤痛。女子月事不調。

十六 肓兪

手術 針五分。灸五壯。

部位 在商曲穴下一寸。直臍旁。去臍中五分。

解剖 有下腹動脉。直腹筋。

主治 腹切痛。寒疝。大便燥。腹滿響響然不便。心下有寒。目赤痛。五淋。

手術 針五分。灸五壯。

摘要 『百證賦』肓兪橫骨。瀉五淋之久積。

十七 商曲

部位 在石關穴下一寸。去中行五分。

解剖 有直腹筋。上腹動脉。肋間神經枝。

主治 腹痛。腹中積聚切痛。腸中痛。不嗜食。目赤痛。

十八：石關

手術　針五分。灸五壯。

部位　在陰都穴下一寸。去中行五分。

解剖　有直腹筋。上腹動脉。肋間神經

主治　嘔逆。腹痛。氣淋小便黃。大便不通。心下堅滿。脊强。目赤痛。婦人無子。臟有惡血上衝。腹痛不可忍

手術　針五分。灸三壯。孕婦禁灸

摘要　此穴爲足少陰衝脉之會。「百証賦」無子搜陰交石關之鄉。「神農經」治積氣疝痛可灸七壯。『千金』嘔噦嘔逆灸百壯。

十九：陰都

部位　在通谷穴下一寸。去腹中行好一寸五分。

解剖　有直腹筋。上腹動脉。第十二肋間神經枝。

主治　身寒熱瘧病。心下煩滿。逆氣。腸鳴。腹脹氣搶。脇下熱痛。目赤痛

手術　針三分。灸三壯。

二十…通谷

部位　在幽門穴下一寸。去腹中行一寸五分。

解剖　有直腹筋。上腹動脉。十二肋間神經枝。

主治　口喎。飲食善嘔。暴瘖不能言。結積留飲。痃癖胸滿。食不化。心恍惚。喜嘔。目赤痛

手術　針三分。灸五壯。

二一…幽門

部位　在巨闕穴兩旁各五分。陷中。

解剖　爲直腹筋部。左爲胃府。右爲肝臟。分布上腹動脈。及第五至第十二肋間神經枝。

主治 小腹脹滿。嘔吐涎沫。喜唾。心下煩悶。胸中引痛。滿不嗜食。健忘。泄利膿血。目赤痛。女子心痛逆氣。食不下。

手術 針五分。灸五壯。

摘要 「百證賦」煩心嘔吐。幽門開徹玉堂明。

三二 步廊

部位 在神封穴下一寸六分。去中行二寸。

解剖 有肋間動脈。內乳動脈。肋間神經。前胸神經。

主治 胸脇滿痛。鼻塞不通。呼吸少氣。喘息。不得舉臂。

手術 針三分。灸五壯。

三三 神封

部位 在靈墟穴下一寸六分。去中行二寸

解剖　有大胸筋。。肋間動脉。。內乳動脉。。肋間神經。。前胸神經。。

主治　胸滿不得息。。咳逆。。乳癰。。嘔吐。。惡。。寒不嗜食。。

手術　針三分。。灸五壯。。

二四：靈墟

部位　在神藏下一寸六分。。去中行二寸

解剖　有大胸筋。。肋間動脈。。肋間神經。。

主治　胸滿不得息。。咳逆。。乳癰。。嘔吐。。惡寒。。不嗜食。。

手術　針三分。。灸四壯。。

二五：神藏

部位　在或中穴下一寸六分。。去中行二寸。。

解剖　爲大胸筋部。。中藏肺葉。。分布肋間動脉。。內乳動脉。。及肋間神經。。前胸神經。。

主治　嘔吐。。咳逆。。喘不得息。。胸滿不嗜食。。項强

手術　針三分。。灸五壯。。

摘要　「百證賦」胸滿項强。。神藏璇璣已試。。

二六…或中

部位　在俞府穴下一寸六分。。去中行二寸。。

解剖　爲大胸筋部。分布肋間動脈。內乳動脈。及肋間神經。前明神經

主治　咳逆喘息。。不能食。。胸脇滿涎出多吐。。氣喘痰壅。。

手術　針四分。。灸三壯。。

摘要　「神經農」治氣喘痰壅。。灸十四壯。。

二七…俞府

部位　在璇璣旁二寸。。

解剖　有大胸筋。。及鎖骨上筋。。鎖骨下動脈。。胸廓神經。。

主治 咳逆上氣。。嘔吐喘嗽。。腹脹。。飲食不下。。胸中痛。。

手術 針三分。。灸三壯。。

摘要 「玉龍歌」吼喘之症。。嗽痰多。。若用金針疾自和。。俞府乳根一樣刺。。氣喘風痰漸漸磨。。

手厥陰心包絡經 凡九穴共十八穴

心主手厥陰心包絡之脈。。起于胸中。。出屬心包絡。。下隔歷絡三焦。。其支者循胸中。。出脇下腋三寸。上抵腋下。循臑內行太陰少陰之間入肘中。下臂行兩筋之間。入掌中。。循中指出其端。。其支者。。別掌中。。循小指次指出其端。。是動則病手心熱。。臂肘攣急。。腋腫。。甚則胸脇支滿。。心中憺憺大動。。而目赤黃。。喜笑不休。。是主心脈所生病者。。煩心心痛。。掌中熱。。爲此諸病。。盛則瀉之。。虛則補之。。熱則疾之。。寒則留之陷。。

下則灸之。不盛不虛以經取之。盛者寸口大一倍于人迎。虛則寸口反小于人迎也。

心包絡經諸穴歌

九穴心包手厥陰。天池天泉曲澤深。郄門間使內關對。大陵勞宮中衝侵。

心包絡經穴分寸歌

心包起自天池間。乳後一寸腋下三。天泉曲腋下二寸。曲澤屈肘陷中央。郄門去腕方五寸。間使腕後三寸量。內關去腕止二寸。大陵掌後兩筋間。勞宮屈中名指取。中指之末中衝良。

心包絡經諸穴之解釋

一…天池

部位　在腋下三寸。乳後一寸。

解剖　有大胸筋及前大鋸筋。深處爲肋間筋。肺藏其中。分布長胸動脉。及長胸神胸。前胸廓神經。

主治 胸膈煩滿。熱病汗不出。頭痛。四肢不舉。腋下腫。上氣。寒熱。痎瘧。臂痛。目䀮䀮不明

手術 針二分。灸三壯。

撮要 「百證賦」委陽天池。腋腫針而速散『千金』頸漏瘰癧灸百壯。

二二 天泉

部位 在手之內側曲腋下二寸。

解剖 三頭膊筋在其處。分布上。膊動脉。及內膊皮下神經。上膊尺骨神經。

主治 目䀮䀮不明。惡風寒。心病。胸脇支滿。咳逆。膺背胛間臂內廉痛。

手術　針六分。灸三壯。

三、曲澤

部位　在肘內廉橫紋陷中

解剖　在二頭膊筋之腱間。有上膊動脈。重要靜脈。正中神經

主治　心痛善驚。身熱煩渴。口乾。逆氣嘔涎血。血。身熱風疹。臂肘手腕不時動搖。傷寒逆氣嘔吐。

手術　針三分。灸三壯

摘要　此穴爲手厥陰心包脉之所入爲合水。『百證賦』少商曲澤。血虛口渴同使。

四、門

部位　在掌後去腕五寸。

解剖　有內橈骨筋。尺骨動脉。重要靜脉。正中神經。

主治 嘔血心痛。驚恐。神氣不足

手術 針三分。灸五壯。

摘要 此穴爲手厥陰心包絡脈之郄。

五 間使

部位 在掌後三寸。兩筋間陷中。

解剖 有內橈骨筋。尺骨動脈。重要靜脈。正中神經。

主治 傷寒結胸。心懸如飢。卒狂。惡風寒。掌中熱。腋腫肘攣。心痛。中風。氣寒涎上昏危。瘖不得語。咽中如梗。霍亂乾嘔。婦人月水不調。血結成塊。

手術 針三分。灸五壯。

摘要 此穴爲手厥陰心包脈之所行爲經金。「百證賦」天鼎間使失音顳顬而休遲。。「靈光賦」水溝間使治邪顛。。「勝玉歌」王瘧寒多熱更多。。間使大杼眞妙穴。。「雜病穴法歌」人中間使去癲妖。。

六…關內

部位 在掌後去腕二寸。。兩筋間。。與外關相對。。

解剖 有尺骨動脉與靜脉。。及正中神經。。

主治 風熱。。失志心痛。。目赤。。支滿肘攣。。項强。。

手術 針二分。。灸三壯。。

摘要 此穴爲手厥陰心包脈之絡脉。別走少陽者。「雜病穴法歌」舌裂出血尋內關。。太冲陰交走上部。。「百證賦」建里內關。。掃盡胸中之苦悶。。「標幽賦」胸滿腹痛針內關。。「玉龍歌」腹中

七　大陵

部位　氣塊痛難當。穴法宜向內關防

在掌後骨下。橫紋中。兩筋間陷中。

解剖　占橈骨尺骨之間。有横腕靭帶。動脉與靜脉。

主治　熱病汗不出。手心熱。肘臂攣痛。腋腫。煩心。心懸若飢。心痛掌熱。目赤目黃。小便如血。喉痺口乾。身熱頭痛。氣短胸脇痛。

手術　針三分。灸三壯。

摘要　此穴為手厥陰心包絡脉所注為俞土。「勝玉歌」心熱口鼻大陵驅。「玉勝歌」口臭之疾最可憎。大陵穴內人中瀉。「千金」吐血嘔逆。灸五十壯

八…勞宮

部位 在掌中指端面之陷凹處。

解剖 此處有淺伸屈指筋。爲第三之掌骨部。及尺骨動脉之動脉弓。並手掌部之正中神經。

主治 中風善怒。悲笑不休。手痺。熱病。汗不出。脇痛。大小便血。氣逆。嘔噦煩渴。飲食不下。口瘡胸脇支滿。黃疸目黃。

手術 針二分。灸三壯。

摘要 此穴爲手厥陰心包絡脈所溜爲榮火。「百證賦」治疸消黃。諧後谿勞宮而看。「靈光賦」勞宮醫得身勞倦。「通玄賦」勞宮退胃翻心痛以何疑。「玉龍賦」勞宮穴在掌中尋。滿手生瘡痛不禁。。

九．中衝

部位 在手中指之端。。去爪甲如韮葉陷中。。

解剖 有指掌動脈。。及正中神經。。

主治 熱病煩滿。。汗不出。。掌中熱。。身如火。。心痛。。舌强。。

手術 針一分。。灸一壯。。

摘要 此穴爲手厥陰心包脉之所出爲井木。。「百證賦」廉泉中衝。。舌下腫疼堪取。。「神農經」治小兒夜啼多哭。。灸一壯如麥炷。。

手少陽三焦經 凡二十三穴共四十六穴

三焦手少陽之脉。。起於小指次指之端。。上出兩指之間。。循手表腕。。出臂外兩骨之間。上貫肘。循臑外上肩而交出足少陽之後。入缺盆。布膻中。散絡心包下膈。循屬三焦。其支者。從膻中。上出缺盆上項繫耳後直上。出耳上角以屈下頰至䪼。其支者從耳後入耳中出走耳前。過客主人前交頰。至目銳眥。是動則病耳聾。渾渾焞焞嗌腫喉痺。是主氣所生病者。汗出目銳眥痛。頰腫。耳後肩臑肘臂外皆痛。少指次指不用。爲此諸病盛則瀉之。虛則補之。熱則疾之。寒則留之。陷下則灸之。不盛不虛。以經取之。盛者人迎大一倍于寸口虛者人迎反小于寸口也

手少陽三焦經穴歌

二十三穴手少陽。關衝液門中渚旁。陽池外關支溝正。會宗三陽四瀆長。天井清冷淵消濼。臑會肩髎天髎堂。天牖翳風瘈脉青。顱息角孫絲竹張。禾髎耳門聽有常。

手少陽三焦經穴分寸歌

無名之外端關沖。液門小次指陷中。中渚液下去一寸陽池腕上之陷中。外關腕後方

二寸。腕後三寸開支溝。腕後三寸內會宗。空中有穴細心攻。腕後四寸三陽絡。四瀆肘前五寸着。天井肘外大骨後。骨罅中間一寸摸。肘後二寸淸冷淵。消濼對液臂外看。臑會肩前三寸中。有髎臑上陷中央。天髎缺盆陷處上。天牖天容之後存。翳風耳後尖角陷。瘈脈耳後靑脈現。顱顖亦在靑絡脉。角孫耳廓中間上。耳門耳前起肉中。禾髎耳前動脉張。欲知絲竹空何在。眉後陷中仔細量。

手少陽三焦經穴之解釋

一…關冲　部位　在無名指外側。去爪甲如韭葉。

解剖　有骨間動脉背動脉。尺骨神經之手背枝

主治　喉痺喉閉。舌捲口乾。頭痛霍亂。胸中氣噎。不嗜食。臂肘痛不可舉。目生翳膜。視物不明。

手術　鍼一分。。灸二壯。。

摘要　此穴爲手少陽脉所出爲井金。。「百證賦」啞門關冲。。舌緩不語而來醫。。「玉龍歌」三焦氣熱壅上焦。。口苦舌乾豈易調。。針此關冲出毒血。。口生津液病俱消。。

二…液門

部位　在手小指次指間。。陷者中。。

解剖　爲總指伸筋。。有骨間背動脉及骨神經之背枝。。

主治　驚悸妄言。。咽外腫。。寒厥。。手臂痛。。不能自上下。。瘧寒熱。。目赤。。頭痛。。耳聾。。齒齦痛。。

手術　針二分。。灸三壯。。

摘要　此穴爲手少陽脉所溜爲滎水。。「百證賦」喉痛兮。。液門魚際可療。「玉龍歌」手臂紅腫連腕疼。液門穴内用針明。「千金」耳聾不得眼。針入三分補之。

三 中渚

位部 在無名指本節後間陷中。

解剖 有總指伸筋腱。第四骨間背動脈。及尺骨神經手背枝。

主治 熱病汗不出。目眩頭痛。耳聾目生翳膜。久瘧咽腫肘臂痛手五指不得屈伸。

手術 針二分。灸三壯。

摘要 此穴爲手少陽脈所注爲俞木。「靈光賦」五指不伸取中渚。「通玄賦」脊間心後痛。針中渚而立痊。「席弘賦」久患傷寒肩背痛。但針中渚得其宜。「玉龍歌」手臂紅腫連腕痛。

液門穴内用針明。。

四⋯陽池

部位　在手表腕上陷中。。適當小指與無名指之間

解剖　在小指筋腱之内旁。。有後下膊皮下神經。。及尺骨神經。。

主治　消渴口乾。。煩悶寒熱瘧。。或因析傷手腕。。捉物不得。。肩臂痛不得舉。。

手術　針二分。。灸三壯。。

摘要　此穴爲手少陽脉。。所過爲原。。

五⋯外關

部位　在腕後二寸。。兩筋間陷中。。

解剖　有總指伸筋骨間動脉。。後下膊皮下神經。。橈骨神經。。

主治　耳聾。。五指盡痛。。不能握物。。手臂不得屈伸。。

手術 針三分。。灸三壯。。

摘要 此穴爲手少陽脉絡。。別走心主厥陰脉「雜病穴法歌」一切風寒暑濕邪。。頭疼發熱外關起。。

六：支溝

部位 在腕後三寸。。兩骨間陷中。。

解剖 有總指伸筋。。骨間動脉。。後下膊皮下神經及橈骨神經。。

主治 熱病汗不出。。肩臂痠重。。脇腋痛。。四肢不舉。。霍亂嘔吐。。口噤不開。。暴瘖不能言。。心悶不已。。卒心痛。。傷寒結胸。。瘡癬。。婦人妊脉不通。。產後血暈。。

手術 針二分。。灸五壯。。

摘要 此穴爲手少陽脉所行爲經火。。「勝玉歌」筋疼秘結支溝穴。。「雜病穴法歌」大便虛秘補支溝。。瀉足三里效可擬。。

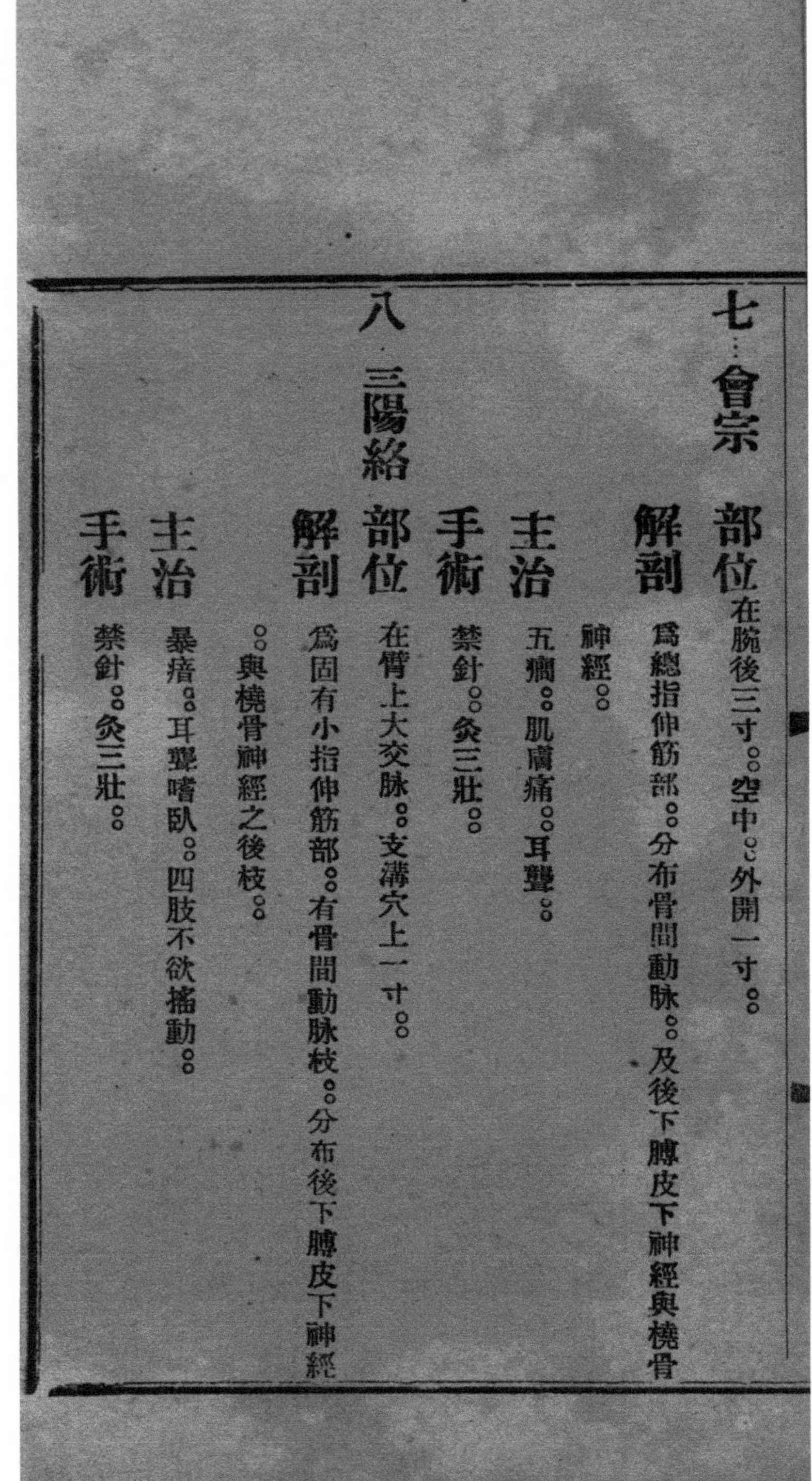

七　會宗

部位　在腕後三寸。。空中。。外開一寸。。

解剖　爲總指伸筋部。。分布骨間動脉。。及後下膊皮下神經與橈骨神經。。

主治　五癎。。肌膚痛。。耳聾。。

手術　禁針。。灸三壯。。

八　三陽絡

部位　在臂上大交脉。。支溝穴上一寸。。

解剖　爲固有小指伸筋部。。有骨間動脉枝。。分布後下膊皮下神經。。與橈骨神經之後枝。。

主治　暴瘖。。耳聾嗜臥。。四肢不欲搖動。。

手術　禁針。。灸三壯。。

九：回瀆

部位　在肘前五寸外廉陷中。。

解剖　有骨間動脉。。及後下膊皮下神經。。與橈骨神經之後枝。。

主治　暴氣耳聾。。下腦齲痛。。

手術　針三分。。灸三壯。。

十：天井

部位　在肘外大骨後肘上一寸。。輔骨上兩筋叉骨罅中。。

解剖　爲三頭膊筋腱之間。。有尺骨副動脈。。及橈骨神經枝。。

主治　心胸痛。。咳嗽上氣。。短氣不得語。。唾膿不嗜食。。寒熱不得臥。。癲疾五癇風痺。。耳聾嗌腫喉痺。。汗出。。目銳眥痛。。頰腫痛。。臑臂肘痛。。提物不得。。嗜臥。。振寒。。頸項痛。。脚氣上攻。。瘰癧。。

手術　針三分。灸三壯。

摘要　此穴爲手少陽三焦脉所入爲合土。「勝玉歌」瘰癧少海天井邊。

十一　清冷淵　部位　在肘上二寸。伸肘舉臂取之。

解剖　爲三頭膊筋部。有上膊骨。下尺骨副動脉。循行其間。分布橈骨神經後枝。及上膊皮下神經。

主治　肩臂痛。肘臑不能舉。眼痛。

手術　針二分。灸三壯。

摘要　「勝玉歌」眼痛須覔清冷淵。

十二　消濼　部位　在肩下臂外間。

解剖 爲三頭角筋部。有頸靜脉。及後廻旋上膊動脉分枝。亦布後膊皮下神經。

主治 風痺頸項强急腫痛。寒熱頸痛。癲疾

手術 針五分。灸三壯。

十三……臑會 部位 在肩頭下三寸。

解剖 爲三角筋部。中藏上膊骨。循行後迴旋上膊動脈及頸靜脉分布後膊皮下神經。與腋下神經。

主治 臂痠痛無力。肩腫。寒熱。瘰癧。

手術 針五分。灸五壯。

十四……肩髎 部位 在肩端臑上陷中。

解剖　有橫肩胛動脈。外膊皮下神經。鎖骨上神經

主治　臂痛。肩重。不能舉。

手術　針七分。灸三壯。

十五……天髎　部位　在肩缺盆陷中。肩井內一寸。後開八分。

解剖　有橫肩胛動脈。頸靜脈。肩胛背神經。

主治　胸中煩悶。肩臂痠痛。缺盆中痛。汗不出。頸項强急。寒熱。

手術　針五分。灸三壯。

摘要　此穴爲手足少陽陽維之會。

十六……天牖　部位　在頸大筋外。缺盆上。天容後。天柱前。完骨下。髮際上

。。上夾耳後一寸。。

解剖 有後耳靜脉。。後耳動脉。。及副神相。。並頸椎神經之上枝。。

主治 暴聾。。目不明。。耳不聰。。夜夢顛倒。。面靑黃。。頭風面腫。。項强不得囘顧。。目中痛。。

手術 針五分。。不宜深。。

七……翳風

部位 在耳後尖角陷中。。按之引耳中痛。。

解剖 此處爲耳下腺部。。有耳後動脉顏面神經之耳後枝。。

主治 耳鳴耳聾。。口眼喎斜。。口噤不開。。不能言。。牙車急痛。。

手術 針三分。。灸三壯。。

摘要 「百證賦」耳聾氣閉。。全憑聽會翳風。。

十八……瘈脉

部位 在耳本後雞足青絡脉中。

解剖 有顳顬筋耳後動脉。顏面神經之耳後枝。

主治 頭風耳鳴。小兒驚癇瘈瘲。嘔吐泄利。目睛不明。

手術 針一分出血如豆汁。禁灸。

十九……顱息

部位 耳後間青絡脉中。

解剖 有顳顬筋。耳後動脉。顏面神經之耳後枝。

主治 耳鳴痛。喘息。小兒嘔吐涎沫。瘈瘲癇。胸脇相引。身熱頭痛。不得臥。耳腫流膿汁。

手術 鍼一分。禁灸。

二十……角孫

部位 在耳廓中間上。髮際下。開口有空。

解剖 有顳顬骨與顳顬筋。。分布顳顬動脈後枝。。並耳顳顬神經

主治 目生翳。。齒齦痛腫。。唇吻燥。。頭項强。。

手術 針二分。。灸三壯。。

三……耳門

部位 在耳前起肉。。當耳缺處陷中。。

解剖 有咀嚼筋。。顳顬筋。。顳顬動脈。。顳顬神經。。

主治 耳鳴。。耳流濃汁。。耳生瘡。。重聽。。唇吻强。。牙痛。。

手術 針三分。。灸三壯。。

摘要 『百證賦』耳門絲竹空。。治牙痛於頃刻。。『席弘賦』但患傷寒兩耳聾。。耳門聽會疾如風。。『天星秘訣』耳鳴腰痛先五會。。次針耳門三里內。。

三……禾髎 部位 在耳前。髮尖下橫動脈中。

解剖 此處爲顳顬骨部。有顳顬筋。分布顳顬動脈。及顏面神經。

主治 頭重痛。牙車引急。頸頷腫。鼻準上腫。口噼瘈瘲。

手術 針三分。灸三壯。

摘要 此穴爲手足少陽手太陽三脈之會。

三……絲竹空 部位 在眉後陷中。

解剖 爲前頭骨之眉弓部。有前頭筋。分布顳顬動脈前枝。及顏面神經。

主治 頭痛目赤。目眩。視物䀮䀮。惡風寒。眼睫毛倒。發狂。

偏正頭痛。。牙痛。。

手術 鍼三分。。禁灸。。

摘要 「百證賦」耳門絲竹穴。。治牙疼於頃刻。。「勝玉歌」目內紅腫苦皺眉。。絲竹攢竹亦堪醫。。「通玄賦」絲竹療頭痛難忍。。

足少陽胆經 凡四十三穴共八十六穴

膽足少陽之脈。。起於目銳眥。。上抵頭角。。下耳後循頸。。行手少陽之前。。至肩上。。却交出手少陽之後。。入缺盆。。其支者從耳後入耳中。。出走耳前。。至目銳眥後。。其支者別銳眥下人迎合手少陽。。抵心頔下加頰車。。下頸合缺盆以下胸中貫膈。。絡肝屬胆。。循脇裏出氣街。。繞毛際橫入髀厭中。。其直者從缺盆下腋。。循胸過季脇。。下合髀厭中以下循髀陽。。出膝外廉下外輔骨之前。。直下抵絕骨之端。。下出外踝之前循足跗上。。入小指次指之間。。其支者別跗上。入大指之間。。循大指歧骨內。出其端還指甲出三毛是動則病口苦。。善太息。。心脇痛。。不能轉側。。甚則面有塵。。體無膏澤。。足外反熱。。是爲陽厥。。是主骨所生病者。。頭痛。。頷痛。。目銳眥。。缺盆中腫痛。。腋下腫。。馬刀俠瘦。。汗出振寒瘧。。胸脇肋髀膝外至脛絕骨外踝前。。及諸節皆痛。。小指次指不用。。爲此諸病盛則瀉之。。虛則補之。。熱則疾之。。寒留之。。陷下則灸之。。不盛不虛以經取之。。盛者人迎大一倍于寸口。。虛者人迎反小于寸口也。。

足少陽胆經穴歌

少陽足經童子髎。。四十四穴行迢迢聽會上關頷厭集。。懸顱懸厘曲鬢翹。。率谷天衝浮白次。。竅陰完骨本神邀。。陽白臨泣目窗闢。。正營承靈腦空搖。。風池有井淵液部輒筋日月京門標。。帶脉五樞維道續。。居髎環跳風市招。。中瀆陽關陽陵穴。。陽交外邱光明消。。陽輔懸鍾邱墟外。。足臨泣地五俠谿。。第四指端竅陰畢。。

足少陽胆經穴分寸歌

足少陽兮四十三。。頭上廿穴分三折。。起自瞳子至風池。。積數除之依次第。。瞳子髎近眥五分。。耳前陷中尋聽會。。客主人名上關同。。耳前起骨開口空。。頷厭懸顱之二穴。。腦空上廉曲角下。。懸釐之穴異於茲。。腦空下廉曲角上。。曲鬢耳上髮際隅。。率谷耳上寸半安。。天衝耳後入髮二。。浮白入髮一寸間。。竅陰即是枕骨穴。。完骨之上有空連。。完骨耳後入髮際。。量得四分須用記。。本神神庭旁三寸。。入髮一寸耳上係。。陽白眉上方一寸。。髮上五分臨泣用。。髮上一寸當陽穴。。髮上寸半目窗貢。。正營髮上二寸半。。承靈髮上四寸攤。。腦空髮上五寸半風池耳後髮陷中。。肩井肩上陷中求。。太骨之前一寸半。。淵液腋上方三寸。。輒筋期下五分判。。期門却是肝經穴。。相去巨闕四寸半。。日月期門下五分。。京門監骨下腰絆。。帶脉章門下寸八。。五樞章下四八貫。。維道章下五寸三。。居髎章下八寸三。。章門緣是肝經穴。。下脘之旁九寸舍。。環跳髀樞宛宛中。。屈上伸下取穴同。。風市垂手中指盡。。膝上五寸中瀆論。。陽關陽陵上三寸。。陽陵膝下寸從。。陽交外踝上七寸。。踝上六寸外丘用。。踝上五寸光明穴。。踝上四寸陽輔分。。踝上三寸懸鍾在。。坵墟踝前之陷中。。此去俠谿四寸五。。却是胆經原穴功臨泣俠谿後寸半。。地五會去谿一寸。。夾谿在指岐骨間。。竅陰四五二指端。。

足少陽胆經諸穴之解釋

一、瞳子髎 部位 在目外去眥五分。

解剖 為眼輪匝筋部。有顴骨及眼窠動脈。顏面神經。三叉神經。

主治 目痒翳膜。靑盲無見。遠視䀮䀮。赤痛淚出。頭痛。

手術 針三分。不宜灸。

二、聽會 部位 在耳珠微前陷中。

解剖 為耳下腺之上部。分布顳顬枝。內腭動脈。顏面神經。

主治 耳鳴耳聾。牙車脫臼齒痛。惡寒。中風。口喎斜。半身不遂。

手術 針三分。灸三壯。

摘要 「席弘賦」但患傷寒兩耳聾。。金門聽會疾如風。。「玉龍歌」耳聾腮腫聽會針。。「勝玉歌」耳閉聽會莫遲延。。

三…主客人

部位 在耳前起骨上廉。。開口有空。。

解剖 有內腭動脉顏面神經。。

主治 唇吻强。。上口眼偏邪。。青盲。。惡風寒。。口噤。。耳鳴耳聾。。瘈瘲沫出。。寒熱痓引骨痛。。

手術 針二分。。灸三壯。。

四…頷厭

部位 在耳前曲角。。顳顬上。。

解剖 是處有顳顬筋。。顳顬動脉。。顏面神經。。

主治 頭痛。。目眩耳鳴。。頸痛。。汗出。。

手術 鍼二分。。禁三灸。。

摘要 「百證賦」懸顱頷厭之中。。偏頭痛止。。

五：懸顱

部位 在耳前曲角上。。顳顬中。。

解剖 爲前頭骨之顳顬窩部。。有顳顬筋及顳顬動脈。。顳顬神經。。

主治 頭痛。。牙痛。。面膚赤腫。。熱病煩滿。。汗不出。。偏頭痛。。

手術 針三分。。灸三壯。。

摘要 「百證賦」懸顱頷厭之中。。偏頭痛止。。

六：懸釐

部位 在耳前曲角上。。顳顬下廉。。

解剖 有顳顬筋及顳顬動脈。。顳顬神經。。

主治 面皮赤腫。。偏頭痛。。煩心不欲食。。中焦熱。。熱痛汗不出。。

目銳眥赤痛。。

七．曲鬢

手術　針三分。。灸三壯。。

部位　在耳上髮際曲隅陷中。。鼓頷有空。。

解剖　有顳顬筋及神經。。

主治　頷頰腫。。引牙車不得開。。口噤不能言。。頸項不得回顧。。頭角痛。。

八．率谷

手術　灸三分。。灸三壯。。

部位　在耳上髮際寸半陷中。。嚼牙取之。。

解剖　有顳顬筋。。耳上掣筋。。耳後動脈。。

主治　頭重腦痛。。酒風皮膚腫。。胃寒。。飲食煩滿。。嘔吐不止。。

手術 針三分。灸三壯。

九、天衝

部位 在耳後入髮際二寸。

解剖 有耳上髻筋及耳後動脈。

主治 癲疾。風痙。牙齦腫。善恐頭痛。

手術 針三分。灸三壯。

摘要 「百證賦」反張悲哭仗天衝大橫須精。

十、浮白

部位 在耳後入髮際一寸。

解剖 有耳上髻筋及耳後動脈。

主治 耳聾。耳鳴。齒痛。胸滿。胸痛。頸項癭癰腫不能言。肩臂不舉。發熱。喉痺。咳逆痰沫。

十一　竅陰

手術　針三分。灸三壯

撮要　「百證賦」瘿氣須求浮白。

部位　完骨上枕骨下。動搖有空。

解剖　有耳後動脉及耳後神經。

主治　四肢轉筋。目痛。頭頸頷痛。耳鳴。手足煩熱。汗不出。舌强脇痛。咳逆。喉痺。

十二　完骨

手術　針三分。灸三壯。

部位　在耳後。入髮際四分。

解剖　有耳後動脉及神經。

主治　頭面腫。頸項痛。耳後痛。煩心。小便赤黄。喉痺齒痛。

口眼喎斜。。癲疾。。

手術　針二分。。灸三壯。。

十三…本神

部位　在曲差穴旁一寸五分。。

解剖　是處爲前頭骨部。。分布顳顬動脉。。及顳顬神經。。

主治　驚癇吐涎沫。。頸項强急痛。。目眩。。不得轉側。。偏風。。

手術　針三分。。灸五壯。。

十四…陽白

部位　在眉上一寸直對瞳子。。

解剖　是處爲前頭骨。。有前頭筋。。分布。。顳顬動脉。。及顏面神經。。

主治　瞳子癢痛。。目上視。。遠視䀮䀮。。背寒。。頭痛目昏。。重衣不得温。。

十五：臨泣

手術　針二分。。灸三壯。。

部位　在目上直入髮際五分陷中。。正睛取之。。

解剖　有前頭筋顳顬動脉。。顏面神經。。

主治　目眩。。目生白翳。。頭痛惡寒。。鼻基驚癇反視。。目外眥痛。。中風不識人。。流淚

手術　針三分。。禁灸

摘要　『百証賦』淚出剌臨泣頭維之處。。

十六：目窗

部位　在臨泣穴後一寸五分。。

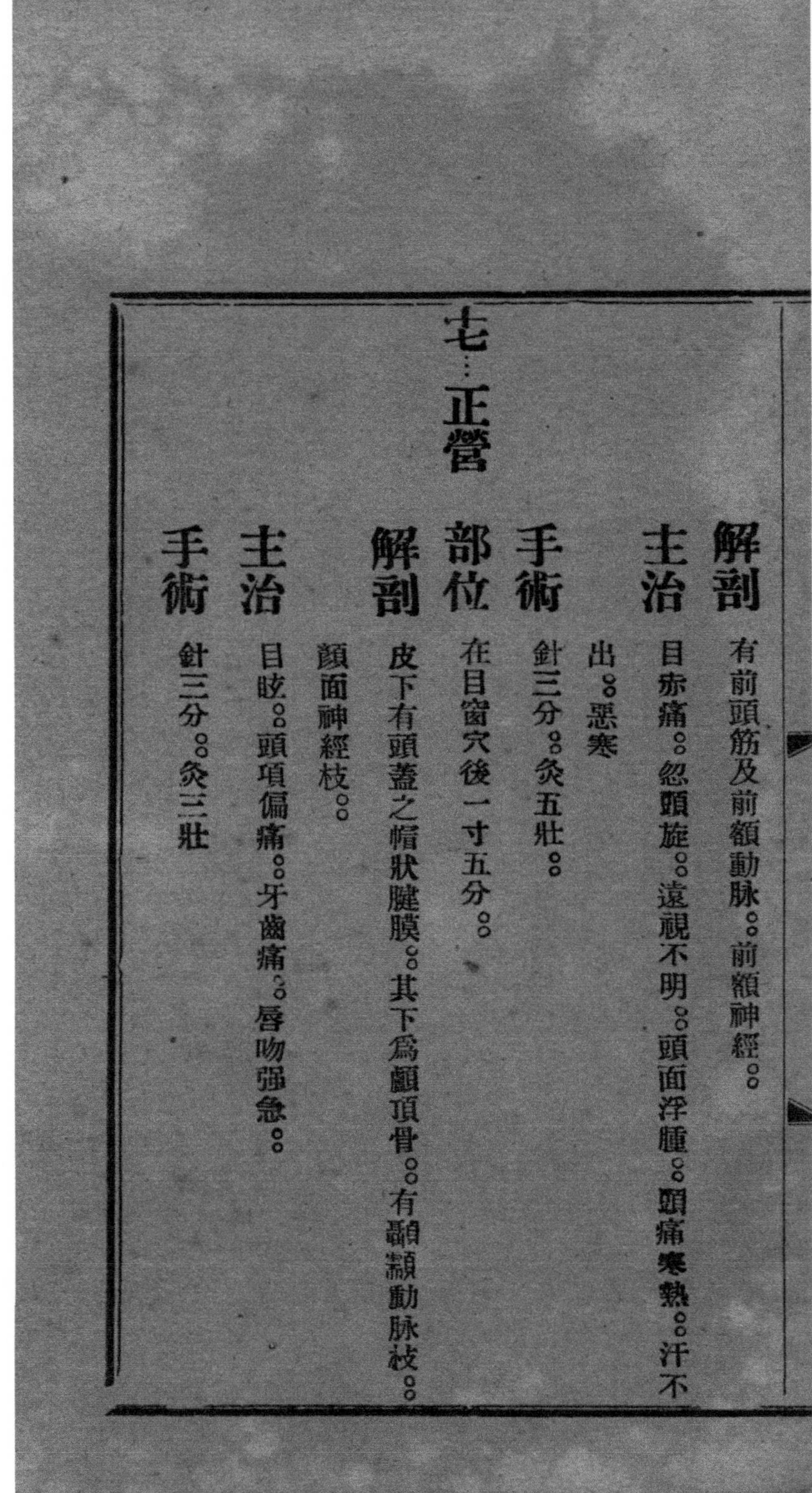

解剖 有前頭筋及前額動脉。。前額神經。。

主治 目赤痛。。忽頭旋。。遠視不明。。頭面浮腫。。頭痛寒熱。。汗不出。。惡寒

手術 針三分。。灸五壯。。

七…正營

部位 在目窗穴後一寸五分。。

解剖 皮下有頭蓋之帽狀腱膜。。其下爲顱頂骨。。有顳顬動脉枝。。顏面神經枝。。

主治 目眩。。頭項偏痛。。牙齒痛。。唇吻强急。。

手術 針三分。。灸三壯

十八：承靈

部位　在正營穴後一寸五分。

解剖　爲後頭骨部。有後頭筋。分布後頭動脉及後頭神經。

主治　腦風頭痛。惡風寒。鼻塞不通。

手術　禁鍼。灸三壯。

十九：腦空

部位　在承靈穴後一寸五分。夾玉枕穴。骨下陷中。

解剖　當後頭骨外後頭結節之下面。卽僧帽筋附着之上部。是處有後頭筋。後頭動脉及神經。

主治　勞瘵身熱。頸項強。腦風頭重痛不可忍。目瞑心悸。鼻痛。

手術　針四分。灸三壯。

二十 風池

部位 在耳後顳顬。腦空穴下。髮際陷中。

解剖 當後頭骨下部之陷凹處。僧帽筋之外側。有後頭神經與動脈。

主治 傷寒溫病。惡寒。汗不出。目眩。偏正頭痛。痎瘧。目眥赤痛。氣發耳塞。目不明。腰背俱痛。引筋無力不收。中風。氣塞涎上不語。

手術 針三分。灸三壯。

摘要 「捷徑」治溫病煩滿汗不出「席弘賦」風府風池尋得到。傷寒百病一時消。頭風頭痛灸風池。

二一 肩井

部位 在肩上陷中。缺盆上。大骨前一寸半。

解剖 有横頸動脉。外頸靜脉。及上肩胛骨神經。

主治 中風氣塞。涎上不語。氣逆。頭項痛。五癆七傷。臂痛。兩手不得向頭。婦人難產墮胎後手足厥冷。

手術 鍼四分。灸三壯。孕婦禁針

摘要 「百證賦」肩井乳癰而極效。「通玄賦」肩井除兩臂難任。「席弘賦」若針肩井須三里。不刺之時氣未調。

三 淵腋

部位 在腋下三寸宛宛中。舉臂取之。

解剖 有肋間筋。肩胛下神經及肋間神經。

主治 寒熱馬刀瘍。胸滿無力。臂不能舉。

手術 針三分。禁灸。

三三 輒筋

部位　在脅下三寸。。前行向乳房一寸。。

解剖　適當第三肋間。。有大胸筋。。小胸筋。。深部有内外肋間筋。。分布長胸動脉。。及側胸皮神經及長胸神經。。

主治　胸中暴滿不得臥。。太息善悲。。小腹熱。。多吐。。言語不正四肢不收。。

手術　針六分。。灸三壯。。

三四 日月

部位　在期門穴下五分。。

解剖　當附着第八肋骨下部之一寸許。。介於直腹筋與外斜腹筋之間。。有上腹動脉及肋間神經。。

主治　太息善唾。。小腹熱。。言語不正。。四肢不收。。

手術　針七分。灸五壯。

摘要　此穴爲胆之募穴。

二五　京門

部位　在監骨腰中季脅夾脊。

解剖　爲外斜腹筋端部。分布上腹動脉。及長胸神經。

主治　腸鳴。小腹痛。肩背寒痓。腰痛。不得俯仰。寒熱腹脹。水道不利。溺黄。少腹急腫。

手術　針三分。灸三壯。

摘要　此穴爲腎之募穴

二六　帶脉

部位　在季肋下一寸八分陷中。

解剖　爲外斜腹筋部。有上腹動脉。長胸神經。及肋間神經枝。

二七 五樞

主治 腰腹縱。婦人小腹痛。裏急後重。月事不調。瘈瘲。赤白帶下

手術 針六分。灸七壯。

部位 在帶脉下三寸。水道傍一寸五分。

解剖 有下腹動。長胸神經。肋間神經枝。

主治 痃癖。小腸膀胱氣攻兩脇。小腹痛。腰腿痛。婦人赤白帶下。

手術 針五分。灸五壯。

摘要 「玉龍歌」肩背風氣連臂疼。背縫二穴用針明。五樞亦治腰間痛。得穴方知病頓輕。

二八……維道

部位　在章門穴下五寸三分。。

解剖　有內外斜腹筋。。及下腹動脉。。

主治　水腫。。嘔逆不止。。三焦不調。。不嗜食。。

手術　針八分。。灸三壯。。

二九……居髎

部位　在章門穴下八寸三分。。監骨上陷中。。

解剖　有內外斜腹筋。。及下腹動脉。。

主治　腰引小腹痛。。肩引胸臂攣急。。手臂不得舉。。

手術　針三分。。灸三壯。。

摘要　「玉龍歌」環跳能治腿股風。。居髎二穴認眞攻。。

三十……環跳

部位　在髀樞中。。側臥。。伸下足。。屈上足取之。。

解剖 在臂股部。有大臂筋。上臂神經。

主治 風濕痛不仁。風癧遍身。半身不遂。腰痛。膝不得屈伸。

手術 針一寸。灸十壯。

摘要 「百証賦」後谿環跳。腿疼刺而即輕。「玉龍歌」環跳能除腿腫風。「標幽賦」懸鍾環跳。華陀針躄足而能行。「席弘賦」冷風冷痺疾難愈。環跳腰俞用針燒。『天星秘訣』冷風濕痺針何處。先取環跳次陽陵。「勝玉歌」腿股轉捘難移步。妙穴說與後人知。環跳風市及陰市。瀉却金針病自除。『雜病穴法歌』腰痛環跳委中求。

三一……風市

部位 在膝上外廉兩。筋間。以手着腿。中指盡處是也。

解剖 有外大股筋。上膝關節動脉。及前股皮下神經。

主治 中風腿膝無力。脚氣。渾身搔痒麻痺厲風症。

手術　針五分。灸五壯。

摘要　「雜病穴法歌」腰連脚痛怎生醫。環跳風市與行間。「勝玉歌」腿股轉痠難移步。妙穴說與後人知。環跳風市及陰市。瀉却金針病自除。

三二·中瀆

部位　在髀骨外膝上五寸。分肉間陷中。

解剖　爲外大股筋部。分布股動股分枝。及坐骨神經

主治　寒氣客於分肉間。攻痛上下。痺筋不仁。

手術　鍼五分。灸三壯。

三三·陽關

部位　在陽陵泉穴上三寸。即膝蓋之旁。兩筋之間盡處。

解剖　爲外大股筋部。分布外關節動脉。及股神經之分枝。

主治 風痺不仁。。膝痛不可屈伸。。

手術 針五分。。禁灸。。

三四…陽陵泉部位

在膝下一寸。。外廉陷中。。尖骨間。。

解剖 當脛骨之外側。。爲長腓筋部。。分布膝關節動脈。。及淺腓骨神經。。

主治 膝伸不得屈。。髀樞膝骨冷痺。。脚氣膝股內外廉不仁。。偏風半身不遂。。脚冷無血色。。頭面腫。。足筋攣。。

手術 針六分。。灸七壯。。

摘要 此穴爲足少陽所入爲合土。。「百證賦」半身不遂。。陽陵遠達於曲池。。「玉龍歌」膝蓋紅腫鶴膝風。。陵陽二穴亦攻可。。

『雜病穴法歌』脇痛只須陽陵泉。。「天星秘訣」冷風濕痺針何處。。先取環跳次陽陵。。『馬丹陽十二訣』膝腫幷麻木。。冷痺及偏風。。舉足不能起。。坐臥似衰翁。。針入六分止。。神功妙不同。。「席弘賦」最是陽陵泉一穴。。膝間疼痛用針燒。。

三五：陽交

部位　在足外踝上七寸。。斜屬三陽分肉之間。。

解剖　爲長總趾伸筋部。。有前脛骨動脉。。深腓骨神經。。

主治　胸滿腫膝痛。。足不仁。。寒厥驚狂。。喉痺面腫。。

手術　針六分。。灸三壯。。

三六：外邱

部位　在外踝上七寸。。陽交後隔一筋。。

解剖　有長腓筋。。前脛骨動脉。。淺腓骨神經。。

主治 胸脹滿。膚痛。痿痺。頸項痛。惡風寒。發寒熱。

手術 針三分。灸三壯。

三七…光明

部位 在外踝上五寸。

解剖 爲長總趾伸筋部。有前腓骨動脈。及深腓骨神經。

主治 熱病汗不出。卒狂。虛則痿痺偏細。坐不能起。補之。實則足胻熱膝痛。身體不仁瀉之。

手術 針六分。灸七壯。

摘要 此穴爲足少陽絡別走厥陰。「標幽賦」眼痒眼疼。瀉光明與地五。「席弘賦」晴明治眼未效時。合谷光明不可缺。

三八…陽輔

部位 在足外踝上四寸。輔骨前絕骨端三分。

解剖 為長總趾伸筋部。。分布前腓骨動脈及深腓骨神經。。

主治 膝下浮腫。。筋攣。。百筋痠痛。。腋下腫。。風痺不仁。。厥逆。。口苦太息。。心脇痛。。頭角頷痛。。目銳眥痛。。缺盆中腫痛。。膝外至絕骨外踝前痛。。

手術 針三分。。灸三壯。。

摘要 此穴為足少陽胆脈所行為經火。。

三九…懸鍾

部位 在足外踝上三寸動脈中。。

解剖 為短腓筋部。。分布前腓骨動脈及淺腓骨神經。。

主治 心腹脹滿。。胃中熱。。不嗜食。。脚氣。。膝痛。。筋骨攣痛。。足不收。。逆氣。。虛勞寒損。。心中咳痛。。頸項强。。鼻衄腦疽。。

大小便秘。鼻乾。煩滿。中風手足不遂。

手術 鍼六分。灸五壯。

摘要 「席弘賦」脚氣膝腫針三里。懸鍾二陵三陰交。「標幽賦」環跳懸鍾。華陀鍼躄足而立行。「天星秘訣」足緩難行先絕骨。次針條口及衝陽。「雜病穴法歌」兩足難行先懸鍾。條口復針能步履。「勝玉歌」踝跟骨痛灸崑崙。更有絕骨共丘墟。

四十：丘墟

部位 在足外踝下。微前陷中。去足臨泣穴三寸。

解剖 當長總趾伸筋腱之後部。有前外踝動脉及淺腓骨神經。

主治 胸脇滿痛。不得息。久瘧振寒。腋下腫。痿厥。坐不能起。髀樞中痛。目生翳膜。轉筋足脛偏細。小腹堅卒疝。腿痠。

手術 針五分。灸三壯。

摘要 此穴為足少陽所過為原穴。「百證賦」腳弱兮。金門丘墟來醫。「勝玉歌」踝骨跟痛灸崑崙。更有絕骨共丘墟。

四一 臨泣

部位 在足小指次趾本節後陷中。去俠谿穴一寸五分。

解剖 為長總趾伸筋腱部。在等四蹠前骨之前面。分布蹠前骨動脈。及中足背皮神經。

主治 胸中氣滿。目眩心痛。缺盆中及腋下馬刀瘍。厥逆。氣喘不能行。婦人月事不利。季脇支滿乳癰。

手術 針二分。灸三壯。

摘要 此穴爲足少陽脉所注爲俞木。「雜病穴法歌」赤眼迎香出血奇。臨泣太衝合谷侶「玉龍歌」小腹脹滿氣攻心。內庭二穴要先針。兩足有水臨泣瀉。

地五會

部位 在趾小趾次趾本節後陷中。去俠谿穴一寸。

解剖 當第四趾之第一趾骨後面。爲長總趾伸筋腱部。分布骨間背動脉。中足背皮神經。

主治 腋痛。內損唾血。足外無膏澤。乳癰。

手術 針一分。禁灸。

摘要 「天星秘訣」耳內蟬鳴先五會。次針耳門三里內。「標幽賦」眼癢眼疼針光明於地五。「席弘賦」耳內蟬鳴腰欲折。

膝下明存三里穴。。後將補瀉五會間。。

四三：俠谿

部位 在足小趾次趾本節前。。岐骨間陷中。。

解剖 當第四趾之第一趾骨後面。。分布趾背動脈。。及趾背神經。。

主治 胸脇支滿。。傷寒。。熱病汗不出。。目外眥赤。。目眩。。頰頷腫。。耳聾。。胸中痛。。

手術 針三分。。灸三壯。。

摘要 此穴爲足少陽脉所流爲榮木「百証賦」陽谷俠谿。。頷腫口噤並治。。

四四：竅陰

部位 在足小趾次趾端外側。。去爪甲如韭葉。。

解剖 當長總趾伸筋腱之外側。。分布趾背動脈及趾背神經。。

主治 脇痛。咳逆不得息。手足煩熱。汗不出。轉筋。癰疽。頭痛。心煩。喉痺。舌强口乾。肘不能舉。卒聾。目痛。

手術 針一分。灸三壯。

摘要 此穴爲足少陽脈所出爲井金。

足厥陰肝經 凡一十三穴共二十六穴

肝足厥陰之脈。起於大指叢毛之際。上循足跗上廉。去內踝一寸。下踝八寸。交出太陰之後。上膕內廉。循股陰入毛中。過陰器。抵小腹挾胃。屬肝絡胆。上貫膈。布脇肋。循喉嚨之後。上入頏顙。連目系。上出額與督脈會於巔。其支者從目系下頰裏環唇內。其支者腹從肝別貫膈。上注肺。是動則病腰痛。不可以俛仰。丈夫㿉疝。婦人小腹腫。甚則嗌乾面塵脫色。是肝所生病者。胸滿嘔逆。飧泄狐疝遺溺閉癃。爲此諸病。盛則瀉之。虛則補之。熱則疾之。寒則留之。陷下則灸之。不盛不虛。以經取之。盛者寸口大一倍於人迎。虛者反小於人迎也。

足厥陰肝經穴歌

一十三穴足厥陰。大敦行間太衝侵。中封蠡溝中都近。膝關曲泉陰包臨。五里陰廉陽矢穴章門常對期門深。

足厥陰肝經穴分寸歌

足大指端名大敦。行間大指縫中存。太衝本節後二寸。踝前一寸號中封。蠡溝踝上五寸是。中都踝上七寸中。膝關犢鼻下二寸。曲泉曲膝盡横紋。陰包膝上方四寸。氣衝三寸下五里。陰廉衝下有二寸。陽矢衝下一寸許。氣衝却是胃經穴。鼠鼷之上一寸主。鼠鼷横骨端盡處。相去中行四寸止。章門下脘旁九寸。肘尖盡處側臥取。期門又在巨闕旁。四寸五分無差矣。

足厥陰肝經穴之解釋

一…大敦

部位 在足大趾端之三毛中。

解剖 有長大趾伸筋。分布趾背神經。及淺腓骨神經。

主治 五淋。卒疝。小便頻數不禁。陰頭中痛。汗出。陰偏大。腹臍中痛。腹脹腫。小腹痛。婦人血崩不止。陰挺出。陰中痛。

手術 針一分。灸三壯。

摘要 此穴爲足厥陰脉之所出爲井木。「百證賦」大敦照海患寒疝而善觸。「席弘賦」大便秘結大敦燒。「玉龍歌」七般疝氣取大敦。「通玄賦」大敦能除七疝之偏墜。「天星秘訣」小腸氣痛先長强。後刺大敦不用忙。「雜病穴法歌」七疝大敦與太冲。「勝玉歌」灸罷大敦除疝氣。

二一：行間

部位 在足大趾次趾合縫後五分。動脈應手陷中。

解剖 適當長總趾伸筋腱之外側。有趾背動脈。及淺在腓骨神經。

主治 嘔逆。遺溺癃閉消渴嗜飲。善怒。四肢滿轉筋。胸脇痛。小腹腫。嘔血。小腸氣。心肝痛。口喎。癲疾。短氣。四肢逆冷。嗌乾煩渴。瞑不欲視。淚出。寒疝。中風。痎瘧。婦人小腹腫。經血過多。小兒急驚風。

手術 針三分。灸三壯。

摘要 此穴爲足厥陰肝脉所溜爲榮火。「百證賦」雀目汗氣。睛明行間而細推。『勝玉歌』行間可治膝腫病。「通玄賦」行間治膝腫目疾。。『雜病穴法歌』脚勝諸痛倚行間。。

三 太衝

部位 在大趾本節後二寸。。內間動脉。。應手陷中。。

解剖 在第一蹠骨之部當前脛骨筋附着之處。。分布淺在腓骨神經

主治 心痛。。肩腫。。虛勞浮腫。。腰引小腹痛。。溏泄遺溺。。陰痛。。面目蒼色。。胸脇支滿。。足寒。。大便難。。便血。。小便淋。。小腸疝氣。。氣痛。。小便不利。。嘔血。。嘔逆。。發寒嗌乾善渴。。肘腫內踝前痛。。腋下馬刀瘍瘻唇腫。。女子漏下不止。。小兒卒疝。。

手術 針三分。。灸三壯。。

摘要 此穴爲足厥陰肝脉所注爲俞土。。『標幽賦』心脹咽痛。。針太

衝而必除。「席弘賦」手連肩脊痛難忍。合谷針時要太衝。「通玄賦」行步難移。太冲最奇。「肘後歌」股膝腫起瀉太衝「勝玉歌」若人行步苦艱難。中封太冲針便痊。

四：中封

部位 在足內踝前一寸半。屈足見踝前下面有陷凹處便是。

解剖 爲前脛骨筋部。分布內顆動脈。及大薔薇神經。

主治 痎瘧。振寒。小腹腫痛。五淋。小便不利。足厥冷。身黃有微熱。不嗜食。身體不仁。寒疝。腰痛。痿厥。筋攣。失精。陰縮入腹相引痛。

手術 針四分。灸三壯。

摘要 此穴爲足厥陰肝脉所行爲經金。「勝玉歌」若人行步苦艱難

○中封太冲針便痓○

五…蠡溝

部位 在足内踝上五寸○

解剖 爲脛骨之内側○有比目魚筋○分布脛骨動脉○及脛骨神經○

主治 疝痛○小腹脹滿暴痛○癃閉○恐悸○背拘急不可俯仰○小便不利○臍下積氣如石○足脛寒痠○女子赤白帶下○月水不調○

手術 針二分○灸三壯○

摘要 此穴爲足厥陰絡○別走少陽者○

六…中都

部位 在足内踝上七寸○當胻骨中○與少陰相直○

解剖 有比目魚筋○脛骨動脉○脛骨動經○

主治　腸癖瘖疝。小腹痛。不能行立。脛寒。婦人崩中。產後惡露不絕。

七：膝關

手術　針三分。灸五壯。

部位　在胃經穴犢鼻下二寸。旁者陷中。

解剖　爲腓腸筋部。分布內下膝關節動脈。及脛骨神經。

主治　風痺膝內廉痛。引髕不可屈伸。咽喉中痛。寒濕走注歷節風痛。

八：曲泉

手術　針分四分。灸五壯。

部位　在膝內輔骨下。大筋上小筋下陷中。屈膝橫紋頭取之。

解剖　有膝關節動脈。腓骨神經。半膜狀筋。

主治 㿉疝。陰股痛。小便難。腹脇肢滿閉癃。四肢不舉。實則身熱目痛。汗不出。目睆睆。膝關痛。筋攣不可屈伸。小腹痛引咽喉。房勞失精。身體極痛。泄水下痢膿血。陰腫陰莖痛。

手術 針三分。灸三壯。

摘要 此穴爲足厥陰肝脉所入爲合水。『肘後歌』風痺痿厥如何治。大杼曲泉眞是妙。『席弘賦』男子七疝小腹痛。照海陰交曲泉針。

九 陰包

部位 在膝上四寸。股內廉兩筋間。

解剖 爲內大股筋部。有外迴旋股動。及股神經。

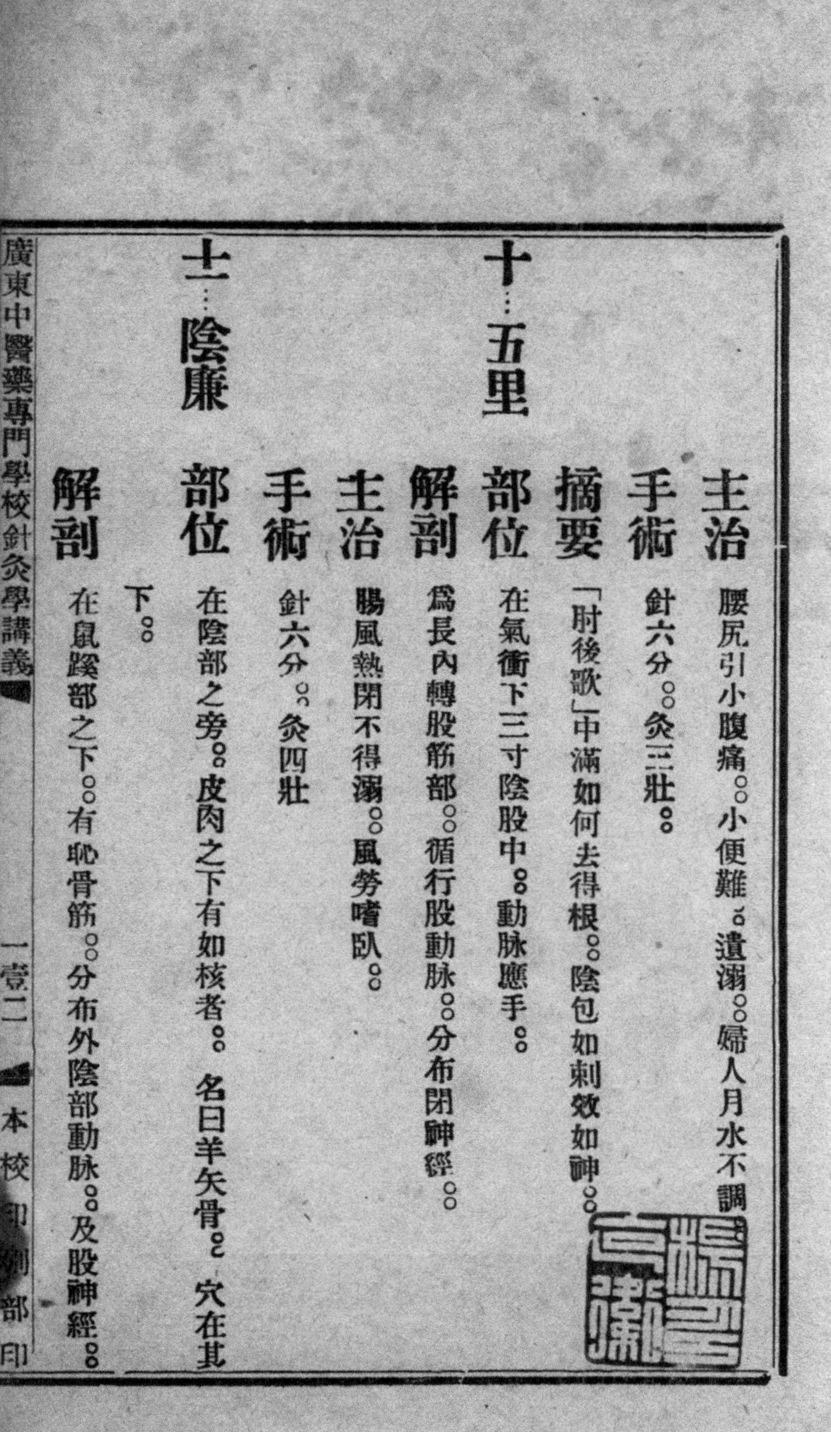

主治 腰尻引小腹痛。小便難。遺溺。婦人月水不調

手術 針六分。灸三壯。

摘要 「肘後歌」中滿如何去得根。陰包如刺效如神。

十、五里

部位 在氣衝下三寸陰股中。動脉應手。

解剖 爲長內轉股筋部。循行股動脉。分布閉神經。

主治 腸風熱閉不得溺。風勞嗜臥。

手術 針六分。灸四壯

十一、陰廉

部位 在陰部之旁。皮肉之下有如核者。名曰羊矢骨。穴在其下。

解剖 在鼠蹊部之下。有恥骨筋。分布外陰部動脉。及股神經。

十二 章門

主治 婦人不孕。若未經生產者。灸三壯即有子。

手術 針四分。灸三壯。

部位 在季肋之端。去臍上二寸。橫開八寸。

解剖 爲內外斜腹筋部。即胃府之外側。貫通上腹動脉。有第八至第十二肋間之神經枝。

主治 腸鳴食不化。脇痛不得臥。煩熱口乾。胸脇痛。喘息。心痛。嘔吐。腰痛。肩臂不舉。身黃瘦弱。洩瀉。四肢懈惰善恐少氣厥逆。

手術 針四分。灸四壯。

摘要 此穴爲脾之募穴。足少陽厥陰之會也。「百證賦」胸脇支滿何療。章門不用細尋。

十三　期門

部位　在不容穴旁一寸五寸五分。乳下第二肋端。

解別　有內外斜腹筋。循行上腹動脉。及第八至十二肋紳經。

主治　胸中煩熱。目青而嘔。霍亂。腹堅硬大。喘不得坐臥。脇下積氣。傷寒心切痛。喜嘔酸。飲食不下。食後吐水。胸脇痛支滿。血結胸滿。面赤火燥。口乾消渴。胸痛。傷寒過經不解。熱入室血。

手術　針四分。灸五壯。

摘要　「百證賦」項强傷寒。温溜期門而主之。「天星秘訣」傷寒過經不出汗。期門通里先後灸。

奇經八脉之一任脉凡二十四穴

任脉起於少腹之內。胞室之下。出會陰之分。上毛際。循臍中央。至膻中。上喉嚨。。繞唇。。終於唇下之承漿穴。。與督脈交。。

任脈經穴歌

任脈廿四起會陰。。曲骨中極關元鋭。。石門氣海陰交仍。。神闕水分下脘配。。建里中上脘相連。。巨闕鳩尾蔽骨下。。中庭膻中慕玉堂。。紫宮華蓋璇璣夜。。天突結喉是廉泉。。唇下宛宛承漿合。。

任脈經穴分寸歌

任脈會陰兩陰間。。曲骨毛際陷中安。。中極臍下四寸取。。關元臍下三寸連。。臍下二寸爲石門。。臍下寸半氣海全。。臍下一寸陰交穴。。臍之中央即神闕。。臍上一寸爲水分。。臍上二寸下下脘列。。臍上三寸名建里。。臍上四寸中脘許。。臍上五寸上脘在。。巨闕臍上六寸五。。鳩尾蔽骨下五分。。中庭膻下寸六取。。膻中却在兩乳間。。膻上寸六玉堂主。。膻上紫宮三寸二。。膻上華蓋四八舉。。膻上璇璣五寸八。。璣上一寸天突起。。天突喉下約四寸。。廉泉頷下骨尖已。。承漿頤前唇稜下。。任脈中央行腹裏。。

任脉經穴之解釋

一……會陰　部位　在兩陰之間

解剖　有海綿體球筋及其他諸筋。以是成中隔部。分布外痔動脉。及內陰部神經

主治　陰汗。陰中諸病。前後相引痛。不得小大便。久痔相通。男子陰寒衝心。女子經水不通。

手術　灸三壯。禁針。惟卒死溺死可針一寸

二……曲骨　部位　横骨上。中極下一寸毛際。

解剖　爲恥骨軟骨之縫合部。分布外陰部動脉。及腸骨下腹神

經。

主治 失精五藏虛弱。小腹腫滿。小便淋澁。小腹痛。婦人赤白帶下。

手術 針六分至一寸。灸五壯。

三……中極

部位 在臍下四寸。

解剖 即膀胱所在之處。有下腹動脈。及腸骨下腹神經。

主治 冷氣積聚。心腹中熱。臍下積塊。陰汗。水腫。小便頻數。失精。五淋。產後惡露不行。胎衣不下。月事不調。血結成塊。子門腫痛不端。陰養而熱。陰痛。

手術 針八分。灸五壯。

四……關元　部位　在石門下一寸

解剖　有下腹動脉。。下腹神經。。

主治　積冷諸虚百損。。臍下絞痛。。冷氣入腹。。夜夢遺精。。白濁五淋。。小便赤。。經水不通。。不姙。。姙娠下血。。產後惡露不止。。血冷。。月經斷絕。。

手術　針八分灸三壯。。

摘要　「席弘賦」小便不禁關元妙。。「玉龍歌」腎氣冲心得幾時。。若得關元并帶脉。。

五……石門　部位　在氣海下半寸

解剖　有下腹動脉與神經。。

主治　腹脹堅實。。水腫支滿。。氣淋。。小便黃赤不利。。小腹痛。。洩瀉不止。。身寒熱。。咳逆上氣。。嘔血。。產後惡露不止。。崩中漏下血淋。。

手術　針六分。。灸三壯。。

六……氣海

部位　陰交下半寸。。

解剖　有小腸動脉。。交感神經叢枝。。

主治　下焦虛冷。。上衝心腹。。嘔吐不止。。陽虛不足。。驚恐不臥。。陽脫欲死。。四肢厥冷。。白濁。。婦人赤白帶下。。月事不調。。小兒遺尿

手術　針一寸灸十壯。。

七……陰交

摘要 「席弘賦」氣海專能治五淋。更針三里隨呼吸。「百證賦」針三陰於氣海。專司白濁從遺精。「靈光賦」氣海血海療五淋。「勝玉歌」諸般氣症從何治。氣海針之灸亦宜。

部位 在臍下一寸。

解剖 有小腸動脉與神經。

主治 不得小便。疝痛。婦人月事不調。崩中帶下。產後惡露不止。繞臍冷痛。

手術 針八分。灸五壯。

摘要 「席弘賦」若是七疝小腹痛。照海陰交曲泉針。「標幽賦」陰交陽別而定血暈。「百證賦」中邪霍亂。尋陰三里之程。

八……神闕

部位　在正臍中。

解剖　當臍中央。中有小腸。

主治　陰證傷寒。中風不省人事。腹中虚冷。陽憊。腸鳴洩瀉不止。水腫鼓脹。小兒乳痢不止。腹大。風癇角弓反張。脱肛。婦人血冷不受胎。

手術　灸七壯。禁針。

九……水分

位部　在臍上一寸。下脘下一寸。

解剖　有上腹動脉。肋間神經。

主治　水病腹堅。黄腫如鼓。衝胸不得息。繞臍痛。腸鳴洩瀉。小便不通。

手術 此穴宜灸不宜針。。

摘要 「百證賦」陰陵水分去水腫之臍盈「天星秘訣」肚腹浮腫脹膨膨。。先灸水分瀉建里「靈光賦」水腫水分灸即安。。

十……下脘

部位 在建里下一寸。。

解剖 有上腹動脈。。肋間神經。。

主治 臍上厥氣堅痛。。腹脹滿。。寒水不化。。虛腫癖塊連臍。。瘦弱少食。。翻胃。。小便赤。。

手術 針八分。。灸五壯。。

摘要 「靈光賦」中脘下脘治腹堅「百證賦」腹內腸鳴下脘陷谷能平。。

十一……建里　部位　在中脘下一寸。

解剖　有腹上动脉。肋间神经。

主治　腹胀身肿。心痛上气。腹鸣嘔逆。

手術　針五分。灸六壯。

摘要　「百證賦」建里内關掃盡胸中之痛苦。

十二……中脘　部位　在上脘下一寸

解剖　中藏胃腑。有上腹動脈。肋間神經。

主治　心下脹滿。傷飽食不化翻胃不食。心脾煩熱。積聚痰飲。面黄。傷寒飲水過多。腹脹氣喘。温瘧。霍亂吐瀉。寒熱不已。

手術　針八分。灸七壯。

摘要　『靈光賦』中脘下脘治腹堅。

十三……上脘

部位　在巨闕下一寸。臍上五寸。

解剖　有上腹動脈。與肋間神經。

主治　心中煩熱。痛不可忍。腹中雷鳴。飲食不化。霍亂翻胃。嘔吐。多涎。黃疸。嘔血。身熱汗不出。

手術　針八分。灸五壯。

摘要　「百證賦」發狂奔走。上脘同起於神門。「勝玉歌」心痛脾痛上脘先。

十四……巨闕

部位　去鳩尾一寸。

解剖　有上腹動脉與神經。

主治　上氣咳逆。胸滿氣短。發狂。黄疸。煩悶心痛。吐痢不止。

手術　針六分。灸七壯。

摘要　「百証賦」膈痛飲蓄難禁。膻中巨闕便針。

十五……鳩尾

部位　在岐骨下一寸。

解剖　胸骨劍狀突起端。有上腹動脉。肋間神經。

主治　心驚悸神氣耗散。癲癇狂病。

十六……中庭

手術　針三分。灸三壯。

部位　在膻中下一寸六分。

解剖　有內乳動脉之分枝。肋間神經。

治主　胸脇支滿。吐逆。食入還出。

手術　針三分。灸三壯。

十七……膻中

部位　在玉堂下一寸六分。

解剖　有內乳動脉之分枝。肋間神經。

主治　上氣短氣。痰喘哮嗽。喉鳴氣喘。

手術　禁深針。灸七壯。

摘要 「勝玉歌」膻中七壯除膈熱。。

部位 在紫宮下一寸六分。。

解剖 有內乳動脉。。肋間神經。。

主治 胸膺滿痛。。心煩咳逆。。上氣喘急。。不得息。。嘔吸寒痰。。

手術 針三分。。灸五壯。。

摘要 「百證賦」煩心嘔吐。。幽門閉徹玉堂明。。

十八……玉堂

部位 在華蓋上一寸六分。。

解剖 有內乳動脉。。肋間神經。。

主治 胸脅支滿膺痛。。喉痺咽壅。。水漿不入。。咳逆上氣。。吐血煩

十九……紫宮

心。。

手術　針三分。。灸五壯。。

二十……華盖

部位　在璇璣下一寸六分。。

解剖　有内乳動脉。。肋間神經。。

主治　咳逆喘急上氣。。哮嗽喉痺。。胸脇滿痛。。水飲不下。。

手術　針三分。。灸五壯。。

摘要　「百證賦」脇肋疼痛。。氣戸華蓋有靈。。

二一……璇璣

部位　在天突下一寸。。

解剖　有内乳動脉。。肋間神經。。

主治 胸脇滿。。咳逆上氣。。喘不能言喉痺咽腫。。水飲不下。。

手術 針三分。。灸五壯。。

摘要 「席弘賦」胃中有積刺璇璣。。三里功多人不知「雜病穴法歌」內傷食積針三里。。璇璣相應塊亦消。。

三……天突

部位 在結喉下二寸。。

解剖 有上甲狀腺動脉。。下喉頭神經。。

主治 上氣哮喘。。咳嗽喉痺。。不得食。。

手術 針五分。。灸二壯。。

三……廉泉

部位 在頷之下。。結喉之上。。

解剖　爲甲狀軟骨部。內有甲狀腺。甲狀腺動脉。上喉頭神經。

主治　咳嗽。喘息上氣。吐沫。舌下腫。舌根急縮。

手術　針三分。灸三壯。

摘要　「百證賦」廉泉中衝。舌下腫痛可取。

二四……承漿

部位　在下唇下之陷凹中。

解剖　爲下顎骨部。分布頤上掣筋。口冠狀動脉。顔面神經。三叉神經。

主治　偏風半身不遂。口眼喎斜。口禁不開。暴瘖不能言。

手術　針三分。灸七壯。

摘要 「百證賦」承漿瀉牙痛而即愈。「通玄賦」頭項强承漿可保。

奇經八脉之二督脉 凡二十七八穴

督脉起於小腹骨中央。入繫廷孔而絡陰器。合篡于後別繞臀。與巨陽絡少陰。上股貫脊屬腎上同太陽起目內眥。上額交巔絡腦間。下項循肩仍挾脊。抵腰絡腎。循男莖。下篡亦與女子類。又從小腹貫臍中。貫心入喉頤及肩。上繫目下中央際也。

督脉經穴歌

督脉中行二十七。長强腰俞陽關密。命門懸樞接脊中。筋縮至陽靈臺逸。神道身柱陶道長。大椎平肩二十一。啞門風府腦戶深。强間後頂百會率。前頂顖會上星圓。神庭素髎水溝窟。兌端開口唇中央。齗交唇內任督畢。

一……**長强** **部位** 在肛門之上。

解剖 有大臀筋。。下臂動脈尾閭骨神經。。

主治 腰脊强急。。不可俯仰。。狂病大小便難。。腸風下血。。失精嘔血。。痔疾。。

手術 針二分。。灸二十壯。。

摘要 「玉龍歌」長强承山灸痔最妙。。

二一……腰兪

部位 在二十一椎之下

解剖 大臀筋之起始部。。有下臀動脈薦骨神經。。

手術 針三分。。灸五壯。。

摘要 『百證賦』冷風冷痺疾難愈。。環跳腰兪燒針尾。。

二一……陽關

部位 在第十六椎下。。

解剖　爲第四腰椎部。有下臀動脈。薦骨神經枝。

主治　膝痛不可屈伸。風痺不仁。筋攣。

手術　針五分。灸六壯。

四……命門

部位　在第十四椎下。

解剖　當第二腰椎部。有肋間動脈。脊椎神經。

主治　腎虛腰痛。赤白帶下。洩精。耳鳴。身熱。頭眩。

手術　針三分。灸四壯

五……懸樞

部位　在第十三椎之下。

解剖　爲第一腰椎部。有脊椎神經。

主治　腰脊強。。不得屈伸。。腹中積氣。。水穀不化。。瀉痢不止。。

手術　針三分。。灸三壯。。

六……脊中

部位　在第十一椎下。。

解剖　當第一胸椎之部。。有胸背動脈。。肩胛下神經。。

主治　腹滿不食。。痢下赤白。。

手術　針三分。。灸三壯。。

七……筋縮

部位　在第九椎下。。

解剖　爲第九胸椎部。。有胸背動脈。。肩胛下神經。。

主治　驚狂。。脊强風癎。。目下視。。

手術　針五分。灸三壯。

八……至陽

部位　在第七椎下。

解剖　爲第七胸椎之部。有胸背動脉。肩胛下神經。

主治　腰脊强痛。胃中寒。不食少氣。難言胸脇支滿。四肢腫痛。

手術　針五分。灸三壯。

摘要　「百證賦」黄疸至陽便能離。

九……靈台

位部　在第六椎下。

解剖　爲第六胸椎之部。有胸背動脉。肩胛下神經。

主治　風冷久嗽。。氣喘。。

手術　針三分。。灸三壯。。

十……神道

部位　在第五椎之下。。

解剖　爲第五胸椎部。。僧帽筋之起始部。。有横頸動脉之下行枝。。肩胛背神經。。

主治　傷寒頭痛。。寒熱往來。。痎瘧悲愁。。

手術　灸五壯。。不宜針。。

十一……身柱

部位　在第三椎之下。。

解剖　爲第三胸椎之部。。有横頸脉動之下行枝。。肩胛背神經。。

主治 腰背痛癲狂。。身熱。。妄見妄言。。

十二……陶道

部位 在第二椎下。。

解剖 爲第二胸椎部。。有横頸動脉。。肩胛背神經。。

主治 瘧寒熱。。汗不出。。頭重目瞑。。

手術 針五分。。灸五壯。。

摘要 「百證賦」歲熱時行陶道。。復求肺俞理。。

十三……大椎

部位 在第一椎上之陷中。。

解剖 適當第七頸椎與第一胸椎之間。。有横頸動脉。。及肩胛背神經。。

主治　痎瘧久不愈。。肺脹脇滿。。嘔吐上氣。。項頸强痛。。

十四……瘂門

手術　針分五。。灸三壯。。

部位　入髮際五分。。

解剖　有横頸動脉。。肩胛背神經。。

主治　頸項强急不語。。諸陽熱盛。。頭痛。。汗不出。。寒熱風痓。。中風。。

手術　針二分。。禁灸。。

摘要　「百證賦」瘂門關冲。。舌緩不語而要緊。。

十五……風府

部位　在項部入髮際一寸。。

解剖　有後頭筋。後頭動脉。大後頭神經。

主治　中風。半身不遂。傷風頭痛。項急不得回顧。咽痛。

摘要　「席弘賦」風府風池尋得到。傷寒百病一時消。「肘後歌」腿脚有疾風府尋。

十六……腦戶

部位　在枕骨下强間後一寸五分。

解剖　爲後頭結節之下部。

摘要　此穴禁針灸。

十七……强間

部位　在後頂後一寸五分。

解剖　爲後頭顱頂之縫合部。

十八……後頂

主治　頭痛項强。煩心。嘔吐。狂走。

手術　針弍分。禁灸。

部位　在百會後一寸半。

解剖　此處爲顱頂骨部。有帽狀腱膜。顳顬動脉後枝。後頭神經。

主治　頸項强急。額顱上痛。偏頭痛。惡風目不明。

手術　針三分。禁灸。

手術　針二分。灸五壯。

十九……百會

部位　當頭正中。

解剖　有帽狀膊膜。顳顬動胍後枝。後頭神經。

主治 頭風頭痛。耳聾鼻塞。中風不語。口噤不開。半身不遂。角弓反張。

手術 針二分。灸六壯。

摘要 「靈光賦」百會龜尾治痢疾。

二十……前頂

部位 在顱顖後一寸五分。

解剖 有顳顬動脈後枝。及前額神經。

主治 頭風目眩。面赤腫。頸項腫痛。

手術 針二分。灸五壯。

摘要 「百證賦」面腫虛浮。須仗水溝前頂。

二……顖會

部位　在上星後一寸。

解剖　爲前頭骨顱頂骨之縫合部。

主治　腦虛冷痛。頭風腫痛。鼻塞。

手術　針二分。灸五壯。

摘要　「百證賦」顖會玉枕頭風療以金針。

三……上星

部位　在鼻之直上入髮際一寸。

解剖　爲前頭骨部。有前頭筋。前頭神經。三叉神經之第一枝。

主治　頭風頭痛。頭皮腫。面虛。惡寒。汗不出。鼻塞。不能遠視。

手術　針三分。不宜多灸。

摘要　「玉龍歌」頭風鼻淵上星可用。

二三……神庭

部位　入髮際半寸。

解剖　有前頭筋。前頭神經。三叉神經。

主治　發狂　登高妄走。角弓反張。頭風鼻淵。流涕不止。頭痛目淚。

手術　禁針。灸三壯。

摘要　「玉龍賦」神庭理乎頭風。

二四……素髎

部位　鼻端準頭。

二五……水溝

解剖　在鼻軟骨之尖端。有外鼻神經。分岐口角動脈。

主治　鼻中瘜肉不消。喘息不利。多涕。

手術　禁灸。針一分。

摘要　霍亂病宜刺之。

部位　鼻下溝之正中。

解剖　上顎骨部。有口輪匝筋。鼻中隔動脈。下眼窠神經。

主治　中風口噤。牙關不開。卒中惡邪。不省人中。口眼喎斜。風水面腫。

手術　針三分。禁灸。

摘要 「百證賦」面腫虛浮。須仗水溝前頂「靈光賦」水溝間使治邪癲。

二六……兌端

部位 在上脣之端。

解剖 爲口輪匝筋部。循行上脣冠狀動脈。

主治 齒齦痛。口噤。口瘡。

手術 針三分。

二七……齦交

部位 在內上齒縫中。

解剖 有口冠狀動脈。三叉顏面神經。

主治 面赤心煩痛。頸額中痛。頭項強。牙疳腫痛。小兒面瘡。

久癃不除。

手術

針三分。

摘要

鼻痔必取齦交。「百證賦」

奇經八脉之三衝脉　凡二十二穴

衝脉者與任脉皆起於胞中。上循脊裡。爲經絡之海。其浮於外者。循腹上行。會於咽喉。別而絡唇口。故曰衝脉皆起氣衝。並足少陰之經。俠臍上行。至胸中而散。其爲病也。令人逆氣而裡急。穴名如左。

一……幽門　見足少陰經　弍……通谷　見足少陰經

三……陰都　見足少陰經　四……石關　見足少陰經

五……商曲　見足少陰經　六……肓俞　見足少陰經

七……中注　見足少陰經　八……四滿　見足少陰經
九……氣穴　見足少陰經　十……大赫　見足少陰經
十一…橫骨　見足少陰經

奇經八脈之四帶脈　凡六穴

帶脈者。。起於季脇。。迴身一週。。其爲病也。。腹滿如坐水中。。其脈氣所發。。正名帶脈。。以其迴身一週如帶也。。又與足少陽會於帶脈。。凡六穴如左。。

一……帶脈　見足少陰經　二……五樞　見足少陰經
三……維道　見足少陰經

奇經八脈之五陽蹻脈　凡二十穴

陽蹻脉者。。起於跟中。。循踝上行。。入風池。。其爲病也。。令人陰緩而陽急。。兩足蹻脉本太陽之別。。合於太陽。。其氣上行。。所發之穴生於申脉。。本於僕參。。郄於少陽。。與足少陽會於居 。。又與手陽明會於肩髃。。與手太陽陽維會於臑俞。。與足太陽會於地倉。。凡弍十穴如左。。

一……申脉　見足太陽經　二……僕參　見足太陽經

三……跗陽　見足太陽經　四……居髎　見足少陽經

九……肩髃　見手太陽經　六……巨骨　見手太陽經

七……臑俞　見手太陽經　八……地倉　見足陽明經

九……巨膠　見足陽明經　十……承泣　見足陽明經

奇經八脉之六陰蹻脉　凡四穴

陰蹻脉者。亦起於跟中。循內踝上行。至咽喉。交貫衝脉。其爲病也。令人陽緩而陰急。故曰蹻脉者少陰之別。起於然谷之後。上內踝之上。直上陰。循陰股入陰。上胸循裏。入缺盆。上出人迎之前。入鼻屬目內眥。合於太陽。而陰蹻之郄在交信。凡四穴如左。

一……照海　見足少陰經　二……交信　見足少陰經

奇經八脉之七陽維脉　凡三十二穴

陽維脉者。維於陽。其脉起於諸陽之會。與陰維皆維絡於身。若陽不能維於陽。則不能自收持其脉氣所發。別於金門。郄於陽交。與手太陽及陽蹻脉會於臑俞。又與手少陽會於臑俞。又與手足少陽會於天髎又與手足少陽足陽明會於肩井。其在頭也。與足少陽。會於陽白。上於本神。及臨泣。目窗。上至正營。承靈。循於腦空。

下至風池。日月其與督脉會。則在風府及啞門。其爲病也。爲寒熱。凡三十二穴如左。

一……金門　見足太陽經　弍……陽交　見足少陽經
三……臑俞　見手太陽經　四……天髎　見手少陽經
五……肩井　見足少陽經　六……陽白　見足少陽經
七……本神　見足少陽經　八……泣臨　見足少陽經
九……月窗　見足少陽經　十……正營　見足少陽經
十一……承靈　見足少陽經　十二……腦空　見足少陽經
十三……風池　見足少陽經　十四……日月　見足少陽經
十五……風府　見督脉經　十六……啞門　見督脉經

奇經八脉之八陰維脉　凡十四穴

陰維脉者。。維於陰。。其脉起諸陰之交。。其脉氣所發。。陰維之脉名曰築賓。。與足大陰為於腹。哀大横。。又與足太陰厥陰會於府舍。。期門。。與任脉會於天突廉泉。。其為病也。。會心痛凡十四穴如左。。

一……築賓　見足少陰經　二……腹哀　見足太陰經
三……大横　見足太陰經　四……府舍　見足太陰經
五……期門　見足厥陰經　六……天突　見足任脉
七……廉泉　見任脉

十五絡脉

十五脉絡歌

人身脉絡一十五。。我今逐一從頭舉。。手太陰絡爲列缺。。手少陰絡卽通里。。手厥陰絡爲內關。手太陽絡支正是。手陽明絡偏歷當。手少陽絡爲外關。足太陽絡號飛揚。足陽明絡豐隆記。足少陽絡爲光明。足太陰絡公孫寄。足少陰絡名大鍾。足厥陰絡蠡溝配。陽督之絡號長强。陰任之絡爲屏翳。脾之大絡爲大包。十五絡名君須記。

十五絡脉穴辯

十五絡脉者。十二經之別絡。而相通焉者也。其餘三絡。爲任督二脈之絡。脾之大絡。總統陰陽諸絡。灌漑於臟腑者也。難經謂三絡爲陽蹻陰蹻二絡。常考之無空可指。且二蹻亦非十四經之正也。鍼灸節要以爲任絡曰屏翳。督絡曰長强。誠得十四經發揮之正理。加以脾之大絡曰大包。此合十五絡也。

十五絡脉之考正

手太陰之別絡名曰列缺。起於腕上分間。並太陰之經。直入掌中。散入魚際。其病實則於銳掌熱。瀉之。虛法則欠。小便遺數。補之。去腕半寸。別走陽明也。

手少陰之別絡名曰通里。去腕一寸。別走太陽。循經入於心中。繫舌本。屬目系。實則支膈。瀉之。虛則不能言。補之。

手厥陰之別絡名曰內關。去掌二寸。兩筋間。別走少陽。循經上繫於心包絡心系。實則心痛。瀉之。虛則項強。補之。

手太陽之別絡名曰支正。上腕五寸。別走少陰。其別者。上走肘絡肩髃。實則節弛肘廢。瀉之。虛則生疣。小者如指痂疥。補之。

手陽明之別絡。名曰偏歷。去腕三寸。別走太陰。其別者上循臂乘肩髃。上曲頰偏齒。其別者入耳合於宗泒。實則齲聾。瀉之。虛則齒寒痺痛。補之。

手少陽之別絡。名曰外關。去腕二寸。外繞臂注胸中。別走手厥陰。實則肘攣瀉之。虛則不收。補之。

足太陽之別絡。。名曰飛揚。。去踝七寸。。別走少陰。。實則鼽窒頭背痛。。瀉之。。虛則鼽衄。。補之。。

足少陽之別絡。。名曰光明。。去踝五寸。。別走厥陰。。下絡足跗。。實則厥。。瀉之。。虛則痿躄。。坐不能起。。補之。。

足陽明之別絡。。名曰豐隆。。去踝八寸。。別走太陰。。其別者循脛骨外廉。。上絡頭項。。合諸經之氣。。下絡喉嗌。。其病氣逆。。則喉痺卒瘖。。實則癲狂。。瀉之。。虛則足不收脛枯。。補之。。

足太陰之別絡。。名曰公孫。。去本節之後一寸。。別走陽明。。其別者入絡腸胃。。厥氣上逆則霍亂。。實則腸中切痛。。瀉之。。虛則鼓脹。。補之。。

足少陰之別絡。。名曰大鍾。。當踝後繞跟。。別走太陽。。其別者並經上走於心包。。下外貫腰脊。。其病逆煩悶。。實則閉癃。。瀉之。。虛則腹痛。。補之。。

足厥陰之別絡。名曰蠡溝。去内踝五寸。別走少陽。其別者循脛上睾。結於莖。其病氣逆。則睾腫卒疝。實則挺長。瀉之。虛則發癢。補之。

任脉之別絡。名曰幷翳。下鳩尾。散於腹。實則腹皮痛。瀉之。虛則癢搔。補之。

督脉之別絡。名曰長強。俠膂上項。散頭上下。當肩胛左右。別走任脉。入貫膂。實則脊強。瀉之。虛則頭重高搖。補之。

脾之大絡。名曰大包。出淵液下三寸。布胸脇。實則身盡痛。瀉之。虛則百節盡縱。補之。

凡此十五絡者。實則必見。虛則必下。視之不見。求之上下。人經不同。絡脉異所別也。

五臟六腑井滎俞原經合解

肺出於少商。少商者。手大指端內側也。爲井木。流於魚際。魚際者。手魚也榮。注於太淵。太淵魚後一寸陷者中也爲俞。行於經渠。經渠寸口中也動而不居爲經。入於尺澤。尺澤肘中之動脈也爲合。手太陰經也。

心出於中衝。中衝手中指之端也。爲井木。流于勞宮。勞宮掌中。中指本節之內間也。爲榮。注于大陵。大陵掌後兩骨之間。方下者也。爲俞。行于間使。間使之道兩筋之間。三寸之中也。有過則至。爲過則止爲經。入于曲澤。曲澤肘內廉下陷者之中也。屈而得之爲合。手少陰也。肝出于大敦。大敦者。足大指之端。及三毛之中也爲井木。流行於間。行間足大指間也爲榮。注於太衝。行間上二寸陷者之中也爲俞。行於中封。中封內踝之前一寸半陷者之中。使逆則宛。使和則通。搖足而得之爲經。入于曲泉。曲泉輔骨之下。大筋之上也。屈膝而得之爲合。足厥陰也。

脾出于隱白。隱白者。足大指之端內側也。爲井水。流于大都。大都本節之後。下陷者之中也。爲榮。注于太白。太白腕骨之下也。爲俞。行于商邱。商邱內踝之下。陷者之中也。爲經。入于陰之陵泉。陰之陵泉。輔骨之下。陷者之中也。伸而得之爲合。足火陰也。

腎出于湧泉。湧泉者足心也。爲井木。流于然谷。然谷然骨之下者也爲榮。注于太谿。太谿內踝之後。跟骨之上。陷中者也爲俞。行于復溜。復溜上內踝二寸。動而不休爲經。入于陰谷。陰谷輔骨之後。大筋之下。小筋之上也。按之應手。屈膝而得之爲合。足少陰經也。

膀胱出于至陰。至陰者。足小趾之端也爲井金。流于通谷。通谷本節之前外側也爲榮。注于束骨。束骨本節之後。陷者中也。爲俞。過于京骨。京骨足外側大骨之下爲原。行于崑崙。崑崙在外踝之後。跟骨之上爲經。入于委中。委中膕中央爲合。委而取之。足太陽也。

膽出于竅陰。竅陰者。足小指次指之端也。爲井金。流于俠谿。俠谿足小指次指之間也爲滎。注于臨泣。臨泣上行一寸半。陷者中也爲俞。過于邱虛。邱虛外踝之前下陷者中也爲原。行于陽輔。陽輔外踝之上。輔骨之前。及絕骨之端也爲經。入于陽之陵泉。陽之陵泉。在膝外陷者中也爲合。伸而得之。足少陽也。

胃出于厲兌。厲兌者。足大指內次指之端也爲井金。流于內庭。內庭次指外間也爲滎。注于陷谷。陷谷者。上中指內間上行二寸。陷者中也爲俞。過于衝陽。衝陽足跗上五寸。陷者中也。爲原。搖足而得之。行于解谿。解谿上衝陽一寸半。陷者中也。爲經。入于三里。三里膝下三寸。胻骨外三里也爲合。復下三里三寸。爲巨虛上廉。復下上廉三寸爲巨虛下廉也。大腸屬上。小腸屬下。足陽明胃脉也。大腸小腸皆屬于胃。是足陽明也。

三焦者。上合手少陽出于關衝。關衝者。手小指次指之端也爲井金。流于液門。液門小指次指之間也爲榮。注于中渚。中渚本節之後。陷者中也爲俞過于陽池。陽池在腕上陷者之中也。爲原。行于支溝。支溝上腕三寸。兩骨之間。陷者中也爲經。入于天井。天井在肘外大骨之上。陷者中也。爲合。屈肘乃得之。三焦下俞在于足大指之前。少陽之後。出于膕中外廉。名曰委陽。是太陽絡也。手少陽經也。三焦者足少陽太陰之所將太陽之別也。上踝五寸。別入貫　腸。出于委陽。並太陽之正。入絡膀胱。約下焦。實則閉癃。虛則遺溺。遺溺則補之。閉癃則瀉之。

手太陽小腸者。上合手太陽。出于少澤。少澤小指之端也。爲井金流于前谷。前谷在手外廉本節前陷者中也爲滎。。注於後谿。。後谿者在手外側。。本節之後也爲俞。。過於腕骨。。腕骨在手外側腕骨之前爲原。。行於陽谷。。陽谷在銳骨之下。。陷者中也。。爲經。。入於小海。。小海在肘內大骨之外。。去端半寸。。陷者中也。。伸臂而得之爲合。。手太陽經也。。大腸上合手陽明。。出於商陽。。商陽大指次指之端也。。爲井金。。流於本節之前二間爲滎。。注於本節之後三間爲俞。。過於合谷。。合谷在大指岐骨之間爲原。。行於陽谿。。陽谿在兩筋間陷者中也。。爲經。。入於曲池。。在肘外輔骨陷者中。。屈臂而得之。。爲合手陽明也。。

五臟六腑井滎俞原經合總圖

〇肺　〇心　〇肝　〇脾　〇腎　〇心包絡　少商　少衝　大敦　隱白　湧泉　中衝　所出　魚際　少府　行間　大都　然谷　勞宮所流　太淵　神門　太衝　太白

太谿　太陵所注　經渠　靈道　中封　商邱　復溜　間使所過　尺澤　少海　曲泉　陰陵泉　陰谷　曲澤所入　〇大腸　〇小腸　〇胆　〇胃　〇膀胱　〇三焦　商陽　少澤　竅陰　厲兌　至陰　關衝所出　二間　前谷　俠谿　內庭　通谷　液門所流　三間　後谿　臨泣　陷谷　束骨　中渚所注　合谷　腕骨　邱虛　衝陽　京骨　陽池所過　陽谿　陽谷　陽輔　解谿　崑崙　支溝　曲池　小海　陽陵泉　三里　委中　天井所入

經外奇穴

頭　部

前神聽

部位　去前項五分〇〇

主治　中風〇〇風癎〇〇

手術　灸三壯〇〇

後神聰
部位　去百會一寸。
主治　中風。風癇。
手術　灸四壯。

髮際
部位　平眉上三寸。
主治　頭風眩暈。
手術　灸三壯。

陽維
部位　在耳後筋上。
主治　耳風聾雷鳴。
手術　灸八壯。

当阳

部位　當目瞳子直入髮際一寸。

主治　風眩不識人。鼻塞。

手術　針二分。灸三壯。

太阳

部位　在兩額角眉後青絡處。

主治　偏頭風症。

手術　微刺出血。

明堂

部位　在鼻直上入髮際一寸。

主治　頭風鼻塞。多涕。

手術　針二分。

面部

印堂 部位 在兩眉中間。。
主治 小兒急慢驚風。。
手術 急驚徵刺。。慢驚灸三壯。。

海泉 部位 在舌下中央脉上。。
主治 消渴。。
手術 微刺出血。。

金津 部位 在舌上左傍紫脉上。。
主治 消渴。。口瘡。。舌腫。。喉痺。。

手術　微制出血。。

玉液　部位　在舌上右傍紫脉上。。

主治　消渴。。口瘡。。舌腫。。喉痺。。

手術　微刺出血。。

唇裏　部位　當承漿邊逼齒齦。。

主治　黃疸症。。

手術　微刺。。

夾承漿　部位　夾承漿兩邊各一寸。。

主治　急疫症。。

鸞口

手術　微刺。。

部位　在口吻兩傍鸞口處赤白肉際

主治　狂瘋鬼語。。

魚腰

手術　灸八壯。。

部位　在兩眉中。。一名印堂。。

主治　眼疾。。

手術　針入三分。。

魚尾

部位　在目背外顛。。

主治　目疾。。

手術　針出血。

鼻準

部位　在鼻柱尖。

主治　鼻上酒[illegible]。

手術　針出血。

耳尖

部位　在耳尖捲耳取之。

主治　目生白膜。

手術　針不宜深。灸止六壯。

聚泉

部位　以舌出口外使直。有縫陷中是。

主治　哮喘咳嗽久不愈。

手術　灸三壯。。

頸項部

機關　部位　在耳下八分近前。。

主治　中風口噤不開。。

手術　灸五壯。。

百勞　部位　入後髮際。。各離風府一寸。。

主治　瘰癧。。

手術　灸五壯。。

膺部

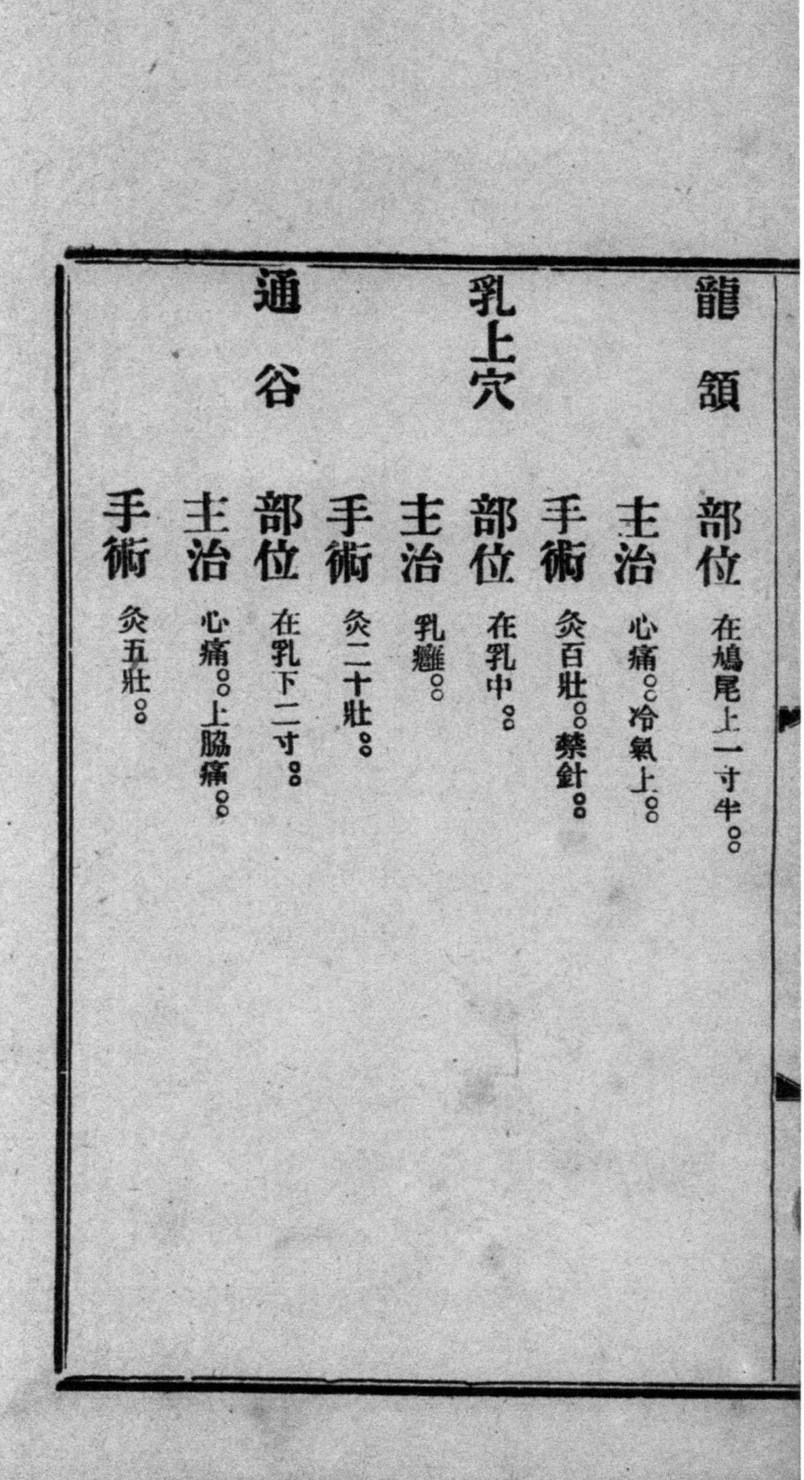

龍頷　部位　在鳩尾上一寸半。。
主治　心痛。。冷氣上。。
手術　灸百壯。。禁針。。

乳上穴　部位　在乳中。。
主治　乳癰。。
手術　灸二十壯。。

通谷　部位　在乳下二寸。。
主治　心痛。。上脇痛。。
手術　灸五壯。。

腋下穴　部位　在腋下聚毛下附肋宛宛中。
　　　　主治　中氣閉塞。
　　　　手術　灸五壯。

旁廷　部位　在腋下四肋間。高下正與乳相當。
　　　主治　胸脇滿。
　　　手術　針五分。灸六壯。

乳下　部位　正居乳下一寸。
　　　主治　胃脘痛。
　　　手術　灸十壯。

腹部

長谷　部位　在夾臍相去五寸
主治　下痢。。不嗜食。。
手術　灸五壯。。

腸遺　部位　夾中極旁相去二寸半。。
主治　大便難。。
手術　灸六壯。。

身交　部位　在少腹下横紋中。。
主治　大小便不通。。

通關　手術　灸七壯。

部位　在中脘旁各五分。

主治　噎症。

手術　針三分。

子宮　部位　在中極兩旁各五。

主治　尿閉。

手術　針三分。

背部

魂舍　部位　在俠臍兩旁相去一寸。

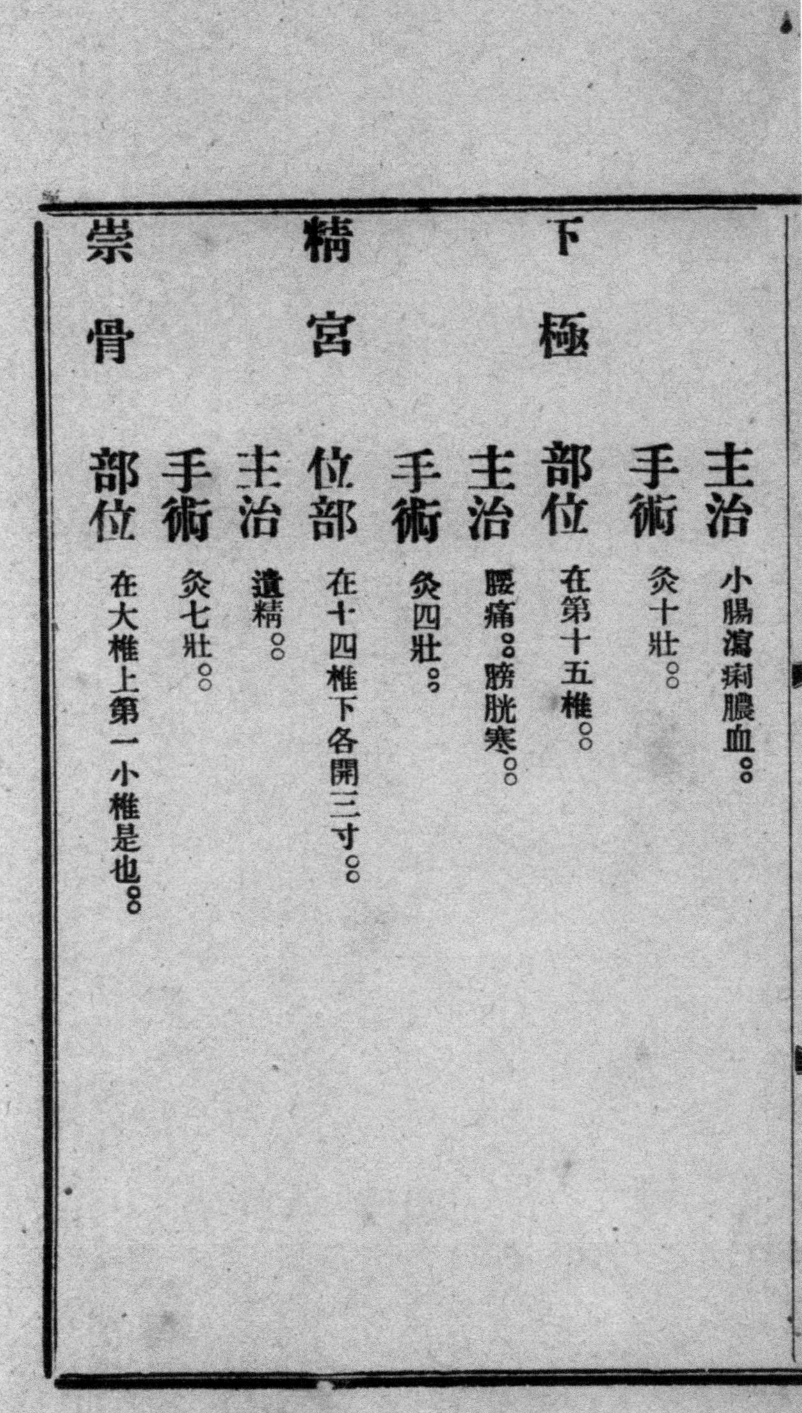

主治 小腸瀉痢膿血。。

手術 灸十壯。。

下極

部位 在第十五椎。。

主治 腰痛。。膀胱寒。。

手術 灸四壯。。

精宮

部位 在十四椎下各開三寸。。

主治 遺精。。

手術 灸七壯。。

崇骨

部位 在大椎上第一小椎是也。。

主治　手不能舉。。
手術　灸五壯。。
肩柱　部位　在肩端起骨尖。。
主治　瘰癧。。
手術　灸七壯。。

手部

大骨　部位　在大指第二節前尖。。
主治　久痛及吐瀉。。
手術　灸七壯。。

拳尖

部位　在中指本節前骨尖上。

主治　風眼翳膜。痛患。

手術　灸三壯。

五虎

部位　在十指背間本節前尖骨上。

主治　手指拘攣。

手術　各灸一壯。

中泉

部位　在手腕外間。陽池陽谿中間。

主治　胸中氣滿。不得臥。

手術　灸七壯。

八關　部位　在手十間指。。
主治　太熱。。目痛。。
手術　刺出血卽愈。。

小骨空　部位　在手小指。。二節尖上。。
主治　眼疾。。
手術　灸九壯。。

龍元　部位　在列缺上青脉中。。
主治　下牙痛。。
手術　灸七壯。。

奪命 部位 在曲澤上。。
手術 針三分。。
主治 目昏暈。。

大都 部位 在手大指次指間虎口赤白肉際。。
主治 頭風。。牙痛。。
手術 針一分。。灸七壯。。

上都 部位 在食指中指本節岐骨間。。
主治 手臂紅腫。。
手術 針一分。。灸七壯。。

中都　部位　在中指無名指之間。。本節前岐骨處。。

主治　手臂紅腫。。

手術　針一分。。灸三壯。。

下都　部位　在小指無名指之間。。本節前岐骨處。。

主治　手臂紅腫。。

手術　針一分。。灸三壯。。

高骨　部位　在掌後寸部前五分。。

主治　統治手病。。

手術　針一分。。灸三壯。。

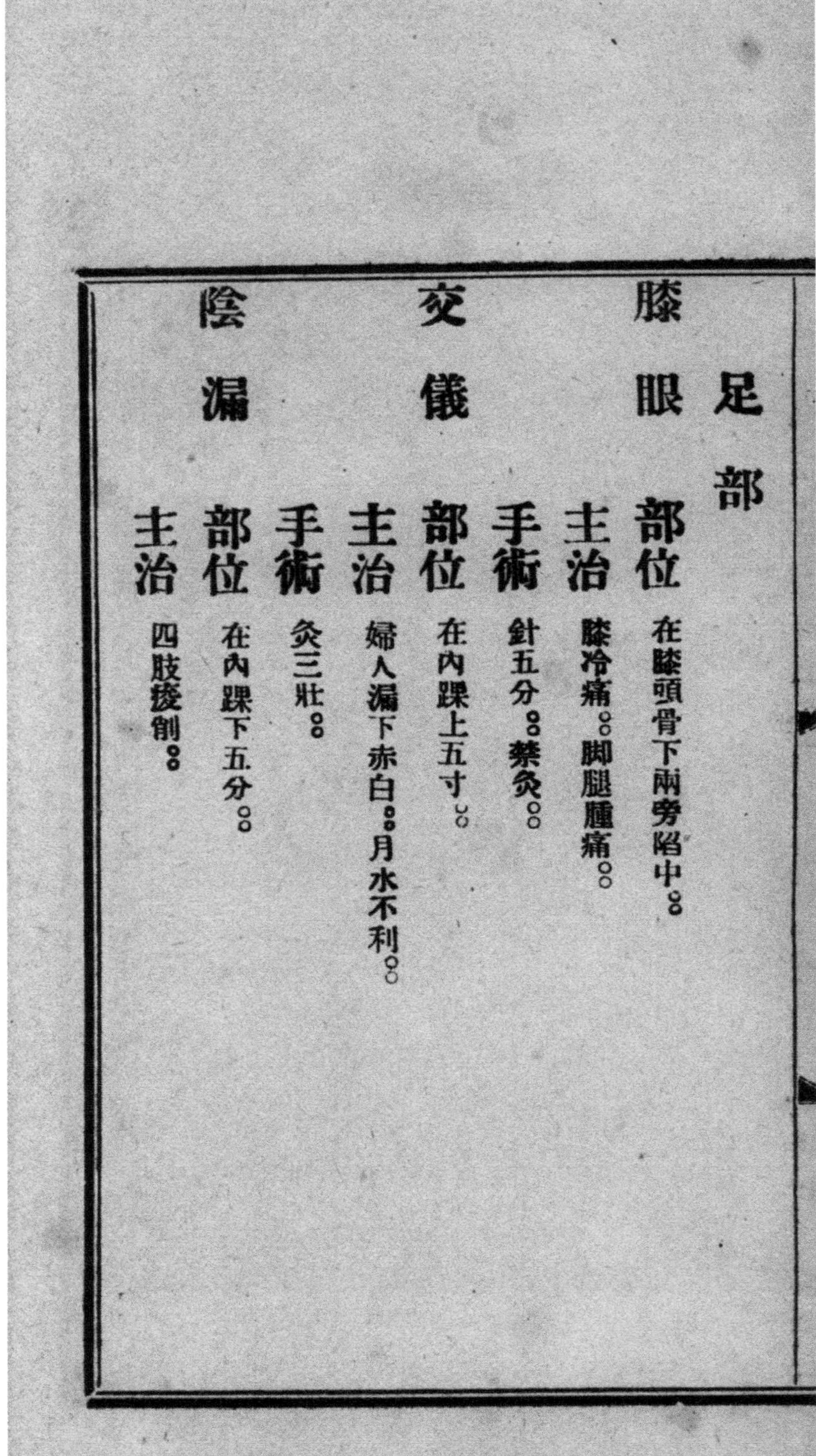

足部

膝眼　部位　在膝頭骨下兩旁陷中。。
主治　膝冷痛。。脚腿腫痛。。
手術　針五分。。禁灸。。

交儀　部位　在內踝上五寸。。
主治　婦人漏下赤白。。月水不利。。
手術　灸三壯。。

陰漏　部位　在內踝下五分。。
主治　四肢痿削。。

外踝尖
手術　灸五壯。
部位　在外踝尖上三寸。
主治　轉筋。
手術　灸九壯。

足踵
部位　在踵槩筋上白肉際。
主治　霍亂轉筋。
手術　灸九壯。

氣端
部位　在足十趾端。
主治　脚氣。

手術　灸三壯。。

鶴頂

部位　在膝盖骨尖上。。

主治　兩足癱瘓。。

手術　灸七壯。。

陰獨

部位　在足四趾間。。

主治　婦人月經不調。。

手術　針三分。。灸三壯。。

通理

部位　在足小趾上二寸。。

主治　婦人血崩。。經血過多。。

呂細
手術　針二分。灸九壯。
部位　在足內踝尖。
主治　身腫面浮。
手術　灸六壯。

陰部

踝下
部位　在內下踝白肉際。
主治　身腫面浮。
手術　灸六壯。

泉陰
部位　在橫骨旁三寸。

主治　㿗疝偏大。

手術　灸二十壯。

囊底

部位　在陰囊下十字紋中。

主治　小腸疝氣。一切腎病。

手術　灸七壯。

勢頭

部位　在尿孔上宛宛中。

主治　癲癇症。

手術　灸七壯。

四花穴

部位　用繩量患人口長。照人裁紙四方。中剪小孔。別用長繩踏

騎竹馬穴

主治　脚下。。前齊大趾。。後上曲　。。橫紋截斷。。

五勞七傷。。氣虛血弱。。咳嗽。。

手術　灸七壯。。

部位　臂脘中橫紋起。。用薄篾一條。。量至中指齊肉盡處。。不量爪甲截斷。。次用篾取前同身寸一寸。。却令病脫去衣服。。以大竹扛一條跨定。。两人隨徐扛起足離地三寸。。兩旁两人扶定將前量長篾貼定。。竹扛竪起。。從尾骶骨貼脊量至篾盡處。。以筆點記。。後取身寸篾各開一寸。。

主治　癰疽。。惡瘡。。瘰癧。。一切病症。。

手術　灸七壯。。

禁鍼穴

神庭　禁針針之令人癲狂目失明

腦戶　禁針刺中本穴立死

承靈　禁針

顱息　禁針出血多則殺人

顖會　小兒八歲以前禁針因其䪿門未合也

肩井　禁針若深針令人悶倒

膻中　禁針針之令人夭

上關　禁針針深令人耳無聞

鳩尾　禁針

水分　禁針
神闕　禁針
會陰　禁針
石門　婦人禁針灸犯之絕孕
絡却　禁針
玉枕　禁針
雲門　禁針深
承泣　禁深針
缺盆　禁深針犯之令人逆息孕婦禁針
合谷　孕婦禁針犯之墮胎

五里　禁針

氣衝　禁針犯之令人不得息

人迎　針過深殺人

乳中　禁針

伏兎　禁針

三陰交　孕婦禁針犯之墮胎

然谷　針不宜見血

靑靈　禁針

角孫　禁針

横骨　禁針

三陽絡　禁針

承筋　禁針

箕門　禁針

犢鼻　勿刺出液犯之則跛

肺俞　禁深針若深中肺三日死

心俞　刺中心一日死

肝俞　刺中肝五日死

胆俞　刺中胆日半死

脾俞　刺中脾十日死

腎俞　刺中腎六日死

四白　針深令人目烏色

天樞　魂魄之舍不可深針孕婦不宜灸

禁灸穴

天柱　禁灸

承光　禁灸

頭維　禁灸

攢竹　禁灸

睛明　禁灸

禾　　禁灸

迎香　禁灸

顴髎　禁灸
下關　禁灸
人迎　禁灸
天牖　禁灸灸則令人面腫。
天府　禁灸灸之令人氣逆
周榮　禁灸
乳中　禁灸
腹哀　禁灸
肩貞　禁灸
陽池　禁灸

中衝　禁灸
少商　禁灸
魚際　禁灸
經渠　禁灸
隱白　禁灸
漏谷　禁灸
條口　禁灸
犢鼻　禁灸
伏兎　禁灸
陰市　禁灸

髀關　禁灸
中脉　禁灸
委中　禁灸
殷門　禁灸
心俞　禁灸
承泣　禁灸
承扶　禁灸
瘈脉　禁灸
耳門　禁灸
絲竹空　禁灸灸之令人目小

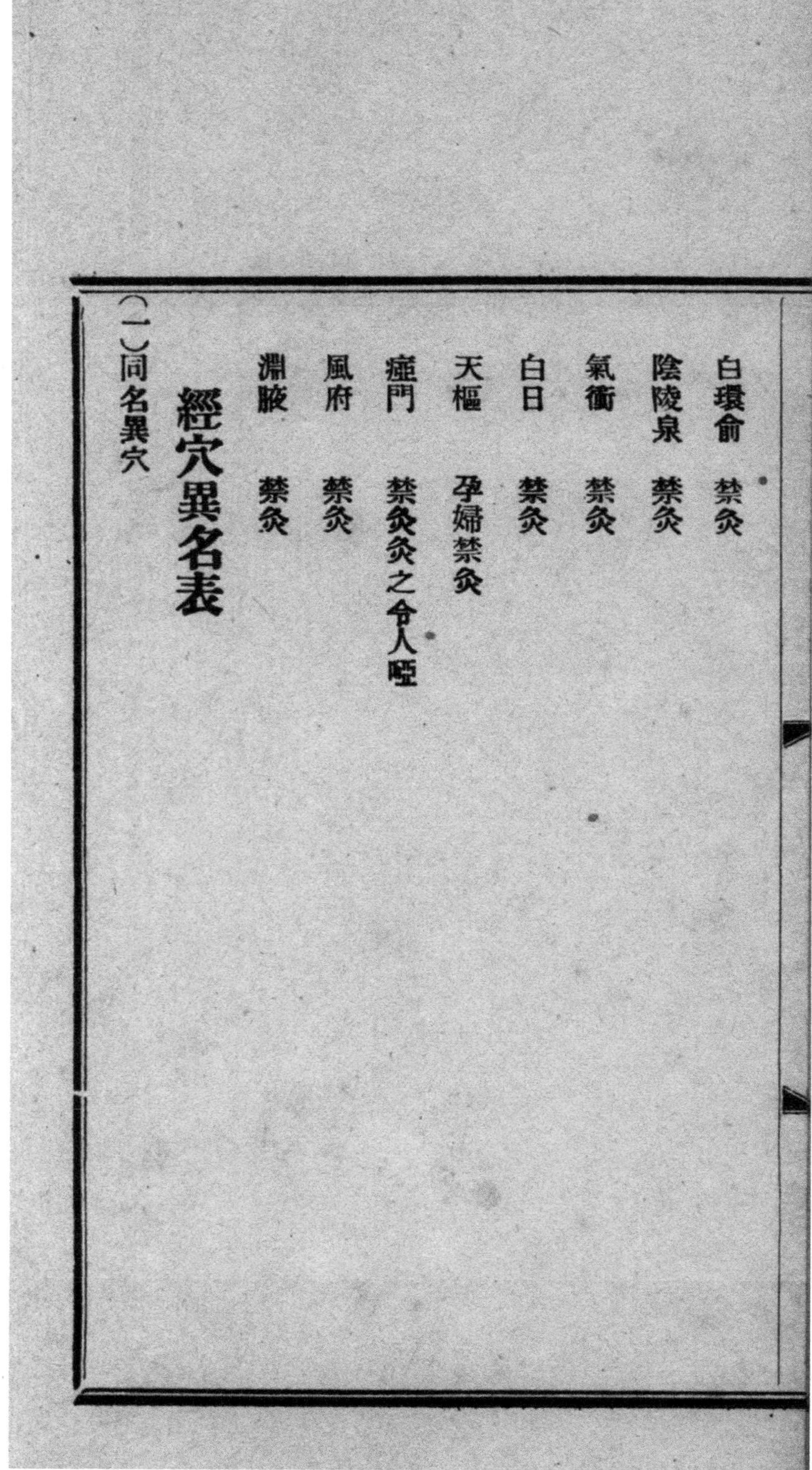

白環俞　禁灸
陰陵泉　禁灸
氣衝　禁灸
白日　禁灸
天樞　孕婦禁灸
瘂門　禁灸灸之令人啞
風府　禁灸
淵腋　禁灸

經穴異名表

(一)同名異穴

头之臨泣　足之臨泣　頭之竅陰　足之竅陰　手之三里　足之三里　手之五里

足之五里　背之陽關　足之陽關　腹之通谷　足之通谷

(二)一穴二名

神庭…髮際　曲差…鼻衝　後頂…交衝　通天…天臼　腦空…顳顬　強間…大羽

目窗…至榮　顱息…顱顖　瘈脉…資脉　竅陰…枕骨　素髎…面王　迎香…衝陽

地倉…會維　大迎…髓孔　顴髎…兌骨　懸顱…髓孔　人迎…天五會　水突…水門

扶突…水穴　天鼎…天項　天窗…窻籠　缺盆…天蓋　肩井…膊井　大椎…百勞

神道…藏俞　厥陰俞…門俞　心俞…背俞　腎俞…高蓋　中膂俞…脊內俞　中窌

中空　會陽…利機　魄戶…魂戶　志室…精宮　玉堂…玉英　俞府…輸府　乳中

當乳　乳根…薜息　巨闕…心募　下脘…幽門　幽門…上門　石關…石闕　商曲

高曲 四滿…水府 大巨…腋門 歸來…谿穴 氣衝…氣街 期門…肝募 大横
腎氣 淵液…液門 天池…天會 維道…外樞 少商…鬼信 太淵…鬼心 列缺
童玄 間使…鬼路 天泉…天温 少經…衝始 少海…曲節 商陽…絶陽 二間
間谷 三間…少谷 合谷…虎口 陽谿…中魁 肘窌…肘尖 五里…尺之五間
陽池…別陽 支溝…虎飛 三陽絡…通間 少澤…小吉 前谷…手太陽 漏谷
太陰絡 地機…脾舍 血海…百虫窠 中封…懸泉 蠡溝…交儀 陰包…陰胞
湧泉…地衝 梁丘…跨骨 陰市…陰鼎 僕參…安邪 懸鍾…絶骨 金門…梁關
附陽…跌陽 飛揚…厥陽 承扶…肉郄

(二)一穴三名

絡却…强陽…腦蓋 絲竹空…巨窌…目髎 睛明…泪孔…淚空 聽宫…多所聞…窻

龍　禾窌…禾髎…長頻　廉泉…本池…舌本　承泣…鼷穴…面窌　臑會…臑窌…臑交
脊中…神宗…脊俞　命門…屬累…竹杖　天突…玉戶…天瞿　中脘…太倉…胃募
水分…中守…分水　神闕…臍中…氣舍　氣穴…胞門…子戶　大赫…陰維…陰關
橫骨…下極…屈骨　日月…膽募…神光　衝門…慈宮…上慈宮　尺澤…鬼受…鬼堂
大陵…心主…鬼心　温溜…逆注…蛇頭　曲池…鬼臣…陽澤　臂臑…頭衝…頸衝
隱白…鬼壘…鬼眼　三陰交…承命…太陰　大敦…水泉…大順　中都…中郄…太陰
然谷…龍淵…然骨　衝陽…會屈…會湧　巨谷…下廉…下巨虛　巨虛…上廉…上巨
虛　伏兎…外勾…外丘　陽輔…絕骨…分肉　陽交…別陽…足窌　環跳…臏骨…分
中　申脉…鬼路…陽蹻　承翁…腨腸…直腸　足三里…下陵…鬼邪

（四）一穴四名

上星…鬼堂…明堂…神堂 營宮…五里…鬼路…峯中 顖會…顖上…鬼門…顖門
腦戶…匝風…會額…合顱 瞳子窌…太陽…前關…後曲 頰車…機關…鬼床…曲牙
膻中…元兒…上氣海…元見 中府…膺中兪…肺募…府中俞 陰交…少關…橫戶…丹田 氣海…脖胦…下肓…丹田 中極…氣原…玉泉…膀胱募 曲骨…胞尿…屈骨…曲骨端 京門…氣府…氣兪…腎募…神門…兌衝…中都…銳中…復溜…伏白…昌陽…外命 太谿…呂細…照海…陰蹻…陽蹻…關陵…陽陵…關陽 承山…魚復…肉桂 傷山

（五）一穴五名

風府…舌本…鬼枕鬼…穴…曹谿 瘂門…舌立…舌厭 瘖門…舌腫…承漿…天地
鬼市…懸漿…垂漿…上關…客主人…客主…太陽 肩顒…扁骨…中肩井…肩尖…偏骨 鳩尾…尾翳…曷考…神府…考髎考 上脘…胃脘…上紀…胃管…上管 會陰…

屏翳　金門…下極…平翳　腹結…腹屈…腸窟…腸窟…陽結…　童門…長平…脅窌

…脾募…　肋髎…委中…泖中…委中央…血泖…腿凹

（六）一穴六名與數名

水溝…鼻人中…鬼宮…鬼客厂…鬼市…人中　攢竹…員在…始光…夜光…明光…元

柱　石門…利機…精露…丹田…命門…三焦募　開元…下紀…次門…丹田…大中極

小腸募　天樞…長谿…谷門…大腸募…循際…長谷　百會…鬼門…湟丸宮…巔上…

大滿…三陽…五會　腰俞…背解…髓空…腰戸　髓孔…腰柱…髓俞…髓府　長强…

窮骨…骶上…骨骶…龜尾…龍虎穴…河車路…上天梯…橛骨…尾閭

靈樞九針論

岐伯曰聖人之起。。天地之數也。。一而九之。。故以主九。。九而九之。。九九八十一。。以起黃鍾數焉。以針應九數也。何以言之。一者天也。天者陽也。五臟之應。天者肺。肺者五臟六腑之華蓋也。皮者肺之合也。人之陽也。故爲之治。針必大其頭而銳其末。令毋得深入而陽氣出。二者地也。人之所以應土者肉也。故爲之治針。必箭其身而圓其末。令毋得傷。肉分傷則氣得竭。三者人也。人之所以成生者血脉也。故爲之治針。必大其身而圓其末。令可以按脉勿陷。以致其氣。令邪氣獨出。四者時也。時者四時八風之客於經絡中。爲溜病者也。故爲之治針。必箭其身而鋒其末。令可以瀉熱出血而痼病竭。五者音也。音者冬夏之分。分於子午。陰與陽別。寒與熱爭。兩氣相搏。合爲癰膿者。故爲之治針。必令其末如劍鋒。可以取大膿。六者律也。律者調陰陽四時。而合十二經脉。虛邪客於經絡。而爲暴痺者也。故爲治針。令尖如氂。且圓且銳。中身微大。以取暴氣。七者星也。星者人之七竅。邪之所客於經爲痛痺。舍於經絡者也。故爲之治針。令尖如蚊虻喙。靜以徐往。微以久留。正氣因之。眞邪俱往。出針而養者也。八者風也。風者人之股肱八節也。八正之虛風。八風傷人。內舍於骨解腰脊節腠之間。爲深痺也。故爲之治針。必長其身鋒其末。可以取深邪遠痺。九者野也。野者人之節解皮膚之間也。淫邪流溢於身。如風水之狀。而溜不能過於機關大節者也。故爲之治針。令尖如挺其鋒微圓。以取大氣之不能過於關節者也。一天二地。三人四時。五音六律。七星八風九野。身形亦應之。針有所宜。故曰九針。人皮應天。人肉應地。人脈應人。人筋應時。人聲應音。人陰陽合氣應律。人齒面目應星。人出入氣應風。人九竅三百六十五絡應野。故一針皮。二針肉。三針脈。四針五臟筋。五針骨。六針陰陽調。七針應精。八針除風。九針通九竅。除三百六十五節氣。此之謂有所主也。

九針式

帝曰。針之長短有數乎。岐伯對曰。一曰鑱針取法於巾。針頭大末銳。末平半寸。卒銳之長一寸六分。二曰圓針。取法於絮。針筩其身而卵其鋒。針如卵形。圓其末長一寸六分。三曰鍉針。取法於黍粟之銳。長叁寸半。四曰鋒針。取法如絮筩。其身鋒其末刃三隅。長一寸六分。五曰鈹針。取法於劍鋒。末如劍。廣二寸半長四寸。六曰圓利針。取法於氂針。且圓且銳。微大其末。反小其身。又曰中身微大。長一寸六分。七曰毫針。取法於毫毛。尖如蚊虻喙。長三寸六分。八曰長針。取法於綦針。鋒利身薄。長七寸。九曰火針。取法於鋒針。尖如挺。其微圓鋒長四寸。此九鍼之長短也。

九鍼形

鑱針 半寸。。長一寸六分。。頭大末銳。。病在皮膚刺熱用此。。今一名箭頭針是也。。

圓針 其身圓鋒如卵。。形長一寸六分揩摩分肉用此。。

鍉針 其鋒如黍粟之利。。長三寸五分。。脈氣虛少用此

鋒針 其刃三隅長一寸六分。。發痼疾刺大者用此。。今之所謂三稜針是也。。

鈹針 一名鉟針。。末如劍鋒。。廣一寸半。。長四寸。。破病瘅出脉。。今名劍針是也。。

圓利針 尖如氂。。且圓且利。。其末微大長一寸六分。。取暴痺刺小者用此。。

毫針 法象毫尖如蚊虻喙。。長三寸六分。。取痛痺刺寒者用此。。

長針 鋒如利長七寸。痺深居骨解腰脊節腠之間者用此。今之名跳針是也。

火針 一名燔針。長四寸。風虛腫毒解肌排毒用此

製鍼法

本草云。馬啣鐵無毒。日華子云。古舊鋌者好。或作醫工針。按本草柔鐵即熟鐵有毒。故用馬啣則無毒。以馬屬午屬火。火尅金解鐵毒。故用以作針。古曰金針者貴之也。又金爲總名。銅鐵金艮之屬皆是也。

煑鍼法

先將鐵絲於火中煅紅。次截之。或二寸或五寸。長短不拘。次以蟾蘇塗針上。仍入火中微煅。不可令紅。取起照前塗酥煅三次至第三次乘熱揷入臘肉皮之裡肉之外

將藥先以水三碗煎沸。。次入針內在內。。煮至水乾。。頓於水中待冷。。將針取出。。於黃土中插百餘下。。色明方佳。。以去火毒。。次以銅絲纏上。。其針尖憑磨圓。。不可用尖刀。。

麝香五分　膽礬壹錢　川山甲　當歸尾　硃砂　沒藥　屈金　川芎　細辛各三錢　甘草節　沉香各五錢　磁石一兩能引諸藥入鐵內

法又用烏頭巴豆各一兩。。硫黃麻黃各五錢。。木鱉子烏梅各十個。。同針入水。。用磁罐內煮一日。。洗澤之。。再用止痛乳香沒藥當歸花乳石各半兩。。又如前者煮一日。。取出用皂角水洗。。再于犬肉內煮一日。。仍用瓦屑打磨淨。。端直用松子油塗之。。當近人氣爲妙。。

素問遺篇註云。。用圓利針長針。。未刺之時。。先在口內溫針。。煖而用之。。又曰。。毫針于人近體。煖針至温方刺。按口體温針。欲針入經絡。氣得温而易行也。今或投針于熱湯中。亦此意耳。口温與體温微有不同。口温者針頭雖熱而柄尙寒。不若着身温之。則針通身皆熱矣。

火針

火針卽焠針。頻以麻油蘸其針。燈上燒令通紅。用方有功。若不紅不能去病。反損于人。燒時令針頭低下。恐油熱傷手。先令他人燒針。醫者臨時用之。以免手熱。先以墨點記穴道。使針時無差。火針甚難。須有臨陣之將心。方可行針。先以左手按穴。右手用針。切忌太深。恐傷經絡。太淺不能去病。惟消息取中耳。凡行火針。必先安慰病人令勿驚懼。較之與灸一般。灸則疼久。針則所疼不久。一針之後。速便出針。不可久留。卽以左手連按針孔則能止痛。人身諸處。皆可行火針。惟面上忌之。火針不宜針脚氣。反加腫痛。宜破癰疽發背潰膿在内。外面皮無頭者。但按毒上軟處以潰膿。其濶大者。按頭尾及中。以墨點記。宜下三針决破。出膿一針。腫上不可按之。即以手指從兩旁捺之。令膿隨手而出。或腫大膿多。針時須側身廻避。恐膿射出汗身也。

温針

王節齋曰。近有爲温針者。乃楚人之法。其法針穴上。以香白芷作圓餅套針上。以艾灸之多以取效。然古者針則不灸。灸則不針。夫針而加灸。灸而且針。此後人俗法。此法行于山野貧賤之人。經絡受風寒致病者或有效。只是温針通氣而已。於血宜衍。于病無與也。古針法最妙。但今無傳。恐不得精高之人。誤用之則危拯出于頃刻。惟灸得穴。有益無害。允宜行之。近見衰弱之人。針灸並用亦無妨。

斷針治法

一用磁石即吸鐵石引其肉中針即出。一用象牙屑碾細末和塗上即出。一用車脂成膏。攤紙上如錢大。日換三五次即出。一用烏翎三五枝火炙焦爲末。如醋調成膏。塗上紙蓋。一二次其針自出。一用蠟枯子搗爛。塗上即出。一用硫黃研細。調塗上以花貼定。覺癢時針即出。一用雙杏仁搗爛。以鮮猪脂調勻。貼針瘡上。針自出。倘經絡有傷。膿血不止。用黃芪當歸肉桂木香乳香沉香。別研菉豆粉糊丸。每服五十丸熱水服之。

內經補瀉

帝曰。余聞刺法。有餘者瀉之。不足者補之。歧伯曰。百病之生。皆有虛實。而補瀉行焉。補虛瀉實。神去其室。致邪失正。眞不可定。粗之所敗。謂之天命。補虛瀉實。神歸其室。久塞其空。謂之良工。凡用針者。隨而濟之。迎而奪之。虛則實之。滿則瀉之。苑陳則徐之。邪盛則虛之。徐而疾則實。疾而徐則虛。言實與虛。若有若無。察後與先。若存若亡。爲虛爲實。若得若失。虛實之要。九針最妙。補瀉之時。以針爲之。瀉曰迎之。必持內之。放而出之。排陽得針。邪氣得泄。按而引針。是謂內溫。血不得散。氣不得山也。補曰隨之。隨之之意。若忘若行。若按如蚊虻止。如留還。去如絃絕。令左屬右。其氣故止。外門已閉。中氣乃實。必無留血。必取誅之。刺之而氣不至。無問其數。刺之而氣至。乃去之勿復針。

針有懸布天下者五。一曰治神。二曰知養身。三曰知毒藥。四曰知砭石大小。五曰知五臟血氣之診。五法俱立。各有所先。今末世之刺也。虛者實之。滿者泄之。此皆衆工所知也。若夫法天則地。隨應而動。和之者若響。隨之者若影。道無鬼神。獨來獨往。師曰。願聞其道。岐伯曰。凡刺之眞。必先治神。五臟已定。九候已備。後乃存針。衆脉不見。衆凶弗聞。外內相得。無以形先。可玩往來。乃施于人。人有虛實。五虛勿近。五實勿遠。至其當發。間不容瞚。手動若務。針燿而勻。靜意視義。觀適之變。是謂冥冥。莫知其形。見其稷稷。從見其飛。不知其誰。伏如橫弩。起而發機。

刺虛者須其實。刺實者須其虛。經氣已至。愼守勿失。淺深在志。遠近若一。如臨深淵。手如握虎。神無營于衆物。義無邪下。必正其神。

用針之要。易陳難入。粗守形。上守神。神乎神。客在門。未覩其疾。惡知其原。刺之微在遲速。粗守關。上守機。機之動不離其空。空中之機。清淨而微。其來不可逢。其往不可追。知機之道者。不可掛以髮。不知機道。知之不發。知其往來。

要與之期粗之闇乎。妙哉工獨有之。往者爲逆。來者爲順。明知順逆。正行無間。迎而奪之。惡得無虛。隨而濟之。惡得無實。迎而隨之。以意和之。針道畢矣。凡用針者。虛則實之。滿則泄之。菀陳則徐之。邪盛則虛之。大要曰。持針之道。堅者爲實。正指直刺。無針左右。神在秋毫。屬意病者。審視血脈。刺之無殆。方刺之時。必在懸陽。及與兩衛。神屬勿去。知病存亡。血脈者在俞橫居。視之獨登。切之獨堅。

刺虛則實之者。針下熱也。氣實乃熱也。滿則泄之者。針下寒也。菀陳則徐之者。出惡血也。邪盛則虛之者。出針勿按也。徐而疾則實者。徐出針而疾按之也。疾而徐則虛者。疾出針而徐按之也。言實與虛者。察血氣多少也。若有若無者。疾不可知也。察後與先者。知病先後也。若存若亡者。脈肘有無也。爲虛與實者。工勿失其法也。若得若失者。離其法也。虛實之要。九針最妙者。謂其各有所宜也。補瀉之時者。與氣開闔相合也。九針之名各不同者。針窮其所當補瀉也。刺實須其虛者。留針陰氣隆至。乃去針也。刺虛須其實者。陽氣隆至。針下熱乃去針也。經氣已至。慎守勿失者。勿變更也。深淺在志者。知病之內外也。遠近如一者。淺深其候等也。如臨深淵者。不敢墮也。手如握虎者。欲其壯也。神無營于衆者。靜志觀病人無左右視也。義無邪下者。欲端以正也。必正其神者。欲瞻病人。自制其神。令氣易行也。

所謂易陳者易言也。難入者難著于人也。粗守形者。守刺法也。上守神者。守人之血氣。有餘不足。可補瀉也。神客者正邪其會也。神者正氣也。客者邪氣也。在門者邪循正氣之所出入也。未覩其疾者。先知邪在何經之疾也。惡知其原者。先知何經之病。所取之處也。刺之微在遲速者。徐疾之意也。粗守關者。守四肢而不知血氣正邪之往來也。上守機者。知守氣也。機之動不離其空者。知氣之虛實。用針之徐疾也。空中之機。清淨而微者。針以得氣密意。守氣勿失也。其來不可逢者。氣盛不可補也。其往不可追者。氣虛不可瀉也。不可掛以髮者。言氣易失也。知之不發者。言不知補瀉之義。血氣已盡而氣不下也。知其往來者。知氣之逆順盛虛也。要與之期者。知氣之可取之時也。粗之闇者。冥冥不知氣之微密也。妙哉工獨有之者盡知針意也。往者爲逆者。言氣之虛而小。小者逆也。來者爲順者。言行氣之平。平者順也。明知順逆。正行無問者。言知所取之處也。迎而奪之者瀉也。隨而濟之者補也。所謂虛則實之者。氣口虛而當補之。也滿則泄之者。氣口實而當瀉之也。菀陳則除之者去血脉也。邪盛則虛之者。言諸經有盛者皆瀉其邪也。徐而疾則實者。言徐內而疾出也。疾而徐則虛者。言疾內而徐出也。言實與虛若有若無者。言實者有氣虛者無氣也。察得與失。若存若亡者。言氣之虛實。補瀉之先後。察其氣之已下與常有也。爲虛與實。若得若失者。言補者泌然若有得也。瀉者恍然若有失也。是故工之用針也。知氣之所在。而守其門戶。明于調氣。補瀉所在。徐疾之義。所取之處。瀉必用圓。切而轉之。其氣乃行。疾而徐出。邪氣乃出。伸而逆之。搖大其穴。氣虫乃疾。補必用方。外引其皮。令當其門。左引其樞。右推其膚。微旋而徐推之。必端以正。安以靜。堅心無解。欲微以留氣。而疾出之。推其皮。蓋其外門。神氣乃存。用針之要。無忘其神。

瀉必用方者以氣方盛也。以月方滿也。以日方溫也。以身方定也。以息方吸。而內針乃復。候其方吸。而轉針乃復。候其方呼。而徐引針。故曰補瀉必用圓者。圓者行也。行者移也。刺中其榮。復以吸排針也。故圓與方非刺也。瀉實者氣盛乃內針。針與氣俱內。以開其門。如利其戶。針與氣俱出。精氣不傷。邪氣乃下。外門閉不。以出其實。搖大其道。如利其路。是謂大瀉。必切而出。大氣乃屈。持針勿置。以定其意。呼候內針。氣出針入。針孔曰塞。精無從出。方實而疾出針。氣入針出。熱不得還。閉塞其門。邪氣布散。精氣乃得存。動氣候時。近氣不失。遠氣乃來。是謂追之。

吸則內針無令氣忤。靜以久留。無令邪布。吸則轉針。以得氣爲故。候呼引熱。呼盡乃出。大氣皆出。故命曰瀉。捫而循之。切而散之。推而按之。彈而努之。爪而下之。通而取之。外引其門。以閉其神。呼盡內針。靜以久留。以氣至爲故。如待所貴。不知日暮。其氣已至。適而自護。候吸引針。氣不得出。各在所處。推闔其門。合神氣存。大氣留止。故命曰補。

補瀉勿失。與天地一。經氣已至。愼守勿失。淺深在志。遠近如一。如臨深淵。手如握虎。神無營于衆物。持針之道。欲端以正。安以靜。先知虛實。而行疾徐。左手執骨。右手循之。無與肉。瀉欲端以正。補必閉膚。輔針導氣。邪得淫泆。眞氣得居。帝曰。捍皮開腠理奈何。岐伯曰因其分肉。左別其膚。微肉而徐端之。適神不散。邪氣得出。

知其氣所在。先得其道。稀而疎之。稍深以留。故能徐入之。大熱在上。推而下之。上者引而去之。視先痛者。常先取之。大實在外。留而補之。入于中者。從合瀉之。上氣不足推而揚之。下氣不足。積而從之。寒入于中。推而行之。

夫實者氣入也。虛者氣出也。氣實者熱也。氣虛者寒也。入實者左手開針孔也。入虛者右手閉針孔也。。

形氣不足。。病氣有餘。。是邪盛也。。急瀉之。。形氣有餘。。病氣不足。。此陰陽俱不足也。。不可刺。。刺之則重不足。。不足則陰陽俱竭。。血氣俱盡。。五臟空虛。。筋骨髓枯。。老者絕滅。。壯者不復矣。。形氣有餘。。病氣有餘。。此謂陰陽俱有餘也。。急瀉其邪。。調其虛實。。故曰有餘者瀉之。。不足者補之。。此之謂也。。故曰刺。。不知順逆。。眞邪相搏。。滿而補之。。則陰陽四溢。。腸胃充郭。。肝肺內䐜。。陰陽相差。。虛而瀉之。。前經絡空虛。。血氣枯竭。。腸胃聶辟。。皮膚薄者。。毛腠夭焦。。子知死期。。

凡用鍼之類。。在于調氣。。氣積于胃。。以通營衛。。各行其道。。宗氣留于海。。其下者經于氣衝。。其直者走于息路。。故厥在于足。。宗氣不下。。脉中之血。。流而不止。。弗之大調。。弗能取之。。

散氣可收。聚氣可布。深居靜處。占神往來。閉戶塞牖。魂魄不散。專意一神。精氣之分。毋聞人聲。以收其精。必一其神。令志乃鍼。淺而留之。微而浮之。以移其神。氣至乃休。男內女外。拒堅勿出。謹守勿內。是謂得氣。

刺之而氣不至。無問其數。刺之而氣至。乃去之勿復鍼。鍼各有所宜。各不同形。各任其所。爲刺之要。氣至而有效。效之信。若風之吹雲。明乎若見蒼天。刺之道畢矣。

用針者。必先察其經絡之虛實。切而循之。按而彈之。視其應動者。乃復取之。而下之六經調者。謂之不病。雖病謂之自已。一經上虛下虛而不通者。此必有橫絡盛加於大經令之不通。視而瀉之。此所謂解結也。上寒下熱。先刺其項。太陽久留之。已刺卽熨項與乃脾。令熱下合乃止。此所謂推而上之者也。上熱下寒。視其脈虛。。而陷下于經者取之。。氣下乃止。。此所謂引而下之者也。。大熱偏身。。狂而妄見妄聞妄語。。視足陽明。。及大絡取之。。虛者補之。。血而實者瀉之。。因其偃臥。。居其頭前。。以兩手四指。。俠按頸動脉持之。。捲而切推。。下至缺盆。。中而復止。。如前熱去乃止。。此所謂推而散之者也。。

帝曰余聞刺法言曰。。有餘者瀉之。。不足者補之。。何謂有餘。。何謂不足。。岐伯曰。。有餘有五。。不足亦有五。。帝欲何問。。一曰。。願盡聞之。。岐伯曰神有有餘有不足。。氣有有餘有不足。。血有有餘有不足。。志有有餘有不足。。形有有餘有不足。。凡此十者。。其氣不等也。。帝曰人有精氣津液。。四肢九竅。。五臟十六部。。三百六十五節。。乃生百病。。百病之生。。皆有虛實。。今夫子乃言有餘有五。。不足亦有五。。何以生之乎。。岐伯曰皆生于五臟也。。夫心藏神。。肺藏氣。。肝藏血。。脾藏肉。。腎藏志。。而此成形志意通內連骨髓。。而成形五臟。。五臟之道。。皆出于經。。以行氣血。。氣血不和。。百病乃變化而生。。是故守經焉。。帝曰神有餘不足何如。。歧伯曰。。神有餘則笑不休。。神不足則悲。。血氣未幷。。五臟安定。。邪客於形。。洒淅起於毫毛。。未入於經絡也。。故命曰神之微。。帝曰補瀉奈何。。歧伯曰。。神有餘則瀉其小絡之穴。。出血勿之深斥。。無中其大經。。神氣乃平。。神不足者視其虛絡。。按而致之。。刺而利之。。無出其血。。無泄其氣。。以通其經。。神氣乃平。。帝曰刺微奈何。。歧伯曰。。按摩勿釋。。着針勿斥。。移氣於不足。。神氣乃得復。。帝曰。。氣有餘不足奈何。。歧伯曰。。氣有餘則喘嗽上氣。。不足則息少氣。。血氣未幷五臟安定。。皮膚微病命曰白氣微泄。。帝曰補瀉奈何。。歧伯曰。。氣有餘則瀉其經隧。。無傷其經。。無出其血。。無泄其氣。。不足則補其經隧。。無出其氣。。帝曰。。刺微奈何。。歧伯曰。。按摩勿釋。。出針視之。。曰我將深之。。適人必革。。精氣自伏。。邪氣散亂無所休息。氣泄腠理。眞氣乃相得。帝曰血有餘不足奈何。歧伯曰血有餘則怒。不足則恐。血氣未并。五臟安定。經絡水溢。則經有留血。帝曰。補瀉奈何。歧伯曰。血有餘則瀉其盛經。出其血不足則補其虛經。內針其脉中。久留而視脉大。疾出其針。無令血泄。帝曰。刺留血奈何。歧伯曰。視其血絡。刺出其血。無令惡血得入於經以成疾。帝曰。形有餘不足奈何。歧伯曰。形有餘則腹脹。涇溲不利。不足則四肢不用。血氣未并。五臟安定。肌肉蠕動。命曰。微風。帝曰。補瀉奈何。歧伯曰。形有餘則瀉其陽經。不足則補其陽絡。帝曰。刺微奈何。歧伯曰。取分肉間。無中其經。無傷其絡。衛氣復得。邪氣乃索。帝曰。志有餘不足奈何。歧伯曰。志有餘則腹脹飧泄。不足則厥血氣未并。五臟安定。骨節有動。帝曰。補瀉奈何。歧伯曰。志有餘則瀉。然骨之前出血。不足則補其復溜。帝曰。刺未并奈何。

歧伯曰。卽取之無中經。邪立乃虛。血淸氣滑。疾瀉之則氣易竭。血濁氣濇。疾瀉之則經可通。

難經補瀉

經言虛者補之。實者瀉之。不虛不實以經取之。何謂也。然虛者補其母。實者瀉其子。當先補之。然後瀉之。不虛不實。以經取之者是正經自生。病不中他邪也。當自取其經。故言以經取之。

經言春夏刺淺。秋冬刺深者何謂也。然春夏者。陽氣在上。人氣亦在上。故當淺取之。秋冬者陽氣在下。人氣亦在下。故當深刺之。春夏各致一陰秋冬各致一陽者何謂也。然春夏温必致一陰者。初下針沈之。至腎肝之部。得氣引持之陰也。秋冬寒必致一陽者。初因針淺而浮之。至心肺之部得氣推內之陽也。是謂春夏必致一陰。

秋冬必致一陽。

經言刺榮無傷衛。刺衛無傷榮何謂也。然刺陽者卧針而刺之。刺陰者。先以左手攝按所針榮俞之處。氣散乃內針。是謂刺榮無傷衛。刺衛無傷榮也。

經言能知迎隨之氣。可令調之。調氣之方。必在陰陽何謂也。然所謂迎隨者。知榮衛之流行。

經絡之往來。隨其逆順而取之。故曰迎隨調氣之方。必在陰陽者。知其內外表裡。隨其陰陽而調之。故曰調氣之方。必在陰陽。

諸井者。肌肉淺薄。氣少不足使也。刺之奈何。然諸井者木也。榮者火也。火者木之。予當刺井者之榮瀉之。故經言補者。不可以爲瀉。瀉者不可以爲補此之謂也。

經言東方實。西方虛。瀉南方。補北方。何謂也。然金木水火土。當更相平。東方木也。西方金也。木當實。金當平。火欲實水當平之。土欲實木當平之。金欲實火當平之。木欲實土當平之。東方肝也。則知肝實。西方肺也。則知肺虛。瀉南方火。補北方水。南方火。火者木之子也。北方水。水者木之母也。水勝火。子能令母實。母能令子虛。故瀉火補水。欲令金不得平木也。經曰。不能治其虛。何問其餘。此之謂也。

何謂補瀉。當補之時。何所取氣。當瀉之時。何所置氣。然當補之時。從衛取氣。當瀉之時。從榮置氣。其陽氣不足。陰氣有餘。當先補其陽。而後瀉其陰。陰氣不足陽氣有餘。當先補其陰。而後瀉其陽。榮衛通行。此其要也。

針有補瀉。何謂也。然補瀉之法。非必呼吸出內針也。知其針者信其左。不知爲針者信其右。當刺之時。先以左手壓按所針榮兪之處。彈而努之。爪而下之。其氣之來。。如動脉之狀。。順針而剌之。。得氣推而內之。。是謂補。。動而伸之是謂瀉。。不得氣乃與男外女內。。不得氣是謂十死不治也。。

經言迎而奪之。。惡得無虛。。隨而濟之惡得無實。。虛之與實。。若得若失。。實之與虛若有若無。。何謂也。。然迎而奪之者。。瀉其子也。。隨而濟之者。。補其母也。。假令心病。。瀉手心主俞。。是謂有迎而奪之者也。。補手心主井。。是謂隨而濟之者也。。

經言有見如入。。有見如出者。。何謂也。。然所謂有見如入者。。謂左手見氣來至乃內針。。針入見氣盡乃出針。。是謂有見如入。。有見如出也。。

經言無實實虛虛。。損不足而益有餘。。是寸口脉耶。。將病自有虛實耶。。其損益奈何。。然是病非謂寸口脉也。。謂病自有虛實也。。假令肝實而肺虛。。肝者木也。。肺者金也。。金木更當相平。。當知金木平。。假令肺實而肝虛。。微少氣。。用針不補其肝。。而反重實其肺故曰。實實虛虛。損不足而益有餘。此者中工之所害也。

神應經補瀉　瀉訣直說

宏綱陳氏曰。取穴既正。左手大指搯其穴。右手置針於穴上。令患人咳嗽一聲。隨咳內針。至分寸候數穴針畢。停少時。用右手大指及食指持針細細動搖。進退搓捻其針如手顫之狀。謂之催氣。約行五六次。覺針下氣緊。卻用瀉法。如針左邊。用右手大指食指持針以大指向前。食指向後以針頭輕提往左轉。如有數針。俱依此法俱轉畢仍用右手大指食指持針。却用食指連搓三下謂之飛。仍輕提往左轉。畧退針半分許。謂之三飛一退。依此法行至五六次。覺針下沈緊。是氣至極矣。再輕提往左轉一二次。如針右邊。以左手大指食指持針。以大指向前。食指向後。依前法連搓三下。輕提針頭向右轉。是針右邊瀉法欲出針時。令病人咳嗽一聲。隨咳出針。此之謂瀉法也。

補訣直說

凡人有疾。皆邪氣所凑。雖病人瘦弱。不可專行補法。經曰邪之所凑。其氣必虚。如患赤目等疾。明見其爲邪熱所致。可專行瀉法。其餘諸疾。只宜平補平瀉。須先瀉後補。謂之先瀉邪氣。後補眞氣。此乃先師不傳之秘决也。如人有疾。依前用手法。催氣取氣。瀉之既畢。却行補法。令病人吸氣一口。隨吸轉針。如針左邊。捻針頭轉向右邊。以我之右手大指食指持針。以食指向前。大指向後。仍捻針深入一二分。使眞氣深入肌肉之分。如針右邊捻針頭轉向左邊。以我之左手大指持針。以食指向前。大指向後。仍捻針深入一二分。如有數穴依法行之。既畢停少時。却用手指於針頭上輕彈三下。如此三次。仍用左手大指食指持針。以大指連搓三下。謂之飛。將針深進一二分。以針頭向左邊。謂之一進三飛。依此法行至五六次。覺針下沈緊。或針下氣熱。是氣至足矣。令病人吸氣一口。隨吸出針。急以手按其穴。此謂之補法也。

凡針背腹兩邊穴。分陰陽經補瀉。針男子背上中行。左轉爲補。右轉爲瀉。腹上中行。右轉爲補。左轉爲瀉。女人背中行。右轉爲補。左轉爲瀉。腹中行左轉爲補。蓋男子背陽腹陰。女子背陰腹陽故也。

南豐李氏補瀉

圖註難經云。手三陽從手至頭。針芒從外往上爲隨。針芒從內往下爲迎。足三陽從頭至足。針芒從內往下爲隨。針芒從內往上爲迎。足三陽從足至腹。鍼芒從外往上爲隨。針芒從內往下爲迎。手三陰從胸至手。針芒從內往下爲隨。針芒從外往上爲迎。。大要以子午爲午。。左爲陽從左子至午行爲補右爲陰從午至子右行爲瀉陽主進陰主退手爲陽左手爲純陽足爲陰右手爲純陰左手陽經爲陽中之陽。。左手陰經爲陽中之陰。。右手陽經爲陰中之陽。。右手陰經爲陰中之陰。。右足陰經爲陰中之陰。。右足陽經爲陰中之陽。。左足陰經爲陽中之陰。。左足陽經爲陽中陽動而伸之。。推而按之。。

動者轉也。。推者推轉也。。凡轉針太急則痛。。太慢則不去疾。。所謂推動。。即分陰陽左轉右轉之法也。。伸者提也。。按者插也。。如補瀉不覺氣行。。將針提起。。空如豆許。。或再彈二三下以補之。。緊戰者。。連用飛法三下。。如覺針下緊滿。。其氣易行。。即用通法。。若邪盛氣滯。。却用提插。。先去病邪。。而後通其眞氣。。提者自地部提至人部天部。。插者自天部插至人部地部。。病輕提插九數。。病重者。。愈多愈好。。或問治病全在提插既云急提慢按如冰冷。慢提急按火燒身。又云男子午前提針爲熱。插針爲寒。午後提針爲寒。插針爲熱。女人反之。其故何耶。蓋提插補瀉。無非順陰陽也。午前順陽性。提至天部則熱。午後順陰性。插至地部則熱。奇效良方。有時最明。

補瀉提插活法。凡補針先淺入而後深。插針先深入而後淺。凡提插急提慢按。如冰冷瀉也。慢提急按火燒身補也。或先提插而後補瀉。或先補瀉而後提插可也。或補瀉提插亦可也。如治久患癱瘓頑痲冷痺。遍身走痛及瘓風寒瘧一切冷症。先淺入針而後漸深入針。俱補氣行針下緊滿。其身覺熱。帶補慢提急按。即用通法。扳到針頭。令患人吸氣五口。使氣上行。陽回陰退。名曰進氣法。又曰燒山火。

治風痰壅盛。中風喉風癲狂瘧疾一切熱症。先深入針而後漸淺。得氣覺凉。帶瀉急慢。慢按再瀉再提。即用通法。徐徐提之。病徐乃止。名曰透天凉。

治瘧疾先寒後熱。。一切上盛下虛等症。。先淺入針。。而後漸深。。如瘧疾先熱後寒。。一切半虛半實等症。。先深入針。。而後漸退。。此龍虎交戰法。。俾陽中有陰。。陰中有陽也。。蓋邪氣常隨正氣而行。。不交戰則邪不退。。而止不勝。。其病復起。。

治痃癖癥瘕氣塊。。先針入七分。。氣行便深入一寸。。微深提之。。却退至原處。。又得氣依前法再施。。名留氣法。。

治水蠱膈氣脹滿。。落穴之後。。補氣調氣均勻。。針行上下。。左右轉之。。千遭自平。。名曰子午搗臼。。

治損逆赤眼癰腫初起。。先以大指進前撚入左後。。以大指退後撚入右。。得氣向前推轉內入。。以大指彈其針尾。。引其陽氣。。按而提之。。其氣自行。。未應。。再施此龍虎交騰法也。。

雜病單針一穴即於氣後行之。。起針際行之亦可。。通而取之。。通者迎其氣也。。提插之後。。用之如病人右手陽經。。以醫者右手大指進前九數。。却倒針頭帶補。。以大指努力。。針嘴朝向病處。。或上或下。。或左或右。。直待病人覺熱停方。。若氣又不通。。以龍虎龜鳳飛經接氣之法。。驅而運之。。如病人左手陰經。。以醫者右手大指退後九數。。却倒針頭帶補。。以大指努力。。針嘴朝病熱住。。直待病人覺熱方停。。右手陽經。。與左手陰經同法。。右手陰經。。與左手陽經同法。。左足陽經與右手陽經同法。。左足陰經與右手陰經同法。。右足陽經與左手陽經同法。。右足陰經與左手陰經同法。。如退潮。。每一次先補六後瀉九。。不拘次數。。直待退潮爲度。。止痛同此法。。痒麻虛補。。疼痛實瀉。。此皆先正推衍內經通氣之法。。更有取氣接氣之法。。取者左取右。。右取左。。手取足。。足取手。。頭取手足三陽。。胸腹取手足三陰。。以不病者爲主。。病者爲應。。如兩手蹺攣。。則以兩足爲應。。向下攢一下。。兩手爲應。。先下主針。。後下應針。。主針氣已行。。而後針應針。。左邊左手左足同手法。。右邊亦然。。先門氣接氣。。而後取氣。。手補足瀉。。足補手瀉。。如搓索然。。久患偏枯蹺攣甚者。。必用此法於提插之後也。。

搖而出之。。外引其門。。以閉其神。。

搖者退也。。以兩指努針尾。。向上下左右。。各搖振五七下。。提二七下。。能散諸風。。出針直待微鬆。。方可出針豆許。。如病邪吸針。。正氣未復。。再須補瀉停待。。如再難頻加刮切。。刮後連瀉三下。。次用搜法。。如虎龍交騰。。一左一右。。但手更快耳。。直搜一上一下。。如撚法而不轉。。瀉刮同前。。次用盤法。。左轉九次。。右轉六次。。瀉搜同前。。緩緩提插。。搖出應針。。次出主針。。補者吸之。。急出其針。。便以左手大指按其針穴。。及穴外之皮。令針穴門戶不開。神氣內守。亦不致出也。瀉者呼之。提出其針。勿令泄氣。不用按穴。凡針起速。及針不停。久待暴者。其病即復。

一凡針暈者。神氣虛也。不可起針。急以別針補之。用袖掩病人口鼻回氣。內與熱湯飲之。即甦。良久再針。手膊上側。筋骨陷中。或足三里穴即甦。若起針壞人。

二凡針痛者。只是手粗。宜以左手扶住針腰。右手從容補瀉。如又痛者。不可起針。令病人吸氣一口。隨吸將針撚活。伸起一豆。即不痛。如伸起又痛。再伸起又痛。須索入針便止痛。

三凡斷針者。再將原針穴邊。復下一針補之。即出。或用磁石引針出或用藥塗之。

楊氏補瀉

一爪切者。凡下針用左手大指爪甲重切其針之穴。令氣血宣散。然後下針。不傷干榮衛也。。

二指持者。。凡下針以右手持針。。于穴上着力旋插。。直至腠理。。吸氣三口。。提於天部。。依前口氣。。徐徐而用。。正謂持針者手如握虎。。勢若擒龍。。心無依慕。。若待貴人之說也。。持針之士要心雄。。勢如握虎與擒龍。。欲識機關三部奧。。須將此理再推窮。。

三口温者。。凡下針。。入口中必須温熱。。方可與刺使血氣調和。。冷熱不相爭鬥也。。温針一理最爲良。。口內調和納穴塲。。毋令冷熱相爭搏。。榮衛宣通始得祥。。

四進針者。。凡下針要病人神氣定息數勻。。醫者亦如之。。切不可太忙。。又須審穴在何部分。。如在陽部。。必取筋骨之間。。陷下爲眞。。如在陰分。。郄膕之內。。動脉相應。。以爪重切經絡。。少待方可下手。。

進針理法取機關。。失經失穴豈堪施。。陽經取陷陰經脉。。三思已定再思之。。

五指循者。。凡下針若氣不至。。用指於所屬部分經絡之路。。上下右左循之。。使血氣往來。。上下均匀。。針下者然氣至沈緊。。得氣即瀉之故也。。

循其部分理何明。。只爲瀉頭不緊沈。。推則行之引則止。。調和血氣兩來臨。。

六爪攝者。。凡下針如針下針氣滯濇不行者。。隨經絡上下。。用大指爪甲切之。。其氣自通也。。

攝法應知氣滯經。。須令爪切勿交輕。。上下通行隨經絡。。故教學者亦窮經。。

七針退者。。凡退針必在六陰之數。。分明三部之用。。斟酌不可不誠心着意。。若亂差訛。。以瀉爲補。。以補爲瀉。。欲退之際。。三部一部以針緩緩而退也。。

退針千法理誰知。。三才訣內總玄機。。一部六陰三氣吸。。須臾疾病愈如飛。。

八針樣者。。凡轉針如搓線之狀。。勿轉太緊。。隨其氣而用之。。若轉太緊。。下入肉纏針。。則有大痛之患。。若氣滯。。即以彈搖法切之方可施也。。

搓針泄氣最爲奇。。氣至針纏莫急移。。渾如搓線悠悠轉。。急轉纏針肉不離。。

九指撚者。。凡下針之際。。治上。。大指向外撚。。治下。。大指向內撚。。外撚者。。令氣向上而治病。。內撚者。。令氣至下而治病。。如出至人部。。內撚者爲之補轉針頭向病所。。令取眞氣。。以至病所。。如出至人部。。外撚者爲之瀉轉鍼頭向病所。。令俠邪氣退。。至鍼下出也。。此乃鍼中之秘指也。。

撚鍼指法不相同。。一般在手兩般窮。。內外轉移行上下。。邪氣逢之疾豈容。。

十指留者。。如出鍼至于天部之際。。須在皮膚之間。。留一豆許。。少時方出鍼也。。

留鍼取氣候沈浮。。出容一臣入容侔。。致令榮衞縱橫散。。巧妙玄機在指頭。。

十一鍼搖者。凡出鍼三部。欲瀉之際。每一部搖一次。計六搖而已。以指捻鍼。如扶人頭之狀。庶使孔穴開大也。

搖鍼三部六搖之。依次推排指上施。孔穴大開無窒礙。致令氣邪出如飛。

十二指拔者。凡持鍼欲出之時。待鍼下氣緩不沉緊。便覺經滑。用指捻鍼。如拔虎尾之狀也。

拔鍼一法最爲良。浮沉澀滑任推詳。勢猶取虎身中尾。此訣誰知蘊錦囊。

總歌訣

鍼法玄機口訣多　手法雖多亦不過。

切穴持針温口內。進鍼循攝退鍼搓。

指撚瀉氣鍼留豆。搖令穴大拔如梭。

醫師穴法叮嚀說。記此便爲十二歌。

揣

下鍼八法口訣

揣而循之。凡點穴以手揣摩其處。在陽部筋骨之間側。陷者爲眞。在陰部郄膕之間。動脉相應。其肉厚薄。或伸或屈。或平或直。以法取之。按而正之。以大指爪切陷其穴。於中庶得進退。方有準也。難經曰。刺榮毋傷衛。刺衛無傷榮。又曰刺榮毋傷衛者。乃力按其穴。令氣散。以針而刺。是不傷其衛氣也刺衛毋傷榮者。乃撮起其穴。以鍼臥而刺之。是不傷其榮血也。此乃陰陽之補瀉法也。

爪

爪而下之。此則針賦曰。左手重而切按。欲令氣血得以宣散。是不傷于榮衛也。右手輕而徐入。欲不痛之因。此乃下針之秘法也。

搓

搓而轉者。搓如線之貌。勿轉太緊。轉者左補右瀉。以大指次指相合。大指往

上進爲之左。大指往下退爲之右。此則隨迎之法也。故經曰。迎奪右而瀉凉。隨濟而補煖。此則補瀉之大法也

彈

彈而努之。此則先彈針頭。待氣至。却退一豆許。先淺而後深。自外推內。補鍼之法也。

搖

搖而伸之。此乃先搖動鍼頭。待氣至。却退一豆許。乃先深而後淺。自內引外。瀉鍼之法也。故曰針頭補瀉。

捫

捫而閉之。經曰凡補必捫而出之。故補欲出鍼時。就捫閉其穴。不令氣出。使氣血不泄。乃爲眞補。

循

循而通之。經曰凡鍼瀉必在手指於穴上。四旁循之。使令血氣宣散。方可下鍼故出鍼時不閉其穴。乃爲眞瀉。此提按補瀉之法。男女補瀉。左右反用。

撚

撚者。治上。大指向外撚。治下大指向內撚。外撚者。令氣向上而治病。內撚者令氣向下而治病。如出針。內撚者令氣行至病所。外撚者。令邪氣至針下而出也。此下手八法口訣也。

治症總要

一謂中風。但未中風時。一兩月前。或三四個月前。不時足脛上發痠重麻。良久方解。此將中風之候也。便宜急救灸三里絕骨四處。各三壯。後用生葱薄荷柳葉四味煎湯淋洗。灸令祛逐風氣。自瘡口出。如春交夏時。夏交秋時。俱宜灸。常令二足有灸瘡爲妙。但人不信此法。飲食不節。酒色過度。卒忽中風。可於七處。一齊俱灸各三壯。偏左灸右。偏右灸左。百會耳前穴也。

第一陽症。中風不語。手足癱瘓者。

合谷 肩 手三里 百會 肩井 風市 環跳 足三里 委中 陽陵泉

先針無病手足。。後針有病手足。。

第二陰症。。中風半身不遂。。拘急。。手足拘攣。。此是陰也。。亦照前穴針之。。但先施補針。。後施瀉針。。

第三中暑。。不省人事。。

人中　合谷　內庭　百會　中極　氣海

問曰。。中暑當六七月間有此症。。或八九月十月亦有此症。。從何而得。。

答曰。。此症非一。。醫者不省。。當以六七月有之。。如何八九十月亦有之。。皆因先感暑氣。。流入脾胃之中。。串入經絡。。灌溉相併。。或因怒氣觸動。。或因過飲恣慾傷體。。或外感風。。至八九月方發。。乃難治也。。六七受病淺。。風疾未盛。。血氣未竭。。體氣未衰。。此爲易治。。復刺後穴。。

中衝　行間　曲池　少澤

第四中風不省人事

人中　中衝　合谷

問曰。此病如何而來。已上穴法。針之不效。奈何。

答曰。針力不到。補瀉不明。氣血錯亂。或去針速。故不效也。前穴未效。復刺後穴。

啞門　大敦

第五中風口禁不開。

頰車　人中　百會　承漿　合谷　俱宜瀉

問曰。此症前穴不效。何也。

答曰。此皆風痰灌注。氣血錯亂。陰陽不升降。致有此病。復刺後穴。

廉泉·人中

第六半身不遂中風○○

絕骨　崑崙　合谷　肩髃　曲池　手三里　足三里

問曰○○此症針後再發○○何也○○

答曰○○針不知分寸○○補瀉不明○○不分虛實○○其症再發○○再針前穴○○復刺後穴○○

肩井　上廉　委中

第七口眼喎斜中風○○

地倉　頰車　人中　合谷

問曰○○此症用前穴針效○○一月或半月復發○○何也○○

答曰○○必是不禁房勞○○不節飲食○○復刺後穴○○無不效也

聽會　承漿　翳風

第八中風左癱右瘓○○

二里　陽谿　合谷　中渚　陽輔　崑崙、行間

問曰。數穴針之不效。何也。

答曰。風痰灌注經絡。血氣相摶。再受風寒濕氣入內。凝滯不散。故刺後穴。先針無病手足。後針有病手足。

風市　丘墟　陽陵泉

第九正頭大痛。及腦頂痛。

百會　合谷　上星

問曰。此症針後。一日二日再發。甚於前。何也。

答曰。諸陽聚會頭上。合用先補後瀉。宜補多瀉少。其病再發愈重。如前法宜瀉之。無不效也。復針後穴。眞頭痛旦發夕死。夕發旦死。醫者當用心救治。如不然。則難治。

神庭　太陽

第十偏正頭風。。

風池　合谷　絲竹空

問曰。。已上穴法。。刺如不效。。何也。。

答曰。。亦有痰飲停滯胸膈。。賊風串入腦戶。。偏正頭風。。發來連臂內痛。。或手足沈冷。。久而不治。。變爲癱瘓。。亦分陰陽針之。。或針力不到未效。。可刺中脘。。以疎其下病。。次針三里。。瀉去其風。。復針前穴。。

中脘　三里　解谿

第十一頭風頂痛。。

解谿　豐隆

問曰。。此症刺效復發。。何也。。

答曰。。此乃房事過多。。醉飽不避風寒而臥。。賊風串入經絡冷症。。再發復針後穴。。

風池　上星　三里

第十二頭風頂痛。。

百會　後頂　合谷

問曰。。頭頂痛針入不效者。。再有何穴可治。。

答曰。。頭頂痛乃陰陽不分。。風邪串入腦戶。。刺故不效。。先取其痰。。次取其風。。自然有效。。

中脘　三里　風池　合谷

第十三醉頭風。。

攢竹　印堂　三里

問曰。。此症前穴針之不效。。何也。。

答曰。。此症有痰飲停於胃脘。。口吐清涎眩暈或三日五日不省人事。。不進飲食。。名曰醉頭風。。先去其氣。。化痰調胃進食。。然後去其風痛也。。

中脘　亶中　三里　風門

第十四目生翳膜

睛明　合谷　四白

問曰。。已上穴法。。刺之不效。。何也。。

答曰。。此症受病既深。。未可一時便愈。。須是二三次針之。。方可有效。。復刺後穴。。

太陽　光明　大骨空　小骨空

第十五迎風冷淚。。

攢竹　大骨空　小骨空

問曰。。此症緣何而得。。

答曰。對酒當風。或暴赤或痛。不忌房事。恣意好食燒肉內物。婦人多因產後不識廻避。當風坐卧。賊風串入目中。或經事交感。穢氣衝上頭目。亦成此症。復刺後穴。

小空骨治男婦醉後當風　三陰交治婦人交感症　淚孔上米大艾灸七壯效　中指牛指尖米大艾灸三壯效

第十六目生內障。

童子　合谷　臨泣　睛明

問曰。此症從何而得。此數穴針之不效。何也。

答曰。怒氣傷肝。血不就舍。腎水枯竭。氣血耗散。臨患之時。不能節約。恣意房事。用心過多。故得此症。亦難治療。復刺後穴。

光明　天府　風池

第十七目患外障。

小空骨　太陽　睛明　合谷

問曰。此症緣何而得。

答曰。頭風灌注瞳人。血氣湧溢。上盛下虛。故有此病。刺前不効。復刺後穴。二三灸方愈。

臨泣　攢竹　三里　內眥尖（灸五壯即眼頭尖上）

第十八風沿眼紅爛。

睛明　四白　合谷　臨泣　二間

問曰。針之不効。何也。

答曰。醉飽行房。血氣凝滯。痒而不散。用手揩摸。賊風乘時串入。故得此症。刺前不効。復刺後穴。

三里　光明

第十九眼赤暴痛。。

合谷　三里　太陽　睛明

問曰。。此症從何而得。。

答曰。。時氣所作。。血氣壅滯當風睡臥。。飢飽勞役。。故得此症。。復刺後穴。。

太陽　攢竹　絲竹空

第二十眼紅腫痛。。

睛明　合谷　四白　臨泣

問曰。。此症從何而得。。

答曰。。皆因腎水受虧。。心火上炎。。肝不能制。。心肝二血。。不能歸元。。血氣上壅。。灌注瞳人。。赤脉貫睛。。故不散。。復刺後穴。。

太谿　腎俞　行間　營宮

第二十一努肉侵睛。。

風池　睛明　合谷　太陽

問曰。此症從何而得。

答曰。或因傷寒未解。却有房室之事。上盛下虛。氣血上壅。或頭風。不早治。血貫瞳人。或暴下赤痛。或因氣傷肝。心火炎上。故不散也。及婦人產後怒氣所傷。產後未滿房事觸動心肝二經。飲食不節。飢飽醉勞。皆有此症。非一時便可治療。漸而為之。無不効也。復針後穴。

風池　期門　行間　太陽

第二十二淚目羞明。

小骨空　合谷　攢竹　二間

問曰。此症緣何而得。

答曰。皆因暴痛未愈。在路迎風。串入眼中。血不就舍。肝不藏血。風毒貫入。覩光冷淚自出。目見日影。乾澁冷痛。復刺後穴。

睛明　行間　光明

第二十三鼻窒不聞香臭。。

迎香　上星　五處　禾

問曰。。此症緣何而得。。針數穴皆不效。。

答曰。。皆因傷寒未解。。毒氣衝腦。。或生鼻痔。。腦中大熱。。故得此症。。復刺後穴。。

水溝　風府　百勞　大淵

第二十四鼻流淸涕。。

上星　人中　風府

問曰。。此病緣何而得。。

答曰。。皆因當風不解。。咳嗽痰涎。。及腦寒疼痛。。故得此症。。復針後穴。。

百會　風池　風門　百勞

第二十五腦寒瀉臭。。

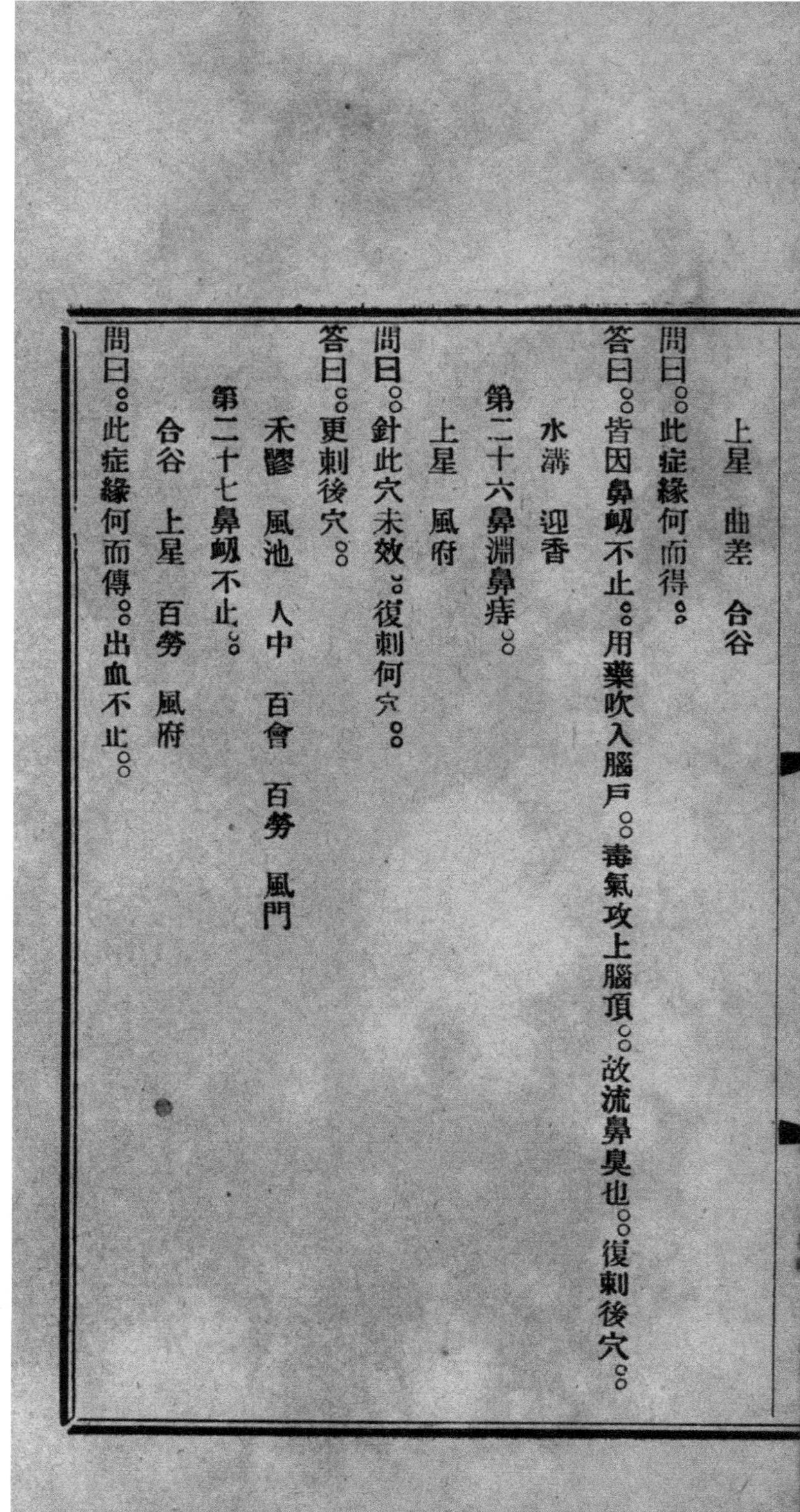

上星　曲差　合谷

問曰。。此症緣何而得。。

答曰。。皆因鼻衄不止。。用藥吹入腦戶。。毒氣攻上腦頂。。故流鼻臭也。。復刺後穴。。

水溝　迎香

第二十六鼻淵鼻痔。。

上星　風府

問曰。。針此穴未效。。復刺何穴。。

答曰。。更刺後穴。。

禾髎　風池　人中　百會　百勞　風門

第二十七鼻衄不止。。

合谷　上星　百勞　風府

問曰。。此症緣何而傳。。出血不止。。

答曰。。血氣上壅。。陰陽不能升降。。血不宿肝。。肝主藏血。。血熱忘行。。故血氣不順也。。針前不效。。復刺後穴。。

迎香　人中　印堂　京骨

第二十八口內生瘡。。

海泉　人中　承漿　合谷

問曰。。此症緣何而得。。

答曰。。上盛下虛。。心火上炎。。脾胃俱敗。。故成此症。。復刺後穴。。

金針　玉液　長強

第二十九口眼喎斜。。

頰車　合谷　地倉　人中

問曰。。此症從何而得。。

答曰。。醉後臥睡當風。。賊風串入經絡。。痰飲流注。。或因怒氣傷肝。。房事不節。。故得此症。。復剌後穴。。

承漿　百會　地倉　童子髎

第三十兩頰紅腫生瘡　一名枯曹風。。猪腮風。。

合谷　列缺　地倉　頰車

問曰。。此症從何而得。。

答曰。。熱氣上壅。。痰滯三焦。。腫而不散。。兩腮紅腫生瘡。。名曰枯曹風。。復剌後穴。。

承漿　三里　金津　玉液

第三十一舌腫難語。。

廉泉　金津　玉液

問曰。。此症從何而得。。

答曰。。皆由濕痰滯於石根。。宿熱相搏。。不能言語。。故令舌腫難言。。復刺後穴。。

天突　少商

第三十二牙齒腫痛。。
呂細　頰車　龍玄　合谷
第三十三上片牙痛。。
呂細　太淵　人中
第三十四下片牙痛。。
合谷　龍玄　承漿　頰車
問曰。。牙疼之症。。緣何而得。。
答曰。。皆因腎經虛敗。。上盛下虛。。陰陽不升。。故得前症。。復刺後穴。。
腎俞　三間　二間
第三十五耳內虛鳴。。
腎俞　三里　合谷
問曰。。此症從何而得。。

答白。。皆因房事不節。。腎經虛敗。。氣血耗散。。故得此症。。復刺後穴。。

太谿　聽會　三里

第三十六耳紅腫痛。。

聽會　合谷　頰車

問曰。。此症腫痛何也。。

答曰。。皆因熱氣上壅。。或因激耳觸傷。。氣不散。。及傷寒不解。。故有此症。。不可一例。。針灸須辨問端的。。針之無不效也。。復刺後穴。。

三里　合谷　翳風

第三十七哼耳生瘡。。出膿水。。

翳風　合谷　耳門

問曰。。哼耳生瘡。。出膿水。。嘗聞小兒有此症。。

答曰。。洗浴水歸耳內。。故有。。大人或因剔耳觸動耳黃。。亦有水誤入耳內。。故如此。。

復刺後穴。。

聽會　三里

第三十八耳聾氣閉。。

聽宫　聽會　翳風

問曰。。此症從何而得。。

答曰。。傷寒大熱。。閉氣不舒。。故有此症。。前針不效。。復刺後穴。。

三里　合谷

第三十九手臂痳木不仁。。

肩顒　曲池　合谷

問曰。。此症從何而得。。

答曰。。皆因寒濕相搏。。氣血凝滯。。故痳木不仁也。。復刺後穴。。

肩井　列缺

第四十手臂冷風痠痛。。
肩井　曲池　手三里　下廉
問曰。。此症從何而得。。
答曰。。寒邪之氣。。浥入經絡。。夜臥凉枕竹簟。。漆凳冷處。。睡着不知。。風濕流入經絡。。故得此症。。復刺後穴。。
手三里　解渓　上廉
第四十一手臂紅腫疼痛。。
三里　曲池　通里　中渚
問曰。。此症緣何而得。。
答曰。。氣血壅滯。。流而不散。。閉塞經絡不通。。故得此症。。復刺後穴。。
合谷　尺澤
第四十二手臂紅腫及疽。。

中渚　液門　曲池　合谷

問曰。此症緣何而得。

答曰。血氣壅滯。皮膚搔痒。用熱湯泡洗。而傷紅腫。故得此症。久而不治。變成手臂疽。復刺後穴。

上都

第四十三手臂拘攣。兩手筋緊不開。

陽池　合谷　尺澤　曲池　中渚

問曰。此症從何而得。

答曰。皆因濕氣處臥。暑月夜行。風濕相搏。或酒醉行房之後。露天而臥。故得此症。復刺後穴。

肩髃　中渚　少商　手三里

第四十四肩背紅腫疼痛。

肩顒　風門　中渚　大杼

問曰。此症從何而得。

答曰。皆因腠理不密。風邪串入皮膚。寒邪相搏。血氣凝滯。復刺後穴。

膏肓　肺俞　肩顒

第四十五心胸疼痛。

大陵　內關　曲澤

問曰。此從何而得。

答曰。皆因停積。或因食冷。胃脘冷積作楚。心痛有九種。有虫食痛者。有心脾冷痛者。有陰陽不升降者。有怒氣衝心者。此症非一。推詳其症治之。

中脘　上脘　三里

第四十六脇肋疼痛。

支溝　章門　外關

問曰。此症從何得之。

答曰。皆因怒氣傷肝。血不歸元。觸動肝經。肝藏血。怒氣甚。肝血不歸元。故得是症。亦有傷寒後脇痛者。有挫閃而痛者。不可一例治也。宜推詳其症治之。復刺後穴。

行門瀉肝經治怒氣 中封 期門治傷寒後脇痛 陽陵泉治挫閃

第四十七腹內疼痛。

內關 三里 中脘

問曰。腹內疼痛。如何治痛。

答曰。失飽傷飽。血氣相爭。榮衛不調。五藏不安。寒濕中得。此或冒風被雨。醉飽行房。飲食不化。亦有此症。必急治療。爲腎虚敗。毒氣衝歸臍腹。故得此症。如不愈。復刺後穴。

關元　水分　天樞（寒濕 飢飽）

第四十八小腹張滿。

內庭　三里　三陰交

問曰。此症針入穴法不效。何也。

答曰。此因停飲不化。腹脹。此症非一。有膀胱疝氣。冷築疼痛。大便虛空。脹滿疼痛。推詳治之。再刺後穴。

照海　大敦　中脘（先補後瀉）　氣海（專治婦人血塊攻築疼痛 小便不利婦人諸般氣痛）

第四十九兩足麻木。

陽輔　陽交　絕骨　行間

問曰。此症因何而得。

答曰。。皆爲濕氣相搏。。流入經絡不散。。或因酒後房事過多。。寒暑失益。。致有此症。。

崑崙　絕骨　丘墟

第五十兩膝紅腫疼痛。。

膝關　委中

問曰。。此症從何而來。。

答曰。。皆因脾家受濕。。痰飲流注。。此疾非一。。或因痢後寒邪入於經絡。。遂有此症。。或傷寒流注。。亦有此症。。後刺後穴。。

陽陵泉　中脘　豐隆

第五十一足不能行。。

丘墟　行間　崑崙　太衝

問曰。。此症從何而得。。

答曰。。皆因酥後行房。。腎經受虧。。以致足弱無力。。遂致不能行步。。前治不效。。復刺後穴。。

三里　陽輔　三陰交　復溜

第五十二脚弱無力。。

公孫　三里　絶骨　申脉

問曰。。此症從何而得。。

答曰。。皆因濕氣流於經絡。。血氣相搏。。或因行房過損精力。。或因行路有損筋骨。。致成此症。。復針後穴。。

崑崙　陽輔

第五十三紅腫脚氣生瘡。。

照海　崑崙　京骨　委中

問曰。。此症前穴不愈。。何也。。

答曰。。氣血凝而不散。。寒熱久而不治。。變成其疾。。復針後穴。。

三里　三陰交

第五十四脚背紅腫痛。。

大衝　臨泣　行間　內庭

問曰。。此症從何而得。。

答曰。。皆因勞役過多。。熱湯泡洗。。血氣不散。。以致紅腫疼痛。。宜針不宜灸。。

丘墟　崑崙

第五十五穿跟草鞋風。。

照海　丘墟　商丘　崑崙

問曰。。此症緣何而得。。

答曰。。皆因勞役過多。。血氣流滯而冷。。或因大熱行路。。冷水浸洗。。而感比疾。。復刺後穴。。

大衝　解谿

第五十六風痛不能側。舉步艱難。

環跳　風市　崑崙　居髎　三里　陽陵泉

問曰。此症緣何而得。

答曰。皆因房事過多。寒濕地睡臥。流注經絡。挫閃後腰疼痛。舉止艱難。前穴不效。復刺後穴。

五樞　陽輔　支溝

第五十七腰脚疼痛。

委中　人中

第五十八腎虛腰痛。

腎俞　委中　太谿　白環俞

第五十九腰脊强痛。

人中　委中

第六十挫閃腰脇痛。。

尺澤　委中　人中

問曰。。此症從何而得。。

答曰。。皆因房事過多。。勞損腎經。。精血枯竭。。腎虛腰痛。。負重遠行。。血氣錯亂。。冒熱血不歸元。。是以要痛。。或因他事所關。。氣攻兩脇疼痛。。故有此症。。復刺後穴。。

崑崙　束骨　支溝　陽陵泉

第六十一渾身浮腫生瘡。。

曲池　合谷　三里　三陰交　行間　內庭

問曰。。此症從何而得。。

答曰。。傷飢失飽。。房事過度。。或食生冷。。

第六十二四肢浮腫。。

中都　合谷　三里　中渚　液門

問曰。。此症從何而得。。

答曰。。皆因飢寒邪入經絡。。飲水過多。。流入四肢。。或飲酒過多。。不避風寒。。致有此症。。復刺後穴。。

行間　內庭　三陰交　陽陵泉

第六十三單蠱脹。。

氣海　行間　三里　內庭　水分　食關

第六十四雙蠱脹。。

支溝　合谷　曲池　水分

問曰。。此症從何而得。。

答曰皆因酒色過多。。內傷藏府。。血氣不週。。遂成蠱脹。。飲食不化。。痰積停滯。。渾身浮腫。。生水。。小便不利。。血氣不成。。則四肢浮腫。。胃氣不足。。酒氣不節。。則單蠱脹也。。腎水俱俱。。水火不相濟。。故令雙蠱。。此症本難治療。。醫者當詳細推之。。

三里　三陰交　行間　內庭

第六十五小便不利。。

陰陵泉　氣候　三陰交

問曰。此症緣何而得。。

答曰。。皆因膀胱邪氣熱蘊不散。。或勞役過度。。怒氣傷胞。。則氣閉入竅中。。或婦人轉胞。。皆有此症。。復刺後穴。。

陰谷　大陵

第六十六小便滑數。。

中極　腎兪　陰陵泉

問曰。。此症爲何。。

答曰。。此膀胱受寒。。腎經滑數。。小便冷痛。。頻頻淋瀝。。復針後穴。。

三陰交　氣海

第六十七大便秘結不通。。
章門　太白　照海
問曰。。此症從何得之。。
答曰此症非一。。有熱結。。有冷結。。宜先補後瀉。。
第六十八大便泄瀉不止。。
中脘　天樞　中極
第六十九赤白痢疾如赤。。
內廷　天樞　隱白　氣海　照海　內關　如白裏急厚重。。大痛者。。
外關　中脘　隱白　天樞　申脉
第七十臟毒下血。。
承山　脾俞　精宮　長强
第七十一睆肛久痔。。

二白　百會　精宮　長强

第七十二脾寒發瘧。。

後谿　間使　大椎　身柱　三里　絕骨　合谷　膏肓

第七十三瘧先寒後熱。。

絕骨　百會　膏肓　合谷

第七十四瘧先熱後寒。。

曲池先補後瀉　絕骨先瀉後補　膏肓　百勞

第七十五熱多寒少。。

後谿　間使　百勞　曲池

第七十六寒多熱少

後谿　百勞　曲池

問曰。此症從何感來。

答曰。皆因脾胃虛弱。憂傷於暑。秋必成瘧。有熱多寒少。單寒單熱。氣盛則熱多痰盛則寒多。是皆痰飲停滯。氣血耗散。脾胃虛敗。房事不節所致。或一日一發。間日一發。或三日一發者。久而不治。變成大瘧。瘧後有浮腫。有虛勞。有大便利。有腹腫蠱脹者。或飲水多。腹內有瘧母者。須用調脾進食化痰飲。穴法依前治之。

第七十七翻胃吐食

中脘　脾俞　中魁　三里

第七十八飲水不能進。爲之五噎。

營宮　中魁　中脘　三里　大陵

問曰。翻胃之症。從何而得。針法所能療否。

答曰。此症有可治。有不可治者。病初來時。皆因酒色過度。房事不節。胃家受寒。嘔吐酸水。或食物即時吐出。或飲食後。一日方吐者。二三日方吐者。隨時吐者可癒。三兩日吐者。乃脾胃絕枯。不能克化水穀。故有五噎者。氣噎水噎食噎勞噎思噎。宜推詳治之。復刺後穴。

脾俞　胃俞以上補多瀉少　亶中　太白　下脘　食關

第七十九哮吼嗽喘。

腧府　天突　亶中　肺俞　三里　中浣

問曰。此症從何而得。

答曰。皆因好飲熱酸魚腥之物。及有風邪痰飲之類。串入肺中。怒氣傷肝。乘此怒氣。食物不化。醉酒行房。不能節約。此亦非一也。有水哮。飲水則發。有氣哮。怒氣所感。寒邪相搏。痰飲壅塞。滿則發鹹。哮則食鹹。物發。或食炙煿之物則發。。醫當用意推詳。。小兒此症尤多。。復刺後穴。。

膏肓　氣海　關元　乳根

第八十咳嗽紅痰。。

百勞　肺俞　中脘　三里

問曰。。此症緣何而得。。

答曰。。皆因色慾過度。。脾腎俱敗。。怒氣傷肝。。血不歸元。。作成痰欬。。串入肺絕。。久而不治。。變成勞瘵。。復刺後穴。。

膏肓　腎俞　乳根

第八十一吐血等症。。

亶中　中脘　氣海　三里　乳根　支溝

問曰。。此症緣何而得。。何法可治。。

答曰。。皆因憂愁思慮。。七情所感。。內動於心。。即傷於神。。外勞於形。。即傷於精。。古人言心生血。。肝納血。。心肝二經受尅。。心火上炎。。氣血上壅。。腎水枯竭不交濟。。故有此症。。須分虛實。。不可概治。。

肺俞　腎俞　心俞　膏肓　關元

第八十二肺癰咳嗽。。

肺兪　亶中　支溝　大陵

問曰。。此症從何而得。。

答曰。。皆因傷風。。表裏不解。。咳嗽不止。。吐膿血。。是肺癰也。。復刺後穴。。

風門　三里　支溝

第八十三久嗽不愈。。

肺俞　三里　亶中　乳根　風門　缺盆

問曰。。此症從何而得。。

答曰。。皆因食寒物傷肺。。酒色不節。。或傷風不解。痰流經絡。咳嗽不已。。可刺前穴。。

第八十四傳尸勞瘵。。

鳩尾　肺俞　中極　四花先灸

問曰。。此症從何而來。。

答曰。。皆因飽後行房。。氣血耗散。。癆瘵傳尸。。以致滅門絕戶者有之。。復刺後穴。。

亶中　泉湧　百會　膏肓　三里　中里

第八十五消渴。。

金津　玉液　承漿

問曰。。此症從何而得。。

答曰。。皆爲腎水枯竭。。水火不濟。。脾胃俱敗。。久而不治。。變成背疽。。難治矣。。復刺後穴。。

海泉　人中　廉泉　海氣　腎俞

第八十六遺精白濁。。

心俞　腎俞　關元　三陰交

問曰。。此症從何而得。。

答曰。。皆因房事失宜。。驚動於心。。內不納精。。外傷於腎。。憂愁思慮。。七情所感。。心腎不濟。。人漸尫羸。。血氣耗散。。故得此症。。復刺後穴。。

命門　白環俞

第八十七陰莖虛弱。。

中極　太谿　復溜　三陰交

問曰。。此症從何而得。。

答曰。。皆爲年少之時。。妄用金石他藥。。有傷莖孔。。使令陰陽交感。。不能發泄。。故生此症。。復刺後穴。。

血郄　中極　海底　內關　陰陵泉

第八十八陰汗偏墜。。

蠡明　三陰交

第八十九木腎不痛。。腫如升。。

歸來　大敦　三陰交

第九十奔豚乳弦。。

關元　關門　水道　三陰交

問曰。。此三症因何而得。。

答曰。。皆爲酒色過度。。腎水枯竭。。房事不節。。精氣無力。。陽事不興。。強而爲之。。精氣不能泄外。。流入胞中。。此症非一。。或腫如升。。或偏墜痛疼。。如雞子之狀。。按上腹

中則作聲。。此爲乳弦疝氣也。。宜針後穴

海底　歸來　關元　三陰交

第九十一婦人赤白帶下。。

氣海　中極　白環俞　腎俞

問曰。。此症從何而得。。

答曰。。皆因不惜身體。。恣意房事。。傷損精血。。或經行與男子交感。。內不納精。。遺下白水。。變成赤白帶下。。復刺後穴。。

氣海　三陰交　陽交補多瀉少

第九十二婦人無子

子宮　中極

第九十三婦人多子。。

石門　三陰交

第九十四經事不調。。

中極　腎俞　氣海　三陰交

第九十五婦人難産。。

獨陰　合谷　三陰交

第九十六血崩漏下。。

中極　子宫

第九十七産後血塊痛。。

海氣　三陰交

第九十八胎衣不下。。

中極　三陰交

第九十九五心煩熱。。頭目昏沈。。

合谷　百勞　中泉　心俞　勞宫　湧泉

問曰。。此症因何而得。。

答曰。。皆因産後勞役。。邪風串入經絡。。或因辛勤太過而得。。亦有室女得此症。。答曰。。或陰陽不和。。氣血湧滿而得之者。。或憂愁思慮。。而得之者。。復刺後穴。。

少商　曲池　肩井　心俞

第一百陰門忽然紅腫痛。。

會陰　中極　三陰交

第一百一婦女血崩不止。。

丹田　中極　腎俞　子宮

問曰。。此症因何而得。。

答曰。。乃經行與男子交感而得。。人漸羸瘦。。外感寒邪。。內傷於精。。寒熱往來。。精血相搏。。內不納精。。外不受血。。毒氣衝動子宮。。風邪入肺中。。咳嗽痰飲。。故得此症。。如不明脉之虛實。。作勞治之。。非也。。或有兩情交感。。百脉錯亂。。血不歸元。。以致如斯者。。再剌後穴。。

百勞　風池　膏肓　曲池　絕骨　三陰交

第一百二婦人無乳。。

少澤　合谷　亶中

第一百三乳癰針乳疼處

亶中　大陵　委中　少澤　俞府

第一百四月水斷絕。。

中極　腎俞　合谷　三陰交

問曰。。婦人之症。。如何不具後穴。。

答曰。。婦人之症。。難以再具。。止用此穴法。。無不效。。更宜辨脉虛實。。調之可也。。

第一百五渾身生瘡。。

曲池　合谷　三里　行間

第一百六發背癰疽。。

肩井　委中　天應　騎竹馬

或謂陰疽滿背無頭。。何法治之。。

答曰。。可用濕泥塗之。。先乾處用蒜錢貼之。。如法灸可服五香連翹散數貼。。發出。。

第一百七腎臟風瘡。。

血部　三陰交

第一百八疔瘡以針挑有血可治無血不可治

合谷　曲池　三里　委中

第一百九夾黃脇腿毒也

支溝　委中　肩井　陽陵泉

第一百一十傷寒頭痛。。

合谷　攢井　太陽肩後紫脉上

第一百十一傷寒脇痛。。

支溝　章門　陽陵泉　中委出血

第一百十二寒胸脇痛。。

大曲　期門　亶中　營宮

第一百十三傷寒大熱不退。。

大曲　絕骨　三里　大椎　湧泉　合谷俱宜瀉

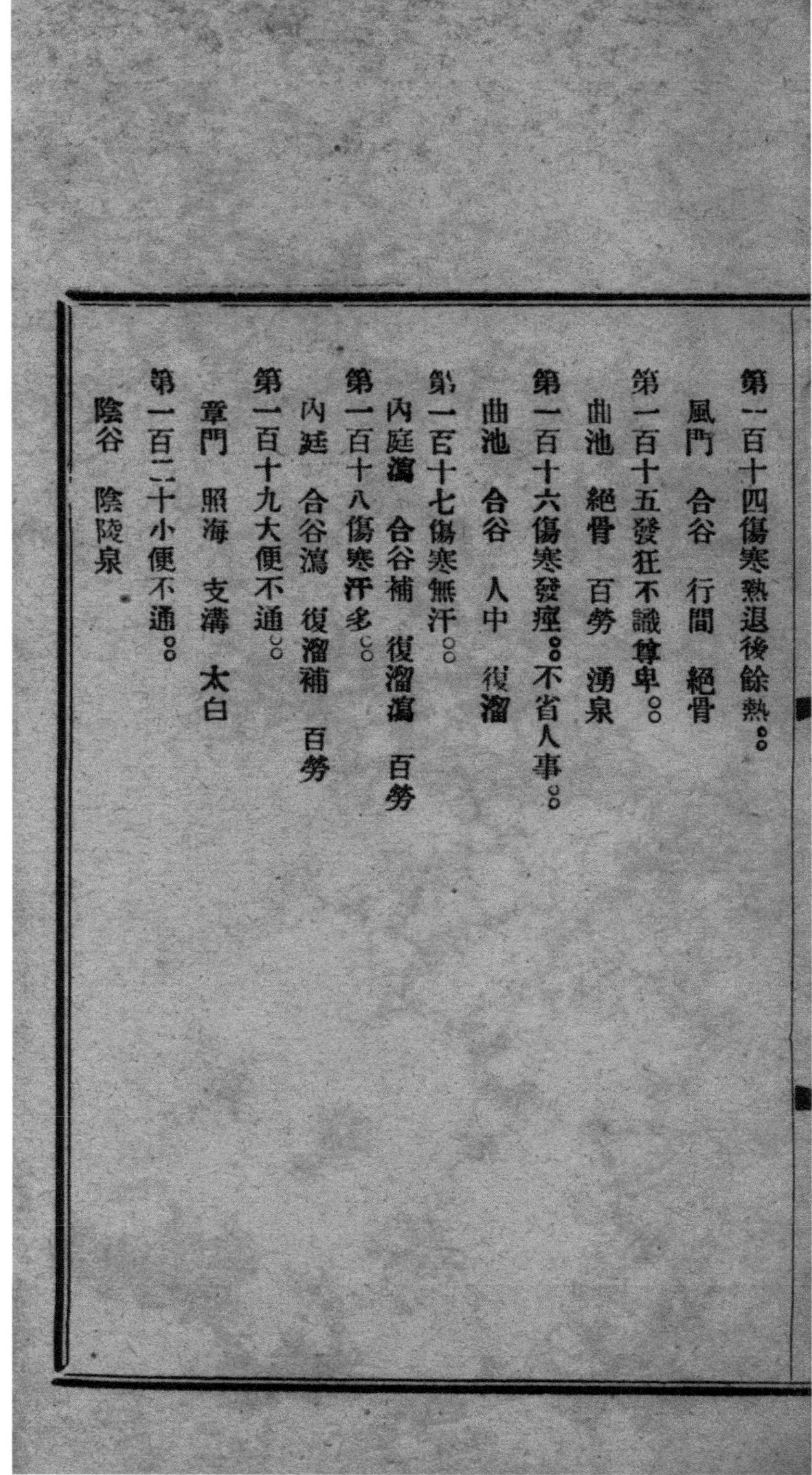

第一百十四傷寒熱退後餘熱。。
風門　合谷　行間　絕骨
第一百十五發狂不識尊卑。。
曲池　絕骨　百勞　湧泉
第一百十六傷寒發痓。。不省人事。。
曲池　合谷　人中　復溜
第一百十七傷寒無汗。。
內庭瀉　合谷補　復溜瀉　百勞
第一百十八傷寒汗多。。
內廷　合谷瀉　復溜補　百勞
第一百十九大便不通。。
章門　照海　支溝　太白
第一百二十小便不通。。
陰谷　陰陵泉

第一百二十一六脉俱無○○
合谷　復溜　中陰（陰症多有此）
第一百二十二傷寒發狂○○
期門　氣海　曲池
第一百二十叁傷寒發黃○○
腕骨　申脉　外關　湧泉
第一百二十四咽喉腫痛
少商　天突　合谷
第一百二十五雙乳蛾症○○
少商　金津　玉液
第一百二十六單乳蛾症○○
少商　金谷　海泉

第一百二十七小兒赤遊風。。
百會 委中
第一百二十八渾身發紅丹。。
百會 曲池 三里 委中
第一百二十九黃胆發。。虛浮。。
脘骨 百勞 三里 湧泉 （治渾身黃） 中脘 膏肓 丹田 （治色黃）
陰陵泉 （治酒黃）
第一百三十肚中氣塊。。痞塊。。積塊。。
三里 塊中 塊尾
第一百三十一五癇等症。。
上星 鬼祿 鳩尾 湧泉 心俞 百會
第一百三十二馬癇。。
照海 鳩尾 心俞

第一百三十三風癇。。
神庭　素髎　湧泉
第一百三十四食癇。。
鳩尾　中脘　少商
第一百三十五猪癇。。
湧泉　心俞　三里　鳩尾　中脘　少商　巨闕
問曰。。此症從何而來。。
答曰。。皆因痰結胃中。。失志不定。。遂成數症。。醫者推詳治之。。無不効也。。
第一百三十六失志痴呆。。
神門　鬼眼　百會　鳩尾
第一百三十七口臭難近。。
齗交　承漿

問曰。。此症從何而得。。

答曰。。皆因用心過度。。勞役不已。。或不漱牙。。藏宿食以致穢臭。。復刺後穴。。

金津　玉液

第一百三十八小兒肛脫。。

百會　長強　大腸俞

第一百三十九霍亂轉筋。。

承山　中封

第一百四十霍亂吐瀉。。

中脘　天樞

第一百四十壹咳逆發噫。。

亶中　中脘　大陵

問曰。。此症從何而得。。

答曰。。皆因怒氣傷肝。。胃氣不足。。亦有胃受風邪。。痰飲停滯。。得者。。亦有氣逆不順者。。故不一也。。刺前未效。。復刺後穴。。

三里　肺俞　行間　（瀉肝經怒氣）

第一百四十二健忘失記。。

列缺　心俞　神門　少海

問曰。。此症從何而得。。

答曰。。憂愁思慮內動於心。。外感於情。。或有痰涎灌心竅。。七情所感。。故有此症。。復刺後穴。。

中脘　三里

第一百四十三小便淋瀉。。

陰谷　關元　氣海　三陰交　陰陵泉

問曰。。此症從何而得。。

答曰。。皆爲酒色嗜慾不節。。勉强爲之。。少年之過。。或用金石熱劑。。或小便急。。行房事。。或交感之際。。被人衝破。。不能完事。。精不得施泄。。陰陽不得舒通。。緣此症非一。。有砂淋。。有熱淋。。有冷淋。。氣淋。。血淋。。請詳審治之。。

第一百四十四重舌腰痛。。

合谷　承漿　金津　玉液　海泉　人中

第一百四十五便毒癰疽。。

崑崙　承漿　三陰交

第一百四十六瘰癧結核。。

肩井　曲池　天井　三陽絡　陰陽泉

第一百四十七發痧等症。。

分水　百勞　大陵　委中

第一百四十八牙關脫臼。。